Persepolis

Marjane Satrapi

L'Association

collection
ciboulette

1

LE FOULARD

ÇA, C'EST MOI QUAND J'AVAIS DIX ANS. C'ÉTAIT EN 1980.
ET ÇA, C'EST UNE PHOTO DE CLASSE. JE SUIS ASSISE À L'EXTRÉMITÉ GAUCHE, ALORS ON NE ME VOIT PAS. DE GAUCHE À DROITE: GOLNAZ, MAHSHID, NARINE, MINNA.
EN 1979, IL Y A EU UNE RÉVOLUTION QUI A ÉTÉ APPELÉE PLUS TARD "LA RÉVOLUTION ISLAMIQUE".
PUIS VINT L'ANNÉE 1980 : LA PREMIÈRE ANNÉE OÙ LE PORT DU FOULARD DEVINT OBLIGATOIRE À L'ÉCOLE.
TIENS MA FILLE
NOUS N'AIMIONS PAS BEAUCOUP PORTER LE FOULARD, SURTOUT QU'ON NE SAVAIT PAS POURQUOI.
IL FAIT TROP CHAUD !
EXÉCUTION POUR LA LIBERTÉ
RENDS MON FOULARD!
IL FAUDRA LÉCHER MES PIEDS
HUU! JE SUIS LE MONSTRE DES TÉNÈBRES
U! U! U! U!

ET AUSSI PARCEQU'UN AN AUPARAVANT, EN 1979
ON ÉTAIT DANS UNE ÉCOLE FRANÇAISE ET LAÏQUE,
OÙ NOUS ÉTIONS GARÇONS ET FILLES ENSEMBLE,
ET SOUDAIN EN 1980....
TOUTES LES ÉCOLES BILINGUES DOIVENT FERMER LEURS PORTES
ELLES SONT LES SYMBOLES DU CAPITALISME MONDIAL
BRAVO!
QUELLE SAGESSE!
DE LA DÉCADENCE
★ CELA S'APPELLE UNE: "RÉVOLUTION CULTURELLE"
NOUS NOUS SOMMES RETROUVÉES VOILÉES ET SÉPARÉES DE NOS COPAINS.
ET VOILÀ!

PARTOUT DANS LES RUES IL Y AVAIT DES MANIFESTATIONS ANTI ET PRO-FOULARD.
le foulard! le foulard! le foulard! le foulard!
le foulard!
liberté! liberté! liberté!
liberté! liberté!
MA MÈRE A ÉTÉ PRISE EN PHOTO PAR UN JOURNALISTE ALLEMAND LORS D'UNE DE CES MANIFESTATIONS.
J'ÉTAIS VRAIMENT TRÈS FIÈRE D'ELLE. SA PHOTO A ÉTÉ DIFFUSÉE DANS TOUTE L'EUROPE.
ET MÊME DANS UN MAGAZINE DE CHEZ NOUS. MA MÈRE AVAIT TRÈS PEUR.
MAIS TU AS VU ÇA?
C'EST PAS SI GRAVE CHÉRIE
ELLE S'EST TEINT LES CHEVEUX
ET PORTA LONGTEMPS DES LUNETTES NOIRES.

JE NE SAVAIS PAS TROP QUOI PENSER DU FOULARD. MOI J'ÉTAIS TRÈS CROYANTE MAIS MOI ET MES PARENTS ENSEMBLE ÉTIONS TRÈS MODERNES ET AVANT-GARDE.
J'ÉTAIS NÉE AVEC LA RELIGION.
DÉJÀ À L'ÂGE DE SIX ANS J'ÉTAIS SÛRE D'ÊTRE LA DERNIÈRE DES PROPHÈTES. C'ÉTAIT QUELQUES ANNÉES AVANT LA RÉVOLUTION.
Ô, lumière Céleste !
AVANT MOI IL Y EN A EU QUELQUES-UNS.
MOI, JE SUIS LA DERNIÈRE
UNE FEMME ?
JE VOULAIS ÊTRE PROPHÈTE...
CAR NOTRE BONNE NE MANGEAIT PAS AVEC NOUS À TABLE,
CAR MON PÈRE AVAIT UNE CADILLAC
ET SURTOUT PARCEQUE MA GRAND-MÈRE AVAIT TOUJOURS MAL AUX GENOUX.
VIENS MARJI! AIDE-MOI À ME LEVER
NE T'EN FAIS PAS. BIENTÔT TU N'AURAS PLUS MAL! TU VAS VOIR

COMME TOUS MES PRÉDÉCESSEURS J'AVAIS MON LIVRE SACRÉ.
LES TROIS PREMIÈRES RÈGLES VENAIENT DE ZARATHOUSTRA. IL FUT LE PREMIER PROPHÈTE DE MON PAYS AVANT L'INVASION ARABE.
IL VA FALLOIR BASER TOUT SUR CES TROIS RÈGLES : BON COMPORTEMENT BONNE PAROLE BONNE ACTION
JE VOULAIS AUSSI QU'ON CÉLÈBRE LES FÊTES ZOROASTRIENNES. COMME LA FÊTE DU FEU,
SUIVI DU NOROUZ, LE NOUVEL AN PERSAN, FÊTÉ LE 21 MARS, LE PREMIER JOUR DU PRINTEMPS.
IL N'Y AVAIT QUE MA GRAND-MÈRE QUI ÉTAIT AU COURANT DE MON LIVRE.
RÈGLE N°6 : TOUT LE MONDE DOIT AVOIR UNE VOITURE
RÈGLE N°7 : TOUTES LES BONNES DOIVENT MANGER AVEC LES AUTRES
RÈGLE N°8 : AUCUNE VIEILLE N'A LE DROIT DE SOUFFRIR
SI C'EST COMME ÇA JE SERAI TA PREMIÈRE DISCIPLE
C'EST VRAI ?
MAIS DIS-MOI COMMENT TU VAS FAIRE POUR QUE LES VIEILLES NE SOUFFRENT PLUS ?
BEN, C'EST SIMPLE, ÇA SERA INTERDIT

TOUS LES SOIRS J'AVAIS DE GRANDES DISCUSSIONS AVEC DIEU.
DIEU, DONNE-MOI ENCORE UN PEU DE TEMPS. JE NE SUIS PAS TOUT À FAIT PRÊTE
MAIS SI, LUMIÈRE CÉLESTE ! TU ES MON CHOIX, MON DERNIER ET MON MEILLEUR CHOIX
À PART MA GRAND-MÈRE IL N'Y AVAIT ÉVIDEMMENT QUE MOI QUI ME CROYAIS.
ET TOI QU'EST-CE QUE TU VEUX FAIRE PLUS TARD ?
vion
A-a
JE SERAI PROPHÈTE
HA HA HA HA HA HA
ELLE EST FOLLE
MES PARENTS FURENT CONVOQUÉS.
VOTRE ENFANT EST PERTURBÉE. ELLE VEUT ÊTRE PROPHÈTE !
ET ALORS ?
CELA NE VOUS INQUIÈTE PAS ?
NON ! PAS DU TOUT !
?

MES PARENTS SE POSÈRENT QUAND MÊME DES QUESTIONS.
DIS-MOI MA FILLE QU'EST-CE QUE TU VEUX FAIRE PLUS TARD?
PROPHÈTE
JE SERAI DOCTEUR
C'EST BIEN MA CHÉRIE, C'EST BIEN
JE ME SENTAIS COUPABLE VIS-À-VIS DE DIEU.
MAIS ALORS C'EST VRAI? TU VEUX ÊTRE DOCTEUR? MOI QUI CROYAIS...
MAIS NON, JE SERAI PROPHÈTE MAIS FAUT PAS QU'ILS SACHENT
JE VOULAIS ÊTRE À LA FOIS LA JUSTICE, L'AMOUR ET LA COLÈRE DE DIEU.

LA BICYCLETTE
MA FOI N'ÉTAIT PAS SANS DOUTE
L'ANNÉE DE LA RÉVOLUTION EN 1979 IL FALLAIT AGIR. J'AI DONC DÉLAISSÉ MON DESTIN DE PROPHÈTE PENDANT QUELQUE TEMPS.
AUJOURD'HUI JE M'APPELLE CHE GUEVARA
MOI, C'EST FIDEL
ET MOI, JE VEUX ÊTRE TROTÉSKY
ON MANIFESTAIT DANS LE JARDIN DE LA MAISON.
À BAS LE ROI!
À BAS LE ROI!
LA RÉVOLUTION EST COMME UNE BICYCLETTE. QUAND SES ROUES NE TOURNENT PLUS, ELLE TOMBE.
BIEN DIT!
AINSI SE PASSA LA RÉVOLUTION DANS MON PAYS.

"LA RÉVOLUTION A ENFIN RÉVEILLÉ LE PEUPLE APRÈS UN LONG SOMMEIL DE 2500 ANS."

"2500 ANS DE TYRANNIE ET DE SOUMISSION" COMME LE DISAIT MON PÈRE.
D'ABORD NOS PROPRES EMPEREURS
PUIS L'INVASION ARABE DE L'OUEST
SUIVIE DE L'INVASION MONGOLE DE L'EST
ET ENFIN L'IMPÉRIALISME MODERNE

POUR ME RÉVEILLER, ON M'ACHETA DES LIVRES.
JE SAVAIS TOUT SUR LES ENFANTS PALESTINIENS,
SUR FIDEL CASTRO,
SUR LES PETITS VIETNAMIENS TUÉS PAR LES AMÉRICAINS,
SUR LES RÉVOLUTIONNAIRES DE MON PAYS....
F. REZAÏ 1942-72
Dr. FATÉMI
1928-58
H. ASHRAF 1938-72
MAIS MON LIVRE PRÉFÉRÉ ÉTAIT UNE BD INTITULÉE : "LE MATÉRIALISME DIALECTIQUE".
DANS MON LIVRE ON VOYAIT MARX ET DESCARTES.
LE MONDE MATÉRIEL N'EXISTE PAS, CE N'EST QU'UNE RÉFLEXION DE NOTRE IMAGINATION.
BEN VOYONS !

ALORS CETTE PIERRE QUE J'AI DANS LA MAIN, TU LA VOIS MAIS ELLE N'EXISTE PAS PUISQU'ELLE N'EST QUE DANS TON IMAGINATION
C'EST CELA MÊME
AÏE, AÏE, QU'EST-CE QUE TU FAIS KARL, TU M'AS CASSÉ LA TÊTE !
HA! HA! HA! HA! HA! HA!
C'ÉTAIT AMUSANT DE VOIR COMME DIEU ET MARX SE RESSEMBLAIENT. PEUT-ÊTRE QUE MARX ÉTAIT UN PEU PLUS FRISÉ.
MALGRÉ TOUT, DIEU VENAIT ME VOIR DE TEMPS EN TEMPS.
ALORS, TU NE VEUX PLUS ÊTRE PROPHÈTE
PARLONS D'AUTRE CHOSE, TU VEUX?
TU TROUVES QUE JE RESSEMBLE À MARX?
JE T'AI DIT DE PARLER D'AUTRE CHOSE !
DEMAIN, IL VA FAIRE BEAU.
?

IL VA FAIRE 27°C À L'OMBRE
CHUT ! ATTENDS, ATTENDS !
CE SOIR, ILS ONT BRÛLÉ LE CINÉMA REX
OH ! MON DIEU
QUELQUES MINUTES AVANT L'INCENDIE, LES PORTES ONT ÉTÉ CADENASSÉES.
MGM
MA REX
سینما رکس
LA POLICE ÉTAIT SUR PLACE.
ILS ONT INTERDIT AUX HABITANTS DE SE PORTER AU SECOURS DES VICTIMES ENFERMÉES.
PUIS, ILS LES ONT MATRAQUÉS.

LES POMPIERS NE SONT ARRIVÉS QUE QUARANTE MINUTES PLUS TARD.
ILS DISENT À LA B.B.C QU'IL Y A 400 MORTS. LE RÉGIME DU CHAH DIT QUE CE SONT LES FANATIQUES RELIGIEUX QUI ONT PERPÉTRÉ CE MASSACRE, MAIS LE PEUPLE SAIT QUE C'EST DE LA FAUTE DU CHAH!!!
EXIT

DEMAIN, IL Y AURA UNE MANIFESTATION
BIEN ÉVIDEMMENT ! ON NE PEUT PAS LAISSER FAIRE DES CHOSES COMME ÇA !
MOI AUSSI JE VEUX Y ALLER
TU NE TROUVES PAS QUE JE RESSEMBLE À CHE GUEVARA ?
ET PUIS PEUT-ÊTRE QUE JE SERAI MÊME MIEUX EN FIDEL CASTRO !
MAIS T'ES OÙ ?
HOU HOU ?
BOUM !
BOUM !
BOUM !
BOUM
JE VEUX VENIR DEMAIN AVEC VOUS !

MAIS OÙ ?
BEN MANIFESTER DANS LA RUE ! J'EN AI MARRE DE LE FAIRE DANS LE JARDIN
C'EST TRÈS DANGEREUX, ILS TIRENT SUR LES GENS !
POUR QU'UNE RÉVOLUTION RÉUSSISSE, TOUT LE PEUPLE DOIT S'Y METTRE.
TU T'Y METTRAS PLUS TARD
OUI, OUI ! QUAND ÇA SERA FINI
MAMAN, S'IL TE PLAÎT
MISÈRE !
ALLEZ, TU VAS TE COUCHER MAINTENANT
S'IL TE PLAÎT S'IL TE PLAÎT S'IL TE PLAÎT S'IL TE ....
DIEU ! MAIS OÙ ES-TU ?
MAIS CE SOIR-LÀ, IL NE REVINT PAS ....

LA CELLULE D'EAU
MES PARENTS MANIFESTAIENT TOUS LES JOURS.
À BAS LE ROI
ÇA COMMENÇAIT À DÉGÉNÉRER. L'ARMÉE LEUR TIRAIT DESSUS,
ET EUX LEUR LANÇAIENT DES PIERRES.
LES SOIRS, À FORCE DE MARCHER ET DE LANCER DES PIERRES, ILS AVAIENT DES COURBATURES, MÊME DANS LEUR TÊTE.
HÉ MAMAN, PAPA, ON JOUE AU MONOPOLY?
MA CHÉRIE, ON EST FATIGUÉS!
CE N'EST PAS LE MOMENT.
AU MONOPOLY! JE RÊVE! HA! HA!HA!
CE N'EST JAMAIS, JAMAIS, JAMAIS LE MOMENT!

ET PUIS D'ABORD J'AIME LE ROI. IL A ÉTÉ CHOISI PAR DIEU!
QUI A DIT ÇA?
LA MAÎTRESSE ET DIEU LUI-MÊME
VIENS T'ASSEOIR SUR MES GENOUX. JE VAIS ESSAYER DE TOUT T'EXPLIQUER.
C'EST BIEN, EXPLIQUE TOUT. MOI, JE VAIS ME COUCHER.
LE ROI N'A PAS ÉTÉ CHOISI PAR DIEU.
MAIS SI! C'EST ÉCRIT SUR LA PREMIÈRE PAGE DU LIVRE DE LECTURE.
ÇA, C'EST CE QU'ILS DISENT...
LA VÉRITÉ C'EST QU'IL Y A 50 ANS, LE PÈRE DU CHAH QUI ÉTAIT SOLDAT FOMENTAIT UN COUP D'ÉTAT POUR RENVERSER L'EMPEREUR ET INSTAURER UNE RÉPUBLIQUE.
SI DIEU LE VEUT DANS 19 JOURS ON SERA À LA CAPITALE
DIEU LE VOUDRA REZA, DIEU LE VOUDRA!
ET MÊME S'IL NE VEUT PAS, QU'EST-CE QUI PEUT BIEN NOUS ARRÊTER!

IL FAUT DIRE QUE C'ÉTAIT L'ÉPOQUE DES RÉPUBLIQUES DANS LA RÉGION. D'AILLEURS CHACUN L'INTERPRÉTAIT À SA FAÇON.
GANDHI EN INDE
IL FAUT QUE LES HINDOUS ET LES MUSULMANS FASSENT LA PAIX POUR VAINCRE LES ANGLAIS
ATATÜRK EN TURQUIE
NOUS LES TURCS, NOUS SOMMES DES OCCIDENTAUX LAÏCS. LA PREUVE: J'AI LES YEUX VERTS.
ALORS LE PÈRE DU CHAH VOULAIT FAIRE PAREIL.
MAIS IL N'ÉTAIT NI ÉDUQUÉ COMME GANDHI QUI ÉTAIT AVOCAT,
NI ASSEZ MENEUR D'HOMMES COMME ATATÜRK QUI ÉTAIT GÉNÉRAL.
C'ÉTAIT UN PETIT OFFICIER ILLETTRÉ.
UNE AUBAINE POUR LES ANGLAIS QUI ÉTAIENT TRÈS INFLUENTS. CES DERNIERS EURENT RAPIDEMENT VENT DE SES PROJETS.
LE PAYS EST RICHE!
ET LES BOLCHEVIQUES SONT PROCHES
CE SOLDAT! COMMENT IL S'APPELLE?
REZA! IL FAUT ALLER LE VOIR!
ET VITE! LA PERSE DORT SUR LE PÉTROLE!

ALORS REZA, ON CIRE SES BOTTES?
?
QUAND TU SERAS EMPEREUR, CE SERA TON MINISTRE QUI TE LES CIRERA.
EMPEREUR ! MOI?
MAIS BIEN SÛR MON GRAND ! C'EST TOUT DE MÊME MIEUX QUE PRÉSIDENT !
MAIS IL Y A DÉJÀ UN EMPEREUR ! MOI JE VEUX FAIRE UNE RÉPUBLIQUE.
JE SUIS D'ACCORD, MAIS LE CLERGÉ S'Y OPPOSE ET IL N'A PAS TORT. UN GRAND PAYS COMME LE TIEN A BESOIN D'UN SYMBOLE DIVIN !
TU AURAS TOUT. LE POUVOIR, LE TRÔNE, DES CIREURS DE BOTTES....
ET MÊME PLUS ! TOUT CE QUE TU VOUDRAS EN CASH !
ET QUE DEVRAI-JE FAIRE ALORS?
RIEN !
TU NOUS DONNES JUSTE LE PÉTROLE ET NOUS NOUS OCCUPERONS DE TOUT.
C'EST COMME ÇA QU'IL DEVINT ROI ET BIEN SÛR SON FILS LE CHAH LUI SUCCÉDA. TU VOIS, DIEU N'A RIEN À VOIR DANS CETTE HISTOIRE.

MAIS PEUT-ÊTRE QUE DIEU LES A QUAND MÊME AIDÉS.
BON, JE CROIS QUE TU ES À L'ÂGE DE COMPRENDRE CERTAINES CHOSES, IL FAUT QUE TU SACHES...
QUE JE SACHE QUOI?
L'EMPEREUR QUI FUT RENVERSÉ ÉTAIT LE PÈRE DE PAPI.
MON PAPI?
ALORS PAPI ÉTAIT PRINCE?
OUI, ENFIN PARMI D'AUTRES. MAIS LA QUESTION N'EST PAS LÀ.
COMMENT ÇA, LA QUESTION N'EST PAS LÀ?
Mon papi était prince

EH BIEN VOILÀ! À L'ÉPOQUE TON PAPI ÉTAIT UN JEUNE HOMME ET LE PÈRE DU CHAH LUI CONFISQUA TOUS SES BIENS.
N'OUBLIEZ PAS LE CARRELAGE DANS LES SALLES DE BAIN!
JE VOUS EN PRIE! SURTOUT NE VOUS PRIVEZ DE RIEN!
ET COMME SON ENTOURAGE ÉTAIT CONSTITUÉ D'IGNORANTS, PAPI FUT NOMMÉ PREMIER MINISTRE.
DÈS AUJOURD'HUI T'ES MON PREMIER MINISTRE
ÇA TE PLAÎT NON? T'AS FAIT DES ÉTUDES, FAUT QUE ÇA SERVE!
HEU... MERCI.
SES ÉTUDES, IL LES AVAIT FAITES EN EUROPE. C'ÉTAIT UN HOMME TRÈS CULTIVÉ. IL AVAIT MÊME LU MARX.
LES OUVRIERS! COMMENT PEUT-IL PENSER QUE LA POPULACE RÈGNE?
MAIS VOILÀ QU'UNE FOIS DÉSHÉRITÉ DE SON DESTIN DE PRINCE, IL SE MIT À CÔTOYER LES INTELLECTUELS.
LES BOLCHEVIQUES FONT DES MIRACLES
L'EMPEREUR DE PERSE N'EST PAS LE REZACHAH. C'EST LE ROI D'ANGLETERRE.
TANT QUE J'ÉTAIS PRINCE, TOUT CELA ME PARAISSAIT TELLEMENT LOIN...
MAIS IL FAUT ÊTRE UN PRINCE POUR SE PERMETTRE D'AVOIR UNE CONSCIENCE ET C'EST BIEN LÀ LE PROBLÈME DE NOTRE PAYS.
ALORS IL DEVINT COMMUNISTE.
ÇA ME DÉGOÛTE QUE LES GENS SOIENT CONDAMNÉS À UN DESTIN NOIR PAR LEUR CLASSE SOCIALE.
VIVE LÉNINE

ALORS IL CONNUT LA PRISON RÉGULIÈREMENT.
ON LE METTAIT PARFOIS PENDANT DES HEURES DANS UNE CELLULE REMPLIE D'EAU.
JE M'EN SOUVIENS QUAND J'ÉTAIS PETITE...
... CHAQUE FOIS QU'ON FRAPPAIT À LA PORTE, JE CROYAIS QU'ON VENAIT RAMENER MON PÈRE EN PRISON.
TOC! TOC! TOC!
ET UNE FOIS SUR DEUX C'ÉTAIT LE CAS.
BONJOUR! EST-CE QUE TA MAMAN EST LÀ?
EUH... NON! C'EST POUR QUOI?
TON PÈRE EST LÀ?
NON!
ALORS AVEC MAMIE ON ALLAIT LUI RENDRE VISITE.
PAPA! JE PEUX MONTER SUR TON DOS?
MAIS ARRÊTE! IL EST FATIGUÉ.
BIEN SÛR QUE TU PEUX.

U! U! U! U! U!
LE PAUVRE !!! LA PRISON LUI AVAIT DÉTRUIT LA SANTÉ. IL AVAIT DES RHUMATISMES.
TOUTE SA VIE, IL A EU MAL PARTOUT.
ALLONS, ALLONS, C'EST DU PASSÉ.
TU VEUX FAIRE UNE PARTIE DE MONOPOLY?
JE PEUX PRENDRE UN BAIN ?
APRÈS LE BAIN ON POURRA JOUER SI TU VEUX.
NON ! JE VEUX PRENDRE UN TRÈS LONG BAIN
CE SOIR-LÀ JE SUIS RESTÉE LONGTEMPS DANS MON BAIN. JE VOULAIS SAVOIR COMMENT C'ÉTAIT UNE CELLULE REMPLIE D'EAU.
MAIS QU'EST-CE QUE TU FAIS ?
J'EN SUIS SORTIE LES MAINS TOUTES FRIPÉES ; COMME UN GRAND-PÈRE.

PERSEPOLIS
UN JOUR EN RENTRANT DE L'ÉCOLE
BONJOUR MAMAN !
BONJOUR ! VA VOIR DANS LA CHAMBRE D'AMI. IL Y A UNE SURPRISE POUR TOI !
MAMIE !
TU T'EN VAS DÉJÀ ?
MAIS NON VOYONS ! JE ME CHANGE
MAMAN M'A DIT QUE PAPI ÉTAIT EN PRISON !
HUM.... L'ÉCOLE C'ÉTAIT COMMENT AUJOURD'HUI ?
ÇA A DÛ ÊTRE TRÈS DUR POUR TOI !
AÏE, CE DOS !
TU VEUX QUE JE T'AIDE ?
NON ÇA IRA.... COMME TU DIS ÇA A ÉTÉ TRÈS DUR. DUR POUR MOI MAIS AUSSI POUR TA MÈRE ET TES ONCLES.
LE PÈRE DU CHAH NOUS A TOUT PRIS. J'AI CONNU LA PAUVRETÉ.
QUOI ? VOUS AVEZ ÉTÉ PAUVRES AUSSI ?
OH OUI, TELLEMENT PAUVRES QUE NOUS N'AVIONS QUE DU PAIN À MANGER ET J'AVAIS SI HONTE QUE JE FAISAIS SEMBLANT DE PRÉPARER LA CUISINE POUR QUE LES VOISINS NE S'APERÇOIVENT DE RIEN....
HUM ! MAMAN NOUS MIJOTE QUELQUE CHOSE !
TU PARLES ! C'EST ENCORE DE L'EAU QU'ELLE FAIT BOUILLIR

POUR VIVRE JE FAISAIS DE LA COUTURE ET AVEC LES CHUTES DE TISSUS JE CONFECTIONNAIS DES HABITS POUR TOUTE LA FAMILLE.
REGARDE COMME ON EST TOUS CHIC SUR CETTE PHOTO !
POURQUOI Y A PAS PAPI ? IL ÉTAIT EN PRISON ?
OUI, LE PÈRE DU CHAH A ÉTÉ TRÈS DUR MAIS SON FILS A ÉTÉ DIX FOIS PIRE...
TU SAIS MON ENFANT. DEPUIS LA NUIT DES TEMPS LES DYNASTIES SE SONT SUCCÉDÉ MAIS LES ROIS ONT TOUJOURS TENU LEURS PROMESSES. LE CHAH, LUI, N'EN A RESPECTÉ AUCUNE ; JE ME SOUVIENS DU JOUR OÙ IL A ÉTÉ COURONNÉ. IL DISAIT :
ENCORE PIRE !
JE SUIS LA LUMIÈRE DES ARYENS. JE FERAI DE CE PAYS LE PAYS LE PLUS MODERNE DE TOUS LES TEMPS. NOTRE PEUPLE RETROUVERA SA SPLENDEUR

IL ALLA MÊME SUR LA TOMBE DE CYRUS LE GRAND QUI RÉGNA SUR LE MONDE ANTIQUE.
CYRUS REPOSE EN PAIX CAR NOUS VEILLONS.
TOUT L'ARGENT DU PAYS PASSAIT POUR CÉLÉBRER LES FÊTES RIDICULES LIÉES À 2500 ANS DE DYNASTIE AINSI QUE D'AUTRES FUTILITÉS.... TOUT ÇA POUR IMPRESSIONNER LES CHEFS D'ÉTAT; CAR LE PEUPLE LUI, S'EN MOQUAIT.
JE SUIS TELLEMENT CONTENTE, QUE CE SOIT ENFIN LA RÉVOLUTION PARCE QUE LE CHAH...
BON, J'AI FAIM!
JE T'AI ACHETÉ DES LIVRES. TU VERRAS POURQUOI LES GENS SE SONT RÉVOLTÉS.
ELLE NE ME PARLERA PAS DE PAPI!

DES PHOTOS, IL EN FAISAIT TOUS LES JOURS. C'ÉTAIT STRICTEMENT INTERDIT. IL A MÊME ÉTÉ ARRÊTÉ UNE FOIS MAIS IL S'EN EST SORTI IN EXTREMIS....

ALORS ON L'A ATTENDU DES HEURES... IL Y AVAIT LE MÊME SILENCE QU'AVANT UNE TEMPÊTE.
J'AI PENSÉ QUE MON PÈRE ÉTAIT MORT, QU'ON LUI AVAIT TIRÉ DESSUS.
COUCOU! JE SUIS LÀ!
EBI!
DIEU SOIT LOUÉ!
SI TU SAVAIS COMME J'ÉTAIS INQUIÈTE POUR TOI!
FALLAIT PAS, VOYONS! IL S'EST PASSÉ UNE CHOSE INCROYABLE!
OUI, J'AI FAILLI FAIRE UNE CRISE CARDIAQUE...
PAPA!
J'ÉTAIS SÛRE QUE T'ÉTAIS MORT!

AUJOURD'HUI JE SUIS ALLÉ DEVANT L'HÔPITAL RAY AVEC MON APPAREIL.
LES GENS SONT SORTIS EN PORTANT LE CORPS D'UN JEUNE HOMME TUÉ PAR L'ARMÉE. IL ÉTAIT SALUÉ EN MARTYR. LA FOULE S'EST RASSEMBLÉE POUR L'EMMENER AU CIMETIÈRE DE BÉHÉSHTÉ ZAHRA.
JUSTE APRÈS, UN AUTRE CADAVRE, CELUI D'UN VIEILLARD, A ÉTÉ SORTI SUR UN BRANCARD. LES PERSONNES QUI N'ÉTAIENT PAS PARTIES AVEC LE PREMIER SE SONT RUÉES SUR LE VIEUX SCANDANT DES SLOGANS RÉVOLUTIONNAIRES ET EN LE PORTANT EN HÉROS....
VOILÀ UN AUTRE MARTYR
BEN MOI JE PRENAIS DES PHOTOS ET À MES CÔTÉS J'AI REMARQUÉ UNE VIEILLE DAME. J'AI COMPRIS QU'ELLE ÉTAIT LA VEUVE DE LA VICTIME. JE L'AI VUE SORTIR DE L'HÔPITAL AVEC LE CORPS.
MAIS ENFIN ARRÊTEZ! ARRÊTEZ!!
QUOI? QU'EST-CE QU'IL Y A?
ARRÊTEZ ENFIN!
VOUS ÊTES QUI VOUS?
SA VEUVE!
ET VOUS ÊTES ROYALISTE?
NON.... MAIS MON MARI EST MORT D'UN CANCER...

QUOI?
DE QUOI?
QU'EST-CE QU'ELLE A DIT?
LE ROI ASSASSIN! IL SE CROIT MALIN!
ON T'AURA UN JOUR! POUR TE CRAMER DANS LE FOUR!
ON AURA TA PEAU! ON CASSERA TES OS!
C'EST PAS GRAVE! C'EST UN HÉROS!
MAIS LE MEILLEUR RESTE À VENIR....
?
...CAR LA VEUVE S'EST MISE À MANIFESTER AVEC EUX.
LE ROI ASSASSIN...
HA! HA! HA!
C'EST TROP!
AU MOINS SI JE MEURS MAINTENANT JE SERAI UNE MARTYRE!!! HA! HA! HA! MARTYRE MAMIE!
QUELQUE CHOSE M'ÉCHAPPAIT.
CAVADRE, CANCER, MORT, ASSASSIN...
RIGOLADE?
HA HA HA HA HA HA
J'AI ALORS COMPRIS QUE JE NE SAVAIS RIEN. J'AI LU TOUS LES LIVRES QUE J'AI PU.
LES RAISONS DE LA RÉVOLUTION

LA LETTRE
JE N'AI JAMAIS AUTANT LU QUE PENDANT CETTE PÉRIODE.
MON AUTEUR PRÉFÉRÉ ÉTAIT ALI ASHRAF DARVICHIAN, UNE SORTE DE DICKENS DE CHEZ NOUS. AVEC MA MÈRE, ON EST ALLÉES À SA SÉANCE DE DÉDICACE CLANDESTINE.
POR MON ÉMI KOUROSH.
POURQUOI IL PARLE COMME ÇA ?
C'EST SON ACCENT KURDE !
IL RACONTAIT DES HISTOIRES TRISTES MAIS VRAIES : REZA QUI AVAIT 10 ANS QUAND IL DEVINT PORTEUR,
LEILA QUI TISSAIT DES TAPIS À 5 ANS,
HASSANE QUI NETTOYAIT LES VITRES DES VOITURES À 3 ANS...
DESCENDS PETIT CON ! DESCENDS !
J'AI ENFIN COMPRIS POURQUOI J'AVAIS HONTE DE M'ASSEOIR DANS LA CADILLAC DE MON PÈRE !
"LA RAISON DE MA HONTE ET DE LA RÉVOLUTION EST LA MÊME : LA DIFFÉRENCE DE CLASSE SOCIALE."
MAIS J'Y PENSE... ON A UNE BONNE À LA MAISON !!!

ELLE
C'ÉTAIT MEHRI
ELLE AVAIT 8 ANS QUAND ELLE A DÛ QUITTER LA MAISON DE SES PARENTS POUR VENIR TRAVAILLER CHEZ LES MIENS. EXACTEMENT COMME REZA, LEILA ET HASSANE.
NOUS AVONS TROP D'ENFANTS SEIGNEUR ! 14 OU 15 AVEC ELLE
ELLE MANGERA BIEN CHEZ VOUS.
NOUS PRENDRONS SOIN D'ELLE.
ELLE EN AVAIT 10 QUAND JE SUIS NÉE... ELLE S'OCCUPAIT DE MOI,
ELLE M'EMMENAIT JOUER,
ET ELLE FINISSAIT TOUJOURS MES ASSIETTES.
ELLE ME RACONTAIT AUSSI DES HISTOIRES DE CHACALS QUI ME TERRORISAIENT.
ET IL S'APPROCHA ! ET IL S'APPROCHA !
BREF, ON S'ENTENDAIT BIEN...

AU DÉBUT DE LA RÉVOLUTION EN 1978, ELLE TOMBA AMOUREUSE DU FILS DU VOISIN D'EN FACE. ELLE AVAIT ALORS 16 ANS.
TU PEUX M'AIDER À FAIRE MES LACETS?
la la la la la
ILS SE REGARDAIENT TOUS LES SOIRS PAR LA FENÊTRE DE MA CHAMBRE.
JUSQU'AU JOUR OÙ IL LUI GLISSA UNE LETTRE.
ET COMME LA PLUPART DES PAYSANS, ELLE NE SAVAIT NI LIRE NI ÉCRIRE...
TU PEUX ME LA LIRE CETTE LETTRE?
ET QU'EST-CE QUE TU ME DONNES EN ÉCHANGE?
POURTANT MA MÈRE AVAIT ESSAYÉ DE LUI APPRENDRE MAIS APPAREMMENT ELLE N'ÉTAIT PAS TRÈS DOUÉE.
ALORS ON RÉPÈTE. M COMME...?
AUBERGINE!
C'EST DONC MOI QUI LUI ÉCRIVAIS SES LETTRES. UNE PAR SEMAINE PENDANT SIX MOIS.
MON CHER HOSSEIN, TU ME MANQUES BEAUCOUP. ÇA FAIT TROIS JOURS QUE JE NE T'AI PAS VU À LA FENÊTRE. JE PARLE SOUVENT DE TOI À MA SOEUR.
À LAQUELLE?
BEN À TOI!
MOI, JE M'APPLIQUAIS.

MEHRI AVAIT UNE VRAIE SOEUR D'UN AN SA CADETTE QUI ELLE TRAVAILLAIT CHEZ MON ONCLE.
TU SAIS... J'AI UN FIANCÉ
AH BON ! QUI ?
C'EST LUI ! DEVANT SA TÉLÉ. IL EST BEAU NON ?
PAS MAL !
AU BOUT DE QUELQUES PASSAGES ELLE TOMBA ÉGALEMENT TRÈS AMOUREUSE DE LUI.
?
LA JALOUSIE LUI CREVA LES YEUX ET ELLE RACONTA L'HISTOIRE DE MEHRI À MON ONCLE QUI LA RACONTA À MAMIE QUI LA RACONTA À MA MÈRE. ELLE PARVINT AINSI AUX OREILLES DE MON PÈRE...
... QUI DÉCIDA DE CLARIFIER LA SITUATION.
QUI C'EST ?
JE SUIS LE VOISIN. JE VOUDRAIS DIRE DEUX MOTS À VOTRE FILS
BON, J'IRAI DROIT AU BUT : JE SAIS QUE MEHRI VOUS FAIT CROIRE QU'ELLE EST MA FILLE. EN RÉALITÉ C'EST MA BONNE.
AH BON !
BEE GEES

VOUS VOULEZ TOUJOURS LA VOIR ?
HEU...
BEE GEES
SANS HÉSITATION, HOSSEIN RENDIT TOUTES LES LETTRES QU'IL AVAIT REÇUES À MON PAPA !
MAIS... C'EST L'ÉCRITURE DE MARJI !
DIS DONC ! C'EST QUOI ÇA ?
DES LETTRES
POURQUOI TU NOUS A RIEN DIT ?
IL FAUT QUE TU COMPRENNES QUE LEUR AMOUR EST IMPOSSIBLE
ET POURQUOI ?
PARCE QUE DANS CE PAYS ON EST OBLIGÉ DE CÔTOYER LES GENS DE SON MILIEU SOCIAL
OOOH ! MAIS EST-CE QUE C'EST DE SA FAUTE SI ELLE NÉE OÙ ELLE EST NÉE ??!!!
PAPA ! TU ES POUR OU CONTRE LES CLASSES SOCIALES ?
QUAND JE SUIS RENTRÉE DANS SA CHAMBRE, ELLE PLEURAIT... ON N'ÉTAIT PAS DANS LA MÊME CLASSE MAIS AU MOINS DANS LE MÊME LIT.

MA DÉCISION ÉTAIT PRISE CAR J'AVAIS ENFIN COMPRIS LES RAISONS DE LA RÉVOLUTION.
DEMAIN ON VA MANIFESTER
ON N'A PAS LA PERMISSION !
T'OCCUPE ! ON IRA QUAND MÊME !
ALORS LE LENDEMAIN...
SOYEZ SAGE !
MEHRI N'OUBLIE PAS DE LUI FAIRE DU POULET.
OUI MADAME !
ALLEZ, AU REVOIR !
POUR UNE FOIS ELLE N'A PAS INSISTÉ POUR VENIR AVEC NOUS.
VOILÀ LA MANIF...
ON A CRIÉ DU MATIN JUSQU'AU SOIR...

IL EST TARD. IL FAUT QU'ON RENTRE!
OUI!
VIVE LA RÉPUBLIQUE!
À BAS! LE CHAH!
BON SANG! MAIS OÙ EST-CE QUE VOUS ÉTIEZ?!
ON AVAIT MANIFESTÉ JUSTE LE JOUR OÙ IL NE FALLAIT PAS : "LE VENDREDI NOIR". CE JOUR-LÀ IL Y A EU TELLEMENT DE MORTS DANS UN AUTRE QUARTIER DE LA VILLE QU'UNE RUMEUR COURAIT SELON LAQUELLE LES RESPONSABLES DE CETTE BOUCHERIE ÉTAIENT LES SOLDATS ISRAÉLIENS.
MAIS C'ÉTAIT BEL ET BIEN LES NÔTRES QUI AVAIENT FRAPPÉ.

LA FÊTE

APRÈS LE VENDREDI NOIR, LES MASSACRES SE SUCCÉDÈRENT. IL Y EUT BEAUCOUP DE MORTS.
LA FIN DU CHAH ÉTAIT PROCHE...
UN JOUR IL FIT UNE DÉCLARATION À LA TÉLÉ.
J'AI COMPRIS VOTRE RÉVOLTE...
NOUS ESSAIERONS TOUS ENSEMBLE DE MARCHER VERS LA DÉMOCRATIE...
C'EST ÇA! APRÈS TOUT CE QU'IL NOUS A FAIT!
CHUT!!

ET EFFECTIVEMENT, IL ESSAYA : EN QUELQUES MOIS IL TESTA UNE DIZAINE DE PREMIERS MINISTRES.
UN FRANC-MAÇON? FINALEMENT ÇA NE CONVIENT PAS !
TOI, TU LEUR RAPPELLES TROP MON PÈRE !
TOI TROP MAIGRE !
TROP PETIT !
BORGNE !
PFFF !!!
PLUS IL S'ESSAYAIT À LA DÉMOCRATIE, PLUS SES STATUES ÉTAIENT DÉBOULONNÉES...
TIRE ENCORE UN PEU SUR LA GAUCHE !
... PLUS SON EFFIGIE ÉTAIT BRÛLÉE.
LE PEUPLE NE VOULAIT QU'UNE CHOSE : QU'IL PARTE ! ALORS FINALEMENT...
DEHORS !
DEHORS !
DEHORS !
NOUS NE VOUS OUBLIERONS JAMAIS !

LE JOUR DE SON DÉPART LE PAYS CONNUT LA PLUS GRANDE FÊTE DE SON HISTOIRE.

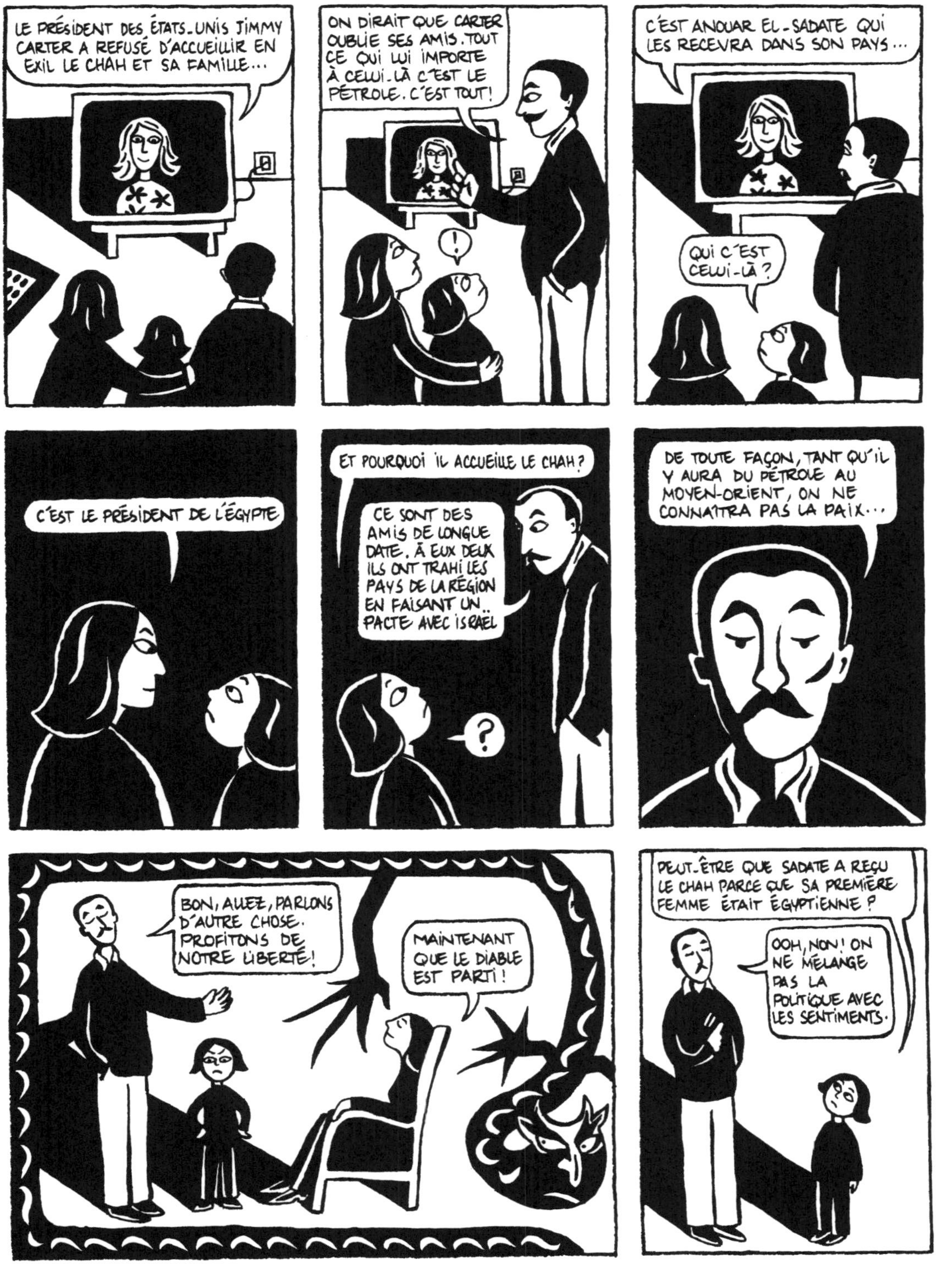
LE PRÉSIDENT DES ÉTATS-UNIS JIMMY CARTER A REFUSÉ D'ACCUEILLIR EN EXIL LE CHAH ET SA FAMILLE...
ON DIRAIT QUE CARTER OUBLIE SES AMIS. TOUT CE QUI LUI IMPORTE À CELUI-LÀ C'EST LE PÉTROLE. C'EST TOUT!
!
C'EST ANOUAR EL-SADATE QUI LES RECEVRA DANS SON PAYS...
QUI C'EST CELUI-LÀ ?
C'EST LE PRÉSIDENT DE L'ÉGYPTE
ET POURQUOI IL ACCUEILLE LE CHAH?
CE SONT DES AMIS DE LONGUE DATE. À EUX DEUX ILS ONT TRAHI LES PAYS DE LA RÉGION EN FAISANT UN PACTE AVEC ISRAËL
?
DE TOUTE FAÇON, TANT QU'IL Y AURA DU PÉTROLE AU MOYEN-ORIENT, ON NE CONNAîTRA PAS LA PAIX...
BON, ALLEZ, PARLONS D'AUTRE CHOSE. PROFITONS DE NOTRE LIBERTÉ!
MAINTENANT QUE LE DIABLE EST PARTI!
PEUT-ÊTRE QUE SADATE A REÇU LE CHAH PARCE QUE SA PREMIÈRE FEMME ÉTAIT ÉGYPTIENNE ?
OOH, NON! ON NE MÉLANGE PAS LA POLITIQUE AVEC LES SENTIMENTS.

* SERVICE SECRET DU RÉGIME DU CHAH

AU NOM DU MILLION DE MORTS, NOUS ALLONS DONNER UNE BONNE LEÇON À RAMINE. J'AI MON IDÉE...
MON IDÉE, C'ÉTAIT DE PLACER DES CLOUS ENTRE LES DOIGTS À LA FAÇON DES POINGS AMÉRICAINS POUR ATTAQUER RAMINE.
RAMINE ! RAMINE ! SORS DE TA CACHETTE ! NE SOIS PAS MAUVIETTE !
MAIS MA MÈRE SURGIT AU MILIEU DE CETTE EUPHORIE...
ALORS LES ENFANTS ! QU'EST-CE QUE VOUS FAITES ?
MARJI A TROUVÉ DES CLOUS !!!
ON VA CASSER LA TÊTE À RAMINE !
SON PÈRE A TUÉ UN MILLION DE PERSONNES !
ALORS COMME ÇA, TU VEUX CLOUER RAMINE ? MONTE DANS LA VOITURE, J'AI UNE MEILLEURE SOLUTION...
AH BON ? C'EST QUOI ?
OÙ EST-CE QUE TU AS TROUVÉ LES CLOUS ?
BEN ? DANS LA BOÎTE À OUTILS DE PAPA !
QU'EST-CE QUE TU DIRAIS SI JE TE CLOUAIS AU MUR PAR LES OREILLES ?
HOULÀ ! ÇA DOIT FAIRE TRÈS MAL...

BON ÇA IRA POUR CETTE FOIS ! SURTOUT NE RECOMMENCE PAS !
MAIS MAMAN, LE PÈRE DE RAMINE A TUÉ...
JE SAIS
C'EST SON PÈRE ! LUI N'Y EST POUR RIEN !
EN PLUS CE N'EST NI À TOI NI À MOI DE FAIRE LA JUSTICE. JE DIRAIS MÊME QU'IL FAUT SAVOIR PARDONNER.
TON PÈRE EST UN ASSASSIN, MAIS TU N'Y ES POUR RIEN ! ALORS, JE TE PARDONNE !
C'EST PAS UN ASSASSIN ! IL A TUÉ DES COMMUNISTES ET LES COMMUNISTES, C'EST LE DIABLE !
MAMAN, J'AI PARLÉ À RAMINE. IL DIT QUE SON PÈRE A BIEN FAIT DE TUER LES COMMUNISTES.
MON DIEU ! IL RÉPÈTE CE QU'ON LUI A DIT. IL COMPRENDRA...
IL FAUT SAVOIR PARDONNER !
IL FAUT SAVOIR PARDONNER !
J'AI EU LE SENTIMENT D'ÊTRE QUELQU'UN DE TRÈS BON.

LES HÉROS

QUELQUES JOURS PLUS TARD, LES PRISONNIERS POLITIQUES FURENT LIBÉRÉS. 3000 PERSONNES EN TOUT...

NOUS EN CONNAISSIONS DEUX
SIAMAK JARI
NÉ LE 20/02/45
À LURISTAN
PROFESSION: JOURNALISTE
FAUTE: AVOIR ÉCRIT DES ARTICLES SUBVERSIFS DANS KEYHAN
DATE D'EMPRISONNEMENT: JUILLET 1973
LIBÉRÉ EN MARS 1979
CONVICTION POLITIQUE: COMMUNISTE

MOHSEN CHAKIBA
NÉ LE 22/11/47
À RASHT
PROFESSION: RÉVOLUTIONNAIRE
FAUTE: RÉVOLUTIONNAIRE
DATE D'EMPRISONNEMENT: AVRIL 1971
LIBÉRÉ EN MARS 1979
CONVICTION POLITIQUE: COMMUNISTE

J'AVAIS ENTENDU PARLER DE SIAMAK AVANT MÊME LA RÉVOLUTION. C'ÉTAIT LE MARI DE LA MEILLEURE AMIE DE MAMAN.
MAIS ÇA FAIT DEPUIS QUAND QUE TU N'AS PLUS DE SES NOUVELLES ?
DIX MOIS ??
PASSE DONC ME VOIR AUJOURD'HUI AVEC LALY ! ON EN REPARLERA.
LALY, C'ÉTAIT LA FILLE DE SIAMAK
IL EST OÙ TON PÈRE ?
EN VOYAGE !
TU SAIS QUE QUAND ON DIT DE QUELQU'UN QU'IL EST EN VOYAGE DEPUIS TRÈS LONGTEMPS ÇA VEUT DIRE QU'IL EST MORT !
EN TOUS LES CAS C'ÉTAIT COMME ÇA POUR MON PAPI !
BOUUUU...
LA VÉRITÉ EST PARFOIS DURE À ACCEPTER
BOUUUUU...... MARJI DIT QUE... QUE PAPA... PAPA EST... EST MORT !
MAIS NON ! MAIS NON !
DANS TA CHAMBRE ET QUE JE NE TE REVOIE PLUS DE LA JOURNÉE !
LA VÉRITÉ, PERSONNE NE L'ACCEPTE

MAIS APRÈS LA RÉVOLUTION, J'AI COMPRIS QU'ON POUVAIT SE TROMPER.
MA CHÉRIE, AUJOURD'HUI C'EST UN GRAND JOUR. NOUS AVONS INVITÉ LE PAPA DE LALY ET MOHSEN. ILS VIENNENT TOUS LES DEUX DE SORTIR DE LA PRISON.
LE PAPA DE LALY?
IL RESSEMBLE À QUOI LE PÈRE DE LALY?
TU VAS VITE LE SAVOIR
DING! DONG!
SIAMAK!
JE SUIS TELLEMENT HEUREUX QUE TU SOIS PARMI NOUS... JE N'AI PAS DE MOT........
NE DIS RIEN, JE SAIS!
AH! TAJI! TOUJOURS AUSSI BELLE!
TOUJOURS AUSSI CHARMEUR!
ET ELLE, ÇA DOIT ÊTRE MARJI. PUTAIN! LA DERNIÈRE FOIS QUE JE L'AI VUE, ELLE N'AVAIT QUE 3 ANS!
LE TEMPS EST IRRÉCUPÉRABLE. QUAND ON M'A ARRÊTÉ LALY PARLAIT À PEINE ET LA VOILÀ DEVENUE UNE VRAIE DEMOISELLE.
EH OUI...
OUI...
DING! DONG!
TU VEUX JOUER?
NON!
ÇA DOIT ÊTRE MOHSEN!

MOHSEN ! NOM DE DIEU ! JE TE CROYAIS MORT !!
?!
MOI MORT ? TU VEUX RIRE ? EN TAULE ON M'APPELAIT L'HOMME AUX 7 VIES.
MAIS VOUS VOUS CONNAISSEZ ?
EN PRISON TOUT LE MONDE SE CONNAÎT.
TU T'EN SOUVIENS DU JOUR OÙ ON M'A ARRACHÉ LES ONGLES ? DEPUIS ILS ONT REPOUSSÉ. PAS DE FAÇON RÉGULIÈRE... MAIS ENFIN ILS SONT TOUJOURS LÀ...
NOS BOURREAUX ÉTAIENT SPÉCIALEMENT ENTRAÎNÉS PAR LA C.I.A
DES SCIENTIFIQUES !!! ILS CONNAISSAIENT CHAQUE PARTIE DU CORPS. ILS SAVAIENT FRAPPER LÀ OÙ IL FALLAIT !
REGARDEZ ! SOUS LE PIED IL Y A DES NERFS QUI VONT DIRECTEMENT AU CERVEAU.

ON M'A TELLEMENT FOUETTÉ AVEC DE GROS CÂBLES ÉLECTRIQUES QUE ÇA RESSEMBLE À TOUT SAUF À UN PIED!
SANS PARLER DES MÉGOTS ÉTEINTS SUR NOS DOS ET NOS CUISSES...
MES PARENTS ÉTAIENT SI BOULEVERSÉS...
...QU'ILS ONT OUBLIÉ DE M'ÉPARGNER CETTE EXPÉRIENCE...
VOUS N'AVEZ PAS DE NOUVELLES D'AHMADI?
AHMADI... AHMADI A ÉTÉ ASSASSINÉ. EN TANT QUE MEMBRE DE LA GUÉRILLA, IL A CONNU L'ENFER. IL AVAIT DU CYANURE SUR LUI AU CAS OÙ ON L'ARRÊTERAIT, MAIS IL A ÉTÉ PRIS PAR SURPRISE. IL N'A MALHEUREUSEMENT PAS PU L'UTILISER... ALORS IL A SUBI LES PIRES TORTURES...
ÇA TE PLAÎT! NON?
AVOUE!! OÙ SONT LES AUTRES?
...ON L'A BRÛLÉ AVEC UN FER À REPASSER...
JAMAIS JE N'AURAIS PENSÉ QU'ON POUVAIT UTILISER CET APPAREIL POUR TORTURER.

... IL A FINI PAR ÊTRE DÉCOUPÉ EN MORCEAUX.
IL ÉTAIT DANS MA CLASSE À LA POLYTECHNIQUE
HEUREUSEMENT QU'ILS N'ONT PAS TUÉ TON PÈRE EN PRISON !
MAIS TU AVOUERAS QUE JE N'AVAIS PAS TOUT À FAIT TORT QUAND JE T'AI DIT QU'IL N'ÉTAIT PAS PARTI EN VOYAGE
PEUT-ÊTRE, MAIS MON PÈRE C'EST UN HÉROS !
IL FAUT LES MASSACRER TOUS CES BOURREAUX !!!
MOI, MON PÈRE N'ÉTAIT PAS UN HÉROS, MA MÈRE VOULAIT TUER DES GENS... ALORS JE SUIS ALLÉE JOUER DANS LA RUE.

CES HISTOIRES M'ONT DONNÉ DE NOUVELLES IDÉES DE JEU.
CELUI QUI PERD SERA TORTURÉ
AH OUAIS !
ET QUOI COMME TORTURE ?
MOI AUSSI J'AI DE L'IMAGINATION... MOUSTACHE EN FEU ÇA CONSISTE À TIRER SUR LES DEUX CÔTÉS DE LA LÈVRE SUPÉRIEURE,
LE BRAS TORDU,
REMPLIR LA BOUCHE AVEC DES ORDURES.
LE SOIR EN RENTRANT J'AVAIS UN DIABOLIQUE SENTIMENT DE PUISSANCE...
MAIS ÇA N'A PAS DURÉ, C'ÉTAIT ACCABLANT.
NE PLEURE PAS MA CHÉRIE, ILS PAIERONT POUR CE QU'ILS ONT FAIT
C'EST PAS ÇA ! JE CROYAIS QU'IL FALLAIT PARDONNER !!
LES MÉCHANTS SONT DANGEREUX MAIS LEUR PARDONNER L'EST AUSSI. NE T'EN FAIS PAS, IL Y A UNE JUSTICE SUR TERRE
LA JUSTICE, JE NE SAVAIS PAS CE QUE C'ÉTAIT. MAINTENANT QUE LA RÉVOLUTION ÉTAIT BEL ET BIEN FINIE, J'ABANDONNAIS LE MATÉRIALISME DIALECTIQUE DE MES B D. LES BRAS DE MON AMI ÉTAIENT LE SEUL ENDROIT OÙ JE ME SENTAIS EN SÉCURITÉ.

MOSCOU
ALORS COMME ÇA, MON PÈRE N'ÉTAIT PAS UN HÉROS.
TOUT VA BIEN MARJI ?
MOUAIS...
SI SEULEMENT IL AVAIT FAIT DE LA PRISON...
MON PÈRE, ON LUI A COUPÉ UNE JAMBE. EH BEN, IL A PAS AVOUÉ !... ALORS ON LUI A COUPÉ UN BRAS...
TROP DÉLIRE!
MAIS HEUREUSEMENT J'APPRIS UN JOUR L'EXISTENCE D'ANOUCHE, MON ONCLE...
LE SEUL QUE JE NE CONNAISSAIS PAS ET POUR CAUSE ! IL ÉTAIT EN PRISON. POUR LA PREMIÈRE FOIS APRÈS TRENTE ANS, MA GRAND-MÈRE RETROUVAIT SES SIX ENFANTS...
... ET MOI, UN HÉROS DANS MA FAMILLE... IL VA SANS DIRE QUE JE L'AI VITE AIMÉ.
POURQUOI TU NE VIENS PAS VIVRE AVEC NOUS?
COMME ELLE EST GENTILLE ! DÉJÀ CE SOIR JE DORS ICI ET JE RACONTE DES HISTOIRES.
T'ES MARIÉ? TU AS DES ENFANTS ? T'AS QUEL ÂGE ?
TOUT À L'HEURE MARJI !! TOUT À L'HEURE !!

NE L'EMBÊTE PAS TROP, IL EST FATIGUÉ.
ALLEZ, BONNE NUIT
C'EST BON, LAISSEZ-NOUS
BON, JE COMMENCE : J'AVAIS 18 ANS QUAND MON ONCLE FEREYDOUNE ET SES AMIS ONT PROCLAMÉ L'INDÉPENDANCE DE LA PROVINCE IRANIENNE D'AZERBAÏDJAN...
GONFLÉ !
... FEREYDOUNE SE NOMMA MINISTRE DE LA JUSTICE DE CETTE NOUVELLE PETITE RÉPUBLIQUE.
MESSIEURS, LA JUSTICE EST LA BASE DE LA DÉMOCRATIE. LES HOMMES DOIVENT ÊTRE ÉGAUX AUX YEUX DE LA LOI.
JE L'AVAIS SUIVI CAR J'AVAIS LES MÊMES IDÉES QUE LUI. TON GRAND-PÈRE PAR CONTRE ÉTAIT RESTÉ FIDÈLE AU CHAH.
MON FILS UN TRAÎTRE, C'EST ÇA ! VA ! VA REJOINDRE MON CRÉTIN DE FRÈRE !
VOUS FINIREZ TOUS FUSILLÉS ! TU M'ENTENDS ? FUSILLÉS !
JE DEVINS LE SECRÉTAIRE DE FEREYDOUNE. C'ÉTAIT UNE ÉPOQUE PLEINE DE RÊVE ET D'ENTHOUSIASME.
L'AZERBAÏDJAN N'EST QU'UN DÉBUT ! NOUS ALLONS LIBÉRER L'IRAN PROVINCE PAR PROVINCE, BOUT PAR BOUT !!!
J'EN SUIS PERSUADÉ MON ONCLE.
UN SOIR J'AI FAIT UN CAUCHEMAR TERRIBLE : DES MORTS, DU SANG...
LE LENDEMAIN MATIN J'AI VOULU VOIR FEREYDOUNE. J'ÉTAIS TOURMENTÉ QUAND SOUDAIN...
MERDE ! LES SOLDATS DU CHAH !
MON DIEU ! FEREYDOUNE !

JE VOULAIS AGIR, MAIS ... JE N'AI RIEN PU FAIRE... ILS L'ONT ARRÊTÉ ET MOI J'AI PRIS LA FUITE.
QUELLE HISTOIRE!
J'AI MARCHÉ PENDANT DES JOURS ET DES JOURS DANS LA NEIGE ET LA TEMPÊTE. J'AI TRAVERSÉ LES MONTAGNES D'ALBORZ POUR ME RÉFUGIER CHEZ MES PARENTS À ASTARA ...
...J'AVAIS FAIM, J'AVAIS FROID, MAIS JE CONTINUAIS ...
QUAND JE SUIS ENFIN ARRIVÉ, J'ÉTAIS PRESQUE MORT!
BOUM!
BOUM!
BOUM!
MON DIEU! ANOUCHE!!!
QUOI? QU'EST-CE QUI SE PASSE? QUI VIENT NOUS DÉRANGER À CETTE HEURE?
DÉPÊCHE-TOI! C'EST NOTRE FILS ANOUCHE! IL S'EST ÉVANOUI!!
QU'EST-CE QU'IL FAIT LÀ? POURQUOI IL N'EST PAS RESTÉ CHEZ SON GENTIL ONCLE?

TOI, TU AS TOUJOURS LE BON MOT, AU BON MOMENT ! AIDE-MOI MAINTENANT
C'EST BON, C'EST BON ! CALME-TOI !
OH ! MON DIEU... MON FILS, MON FILS CHÉRI...
C'EST UN PEU TARD POUR LUI MONTRER TON AFFECTION !!
MAIS LA POLICE DU CHAH ME RECHERCHAIT. JE N'ÉTAIS PAS EN SÉCURITÉ CHEZ EUX. ALORS J'AI DÉCIDÉ DE M'EXILER.
J'AI TRAVERSÉ LA RIVIÈRE ARAS À LA NAGE ET JE SUIS ARRIVÉ EN U.R.S.S.
MAZETTE ! LE PÈRE DE LALY N'A MÊME PAS ÉTÉ CHEZ LES RUSSES !
ET TON ONCLE FEREYDOUNE, QU'EST-CE QU'IL EST DEVENU ?
IL A AFFRONTÉ SON DESTIN...
... J'AI APPRIS QU'IL SAVAIT QUE L'ARMÉE DU CHAH VENAIT L'ARRÊTER. IL AURAIT PU S'ENFUIR COMME L'ONT FAIT LA PLUPART DE SES AMIS. MAIS IL A DÉCIDÉ DE RESTER.
TOUT EST PERDU. JE SUIS À VOUS MESSIEURS !

À L'ÉPOQUE IL AVAIT UNE PETITE AMIE QUI S'ÉTAIT ENGAGÉE À SES CÔTÉS. UNE FILLE DE BONNE FAMILLE.
FEREYDOUNE T'AS UNE VISITE !
OH ! MON AMOUR
MA CHÉRIE, IL NE FALLAIT PAS QUE TU VIENNES, TU TE FAIS DU MAL...
FAIS-MOI UN ENFANT !
?
LÀ ! TOUT DE SUITE ?
OUI ! J'AI PAYÉ LE GARDIEN, IL VA NOUS LAISSER TRANQUILLES.
JE VAIS ÊTRE FUSILLÉ DEMAIN !!!
JE LE SAIS... JE VEUX UN SOUVENIR DE TOI !
TU SAIS CE QUE C'EST QUE D'ÊTRE MÈRE SANS ÊTRE MARIÉE DANS CE PAYS. TU VAS ÊTRE REJETÉE. LES GENS VONT TE FAIRE VIVRE UN ENFER
ÇA M'EST ÉGAL ! FAIS-MOI UN ENFANT
... ALORS ELLE TOMBA ENCEINTE CE SOIR-LÀ ET PARTIT EN SUISSE PEU DE TEMPS APRÈS. JE SAIS QU'ELLE A EU UN FILS. IL PARAÎT QU'IL RESSEMBLE BEAUCOUP À SON PÈRE.
MARJI ? ÇA VA ?
HEU... T'EN AS D'AUTRES DES HISTOIRES COMME CELLE-LÀ ?
? OUI...
JE TE PRÉPARE UN CHOCOLAT

ET TOI QU'EST-CE QUE TU AS FAIT EN U.R.S.S?
JE SUIS D'ABORD ALLÉ À LENINGRAD PUIS À MOSCOU. LÀ, J'AI ÉTUDIÉ. J'AI FAIT MON DOCTORAT EN MARXISME-LÉNINISME.
MATÉRIALISME DIALECTIQUE ?
?
QUOI ? TU CONNAIS ?
JE L'AI LU EN BD
?
PUIS APRÈS JE ME SUIS MARIÉ ET J'AI EU DEUX ENFANTS, DEUX FILLES. REGARDE...
POURQUOI ELLE N'A PAS DE TÊTE LA DAME ?
C'ÉTAIT MA FEMME. NOUS AVONS DIVORCÉ...
OUI. MAIS POURQUOI ELLE A LA TÊTE EFFACÉE?
LES RUSSES, ILS NE SONT PAS COMME NOUS...
QUOI? ILS N'ONT PAS DE TÊTE ?
PLUTÔT PAS DE COEUR! ILS NE SAVENT PAS AIMER...
?

...ENFIN, APRÈS LA SÉPARATION, JE ME SENTAIS TRÈS SEUL. LE PAYS, MES PARENTS, MES FRÈRES, TOUS ME MANQUAIENT. J'EN RÊVAIS SOUVENT.
J'AI DÉCIDÉ DE RENTRER. J'AI PRIS ALORS DES FAUX PAPIERS ET ME SUIS DÉGUISÉ.
JE N'AI PAS DÛ ÊTRE TRÈS CRÉDIBLE. ILS M'ONT VITE REPÉRÉ.
VOUS LE BARBU À LUNETTES LÀ!
HALTE
ALORS ON M'A EMPRISONNÉ PENDANT NEUF ANS.
NEUF ANS!
MIEUX QUE LE PÈRE DE LALY!
IL PARAÎT QU'ON T'A AFFREUSEMENT TORTURÉ COMME SIAMAK LE PAPA DE LALY?
C'EST TON PÈRE QUI T'A RACONTÉ ÇA?
NON IL L'A DIT À MAMAN ET JE L'AI ENTENDU
CE QUE ME FAISAIT SUBIR MA FEMME ÉTAIT BIEN PIRE.
SI JE TE RACONTE TOUT ÇA, C'EST QUE C'EST IMPORTANT QUE TU LE SACHES. LA MÉMOIRE DE LA FAMILLE NE DOIT PAS SE PERDRE. MÊME SI C'EST PAS FACILE POUR TOI, MÊME SI TU NE COMPRENDS PAS TOUT.
OH! NE T'INQUIÈTE PAS, JE N'OUBLIERAI JAMAIS!!!

ET MAINTENANT IL FAUT ALLER SE COUCHER !
QUOI ? C'EST FINI ?
TIENS JE TE DONNE CE CYGNE QUE J'AI FAIT EN PRISON. IL EST EN MIE DE PAIN.
EN PRISON ?
FAIS DE BEAUX RÊVES
DANS MA FAMILLE, IL Y A EU BEAUCOUP DE HÉROS. DÉJÀ MON GRAND-PÈRE ÉTAIT EN PRISON. MON ONCLE ANOUCHE AUSSI : NEUF ANS ! IL A MÊME ÉTÉ EN U.R.S.S MON GRAND-ONCLE FEREYDOUNE A PROCLAMÉ UN ÉTAT DÉMOCRATIQUE, PUIS A ÉTÉ...
TROP DÉLIRE !

LES MOUTONS

PENDANT LE SÉJOUR D'ANOUCHE, JE VÉCUS UNE PÉRIODE PASSIONNANTE. J'ASSISTAIS À DES DISCUSSIONS POLITIQUES DE PREMIER ORDRE...
C'EST TOUT DE MÊME INCROYABLE. LA RÉVOLUTION EST UNE RÉVOLUTION DE GAUCHE ET LA RÉPUBLIQUE VEUT S'APPELER ISLAMIQUE!
CE N'EST PAS GRAVE. TOUT IRA BIEN. DANS UN PAYS À MOITIÉ ILLETTRÉ, ON NE PEUT PAS REGROUPER LES GENS AUTOUR DE MARX. LA SEULE CHOSE QUI PUISSE LES RASSEMBLER C'EST LE NATIONALISME OU LA MORALE RELIGIEUSE...
MAIS LES RELIGIEUX N'ONT PAS LA SCIENCE POUR GOUVERNER. ILS RETOURNERONT À LEURS MOSQUÉES. LE PROLÉTARIAT RÈGNERA! C'EST OBLIGATOIRE!!! D'AILLEURS C'EST CE QU'EXPLIQUE LÉNINE DANS "L'ÉTAT ET LA RÉVOLUTION".
PARFOIS MÊME, JE LEUR FAISAIS PART DE MES OPINIONS...
À LA TÉLÉ ILS ONT DIT QUE 99,99% DES GENS ONT VOTÉ POUR LA RÉPUBLIQUE ISLAMIQUE!
TU ENTENDS ÇA ANOUCHE! TU TE RENDS COMPTE DE L'IGNORANCE DU PEUPLE?! DES ÉLECTIONS FALSIFIÉES ET ILS CROIENT AUX RÉSULTATS : 99,99%!! POUR MA PART, JE NE CONNAIS PAS UNE SEULE PERSONNE QUI AIT VOTÉ POUR LA RÉPUBLIQUE ISLAMIQUE. D'OÙ SORT CE CHIFFRE? DE LEUR CUL, OUI!!
MAIS CE N'EST PAS MOI! C'EST LA TÉLÉ!! BOUUUH!!!
MAIS VOYONS ÉBI, C'EST UNE ENFANT QUI RÉPÈTE CE QU'ELLE ENTEND!

EH ! ON JOUE ?
IL VA PARTIR AUX ÉTATS-UNIS !
AUX ÉTATS-UNIS ? POURQUOI ?
MES PARENTS DISENT QUE CE N'EST PAS POSSIBLE DE VIVRE SOUS UN RÉGIME ISLAMIQUE, QU'IL FAUT PARTIR.
MAIS LES RELIGIEUX SONT TRÈS BÊTES, ILS VONT FINIR PAR PARTIR.
OUAIS !
MON PAPA DIT QUE PERSONNE SE REND COMPTE DU VRAI DANGER.
ALORS VOUS PARTEZ QUAND ?
DANS UN MOIS À PEU PRÈS !
OH!
JE CROIS QUE JE L'AIMAIS BIEN CE GARÇON...
MAIS C'EST SUPER LES ÉTATS-UNIS ! TU VERRAS ENFIN BRUCE LEE POUR DE VRAI !!
OUAIS... ÇA PEUT ÊTRE BIEN.
IL EST MORT BRUCE LEE...
EN FAIT, JE L'AIMAIS VRAIMENT BIEN...
...TOUT FOUT LE CAMP ! ...

APRÈS LE DÉPART DE MON COPAIN, UNE BONNE PARTIE DE MA FAMILLE QUITTA ÉGALEMENT LE PAYS.
EMBARQUEMENT IMMÉDIAT VOL 6702 À DESTINATION DE LOS ANGELES PORTE 26 IMMEDIATE BOARDING FLIGHT 6702 TO LOS ANGELES GATE 26
IL FAUDRAIT PEUT-ÊTRE QUE L'ON PARTE, NOUS AUSSI...
POUR QUE JE DEVIENNE CHAUFFEUR DE TAXI ET QUE TU FASSES LES MÉNAGES ?
MON COPAIN KAVEH EST AUSSI PARTI AUX U.S.A.
NE T'EN FAIS PAS. TOUS CEUX QUI PARTENT REVIENDRONT. ILS ONT JUSTE PEUR DU CHANGEMENT.
ESPÉRONS !

ANOUCHE, J'AI TRÈS PEUR !
MAIS NON TAJI ! C'EST COMME ÇA POUR TOUTES LES RÉVOLUTIONS. CE N'EST QU'UNE PÉRIODE DE TRANSITION...
DRING ! DRING !
PAPA ! TÉLÉPHONE POUR TOI !!
QUOI ?
QU'EST-CE QUI SE PASSE ?
QU'EST-CE QU'IL Y A ?
TA MÈRE EST MORTE ?
PAPA !
C'EST MOHSEN
ON L'A TROUVÉ MORT, NOYÉ...
...DANS SA BAIGNOIRE.
EH BIEN ?
OÙ ÇA ?
ASSASSINS ! ASSASSINS !
MA MÈRE AVAIT RAISON DE CROIRE À UN ASSASSINAT... QUAND ON A TROUVÉ SON CORPS, SA TÊTE, SEULE, ÉTAIT PLONGÉE DANS L'EAU.
TOUT IRA BIEN !

APRÈS MOHSEN, CE FUT LE TOUR DE SIAMAK.
ON EST BIEN CHEZ SIAMAK JARI ?
OUI !
NOUS SOMMES LES EXÉCUTEURS DE LA JUSTICE DIVINE !
SA SOEUR FUT EXÉCUTÉE À SA PLACE.
TU SAIS OÙ ILS SE TROUVENT MAINTENANT SIAMAK ET SA FAMILLE ?
PAS PLUS QUE TOI, MAIS ILS DOIVENT SÛREMENT SE CACHER QUELQUE PART.
ET LALY ?
PLUS TARD, ON A SU QU'ILS AVAIENT TRAVERSÉ LA FRONTIÈRE, EN SE CACHANT ENTRE UN TROUPEAU DE MOUTONS.
TOUT IRA BIEN...

AINSI TOUS LES RÉVOLUTIONNAIRES D'HIER DEVINRENT LES ENNEMIS JURÉS DE LA RÉPUBLIQUE.
C'EST PAS ANOUCHE QUI DEVAIT VENIR ME CHERCHER?
...
QUOI? C'EST PAS LUI QUI DEVAIT VENIR?
C'EST-À-DIRE QUE...
OUI?
IL EST RETOURNÉ À MOSCOU!
QUOI?
OH! NON! CETTE VIEILLE HISTOIRE DE VOYAGE QUI REVENAIT...
IL A DÛ PARTIR VITE... SA FEMME L'A APPELÉ. IL M'A DIT DE TE DIRE AU REVOIR...
IL NE PARLE PAS AVEC SA FEMME
MA CHÉRIE! TU AS PASSÉ UNE BONNE JOURNÉE À L'ÉCOLE?
TU AS SÛREMENT FAIM.
OÙ EST ANOUCHE?
MAIS TU NE VEUX PAS MANGER UN PEU?
J'AI PAS FAIM.
POURQUOI IL N'EST PAS RESTÉ POUR ME DIRE AU REVOIR?
IL ÉTAIT PRESSÉ, TRÈS PRESSÉ...

JE CROIS QU'IL FAUT QU'ON PARLE.
DIEU, FAITES QU'IL NE SOIT PAS MORT !
VOILÀ, ILS ONT ARRÊTÉ ANOUCHE.
JE SAIS...
PAPA
OUI, MON BÉBÉ.
EST-CE QUE TU VEUX FAIRE QUELQUE CHOSE POUR LUI ?
OUI !
ANOUCHE N'A DROIT QU'À UNE SEULE VISITE ET C'EST TOI QU'IL SOUHAITE VOIR.
TU CROIS QUE JE SUIS ASSEZ BIEN HABILLÉE ?
MAIS OUI !
ON EST PRESQUE ARRIVÉS.

QUELLE BELLE ROBE ! QUELLE JOLIE FILLE !!
10 MINUTES
TU SAIS QUE TU M'AS HONORÉ EN VENANT ME RENDRE VISITE ?
TU ES LA PETITE FILLE QUE J'AURAIS TOUJOURS AIMÉ AVOIR.
MAIS TU VERRAS ! UN JOUR LE PROLÉTARIAT RÈGNERA !
TIENS ! JE T'AI FAIT UN AUTRE CYGNE EN MIE DE PAIN. C'EST LE TONTON DU PREMIER.
ÉTOILE DE MA VIE...

CE FUT MA DERNIÈRE RENCONTRE AVEC MON ANOUCHE ADORÉ...
ESPION RUSSE EXÉCUTÉ
voir page 3
TOUT IRA BIEN...
MARJI, QU'EST-CE QU'IL Y A MON ENFANT ?
ALORS TOI, TA GUEULE ! SORS DE MA VIE !!! JE NE VEUX PLUS JAMAIS TE VOIR !
DEHORS!

ET C'EST AINSI QUE JE ME RETROUVAIS SANS REPÈRE... QU'EST-CE QUI POUVAIT ARRIVER DE PIRE?
MARJI, COURS AU SOUS-SOL! ON NOUS BOMBARDE!!!
C'ÉTAIT LE DÉBUT DE LA GUERRE...

2

LE VOYAGE

OH, MERDE !
ILS ONT OCCUPÉ L'AMBASSADE DES ÉTATS-UNIS !!
QUI ÇA, ILS ?
BEN, LES ÉTUDIANTS ISLAMISTES. ILS ONT PRIS TOUS LES AMÉRICAINS EN OTAGE !!
AH OUAIS !
C'EST QU'ILS APPELLENT ÇA, "LE NID DES ESPIONS". HA! HA! ON SE CROIRAIT DANS JAMES BOND.
ÇA N'A PAS L'AIR DE T'INTÉRESSER !
JE M'EN FOUS.
DE TOUTE FAÇON LES AMÉRICAINS, C'EST DES CONS !
PEUT-ÊTRE, MAIS À PRÉSENT PLUS PERSONNE NE POURRA ALLER AUX ÉTATS-UNIS.
ET POURQUOI ÇA ??
C'EST SIMPLE. PLUS D'AMBASSADE, PLUS DE VISA !
UN GRAND RÊVE VENAIT DE S'ÉCROULER. JAMAIS JE N'AURAIS LE DROIT D'ALLER AUX ÉTATS-UNIS.
KAVEH, AUJOURD'HUI ILS ONT FERMÉ L'AMBASSADE DES U.S.A. JE NE POURRAI PAS VENIR TE VOIR...
LE RÊVE CE N'ÉTAIT PAS LES ÉTATS-UNIS. C'ÉTAIT MON COPAIN KAVEH QUI ÉTAIT PARTI S'INSTALLER LÀ-BAS UN AN AUPARAVANT.

ET QUELQUES JOURS PLUS TARD...
SUITE À LA DÉCISION DU MINISTÈRE DE L'ÉDUCATION, LES UNIVERSITÉS SERONT FERMÉES DÈS LE MOIS PROCHAIN...
OH NON !
LE SYSTÈME ÉDUCATIF AINSI QUE LES PROPOS DES LIVRES SCOLAIRES ET UNIVERSITAIRES SONT DÉCADENTS. IL FAUT REVOIR TOUT CELA POUR QUE NOS JEUNES NE S'ÉLOIGNENT PAS DU CHEMIN DE L'ISLAM.
BIEN ÉVIDEMMENT, BIEN ÉVIDEMMENT !
C'EST POURQUOI NOUS FERMERONS TOUTES LES UNIVERSITÉS POUR UNE DURÉE LIMITÉE. MIEUX VAUT NE PAS AVOIR D'ÉTUDIANTS DU TOUT, QUE D'ÉDUQUER DE FUTURS IMPÉRIALISTES.
LES UNIVERSITÉS FURENT DONC FERMÉES PENDANT DEUX ANS.
BIENTÔT TU VERRAS, ILS VONT VRAIMENT NOUS OBLIGER À PORTER LE VOILE ET TOI À TE DÉPLACER EN CHAMEAU. MON DIEU QUELLE POLITIQUE RÉTROGRADE !
EN CHAMEAU ?
PLUS D'UNIVERSITÉS... ET MOI QUI VOULAIS DEVENIR CHIMISTE. MOI QUI VOULAIS FAIRE COMME MARIE CURIE.
JE VOULAIS ÊTRE UNE FEMME SAVANTE ET ÉMANCIPÉE. JE VOULAIS ATTRAPER UN CANCER POUR LA SCIENCE.
C'EST MOI QUI AI DÉCOUVERT LE DERNIER ÉLÉMENT RADIOACTIF.
UN AUTRE RÊVE VENAIT DE S'ENVOLER.
MISÈRE ! À L'ÂGE OÙ MARIE CURIE EST ALLÉE EN FRANCE POUR ÉTUDIER, J'AURAI SANS DOUTE DIX ENFANTS...

UN SOIR...
LA VOITURE DE MAMAN EST TOMBÉE EN PANNE, ON DOIT ALLER LA CHERCHER.
ÉBI !
MAMAN !
DEUX TYPES... DEUX BARBUS... DEUX SALOPARDS DE BARBUS... ILS M'ONT.... ILS M'ONT...
DU CALME MA CHÉRIE, DU CALME. ILS T'ONT QUOI?
MAMAN!
ILS M'ONT INSULTÉE. ILS ONT DIT QUE LES FEMMES COMME MOI, IL FALLAIT LES BAISER AU COIN DES MURS ET LES JETER AUX ORDURES!
...QUE SI JE NE VOULAIS PAS QUE ÇA M'ARRIVE, JE N'AVAIS QU'À ME VOILER...
OUBLIE CES ABRUTIS!!! RENTRONS...
CETTE HISTOIRE A RENDU MA MÈRE MALADE PENDANT PLUSIEURS JOURS.
MAMAN, TU VEUX QUELQUE CHOSE?
...
AINSI DONC POUR PROTÉGER LES FEMMES DE TOUS LES VIOLEURS POTENTIELS, LE PORT DU VOILE FUT DÉCRÉTÉ OBLIGATOIRE.
LES CHEVEUX DES FEMMES CONTIENNENT DES RAYONS QUI EXCITENT LES HOMMES. LES FEMMES DOIVENT LES CACHER! SI SE DÉVOILER EST UNE PREUVE DE CIVILISATION, ALORS LES ANIMAUX SONT PLUS CIVILISÉS QUE NOUS.
FANTASTIQUE! ILS PRENNENT TOUS LES MECS POUR DES OBSÉDÉS SEXUELS!!
BIEN SÛR. ILS LE SONT EUX!

TRÈS VITE LE CODE VESTIMENTAIRE DEVINT UN ATOUT IDÉOLOGIQUE. IL Y AVAIT DEUX SORTES DE FEMMES.
LA FEMME INTÉGRISTE
LA FEMME MODERNE
ON MONTRAIT SON OPPOSITION AU RÉGIME, EN LAISSANT DÉPASSER QUELQUES MÈCHES.
IL Y AVAIT AUSSI DEUX SORTES D'HOMMES.
L'HOMME INTÉGRISTE
BARBE
CHEMISE SUR LE PANTALON
L'HOMME PROGRESSISTE
RASÉ AVEC OU SANS MOUSTACHE
CHEMISE DANS LE PANTALON
DANS L'ISLAM IL N'EST PAS RECOMMANDÉ DE SE RASER.
PRÉCISONS QUE SI LES FEMMES ÉTAIENT OBLIGÉES, SOUS PEINE D'EMPRISONNEMENT, DE SE VOILER, LE PORT DE LA CRAVATE (SYMBOLE DE L'OCCIDENT) ÉTAIT FORMELLEMENT INTERDIT AUX HOMMES ET QUE SI LES CHEVEUX DES FEMMES EXCITAIENT LES HOMMES, LES BRAS NUS DES HOMMES EXCITAIENT LES FEMMES AUSSI : PORTER DES CHEMISES À MANCHES COURTES ÉTAIT ÉGALEMENT INTERDIT.
IL Y AVAIT QUAND MÊME UNE JUSTICE.
IL N'Y AVAIT PAS QUE LE GOUVERNEMENT QUI AVAIT CHANGÉ. LES GENS ORDINAIRES CHANGEAIENT AUSSI.
TU LA VOIS ELLE ! IL Y A ENCORE UN AN, ELLE MONTRAIT SES GROSSES CUISSES SOUS SES MINIJUPES. AUJOURD'HUI, MADAME PORTE UN TCHADOR. ÇA DOIT BIEN L'ARRANGER.
ET SON BARBU DE MARI QUI SE SAOULAIT TOUS LES SOIRS, SE RINCE LA BOUCHE DÈS QU'IL PRONONCE LE MOT ALCOOL !
ET LEUR FILS RACONTE QU'IL PRIE TOUS LES JOURS !
SI JAMAIS IL TE DEMANDE CE QUE TU FAIS PENDANT LA JOURNÉE, TU DIS QUE TU PRIES. TU AS COMPRIS ??
OUI....
AU DÉBUT C'ÉTAIT UN PEU DUR, MAIS J'AI TRÈS VITE APPRIS À MENTIR.
MOI, JE FAIS MES PRIÈRES CINQ FOIS PAR JOUR.
MOI, DIX OU ONZE FOIS... VOIRE DOUZE.

MALGRÉ TOUT, LES GENS AVAIENT ENCORE LA RÉVOLUTION DANS LA PEAU. IL Y EUT QUELQUES MANIFESTATIONS D'OPPOSITION.
DEMAIN IL Y AURA UN RASSEMBLEMENT CONTRE L'INTÉGRISME.
JE VIENS AUSSI !
NON ! C'EST DANGEREUX.
ELLE VIENDRA AUSSI !
EN TANT QUE FEMME, C'EST MAINTENANT QU'ELLE DOIT APPRENDRE À DÉFENDRE SES DROITS !
DEPUIS LA RÉVOLUTION DE 1979, J'AVAIS GRANDI (D'UN AN) ET MAMAN AVAIT CHANGÉ.
ALORS, JE SUIS ALLÉE AVEC EUX. JE DISTRIBUAIS DES TRACTS...
CANON, BOMBE ET ROQUETTE PAS DE FICHU SUR LA TÊTE !
... QUAND SOUDAIN ÇA TOURNA AU VINAIGRE.
LE FICHU OU LA RACLÉE
POUR LA PREMIÈRE FOIS DE MA VIE, J'AI VU LA VIOLENCE DE MES PROPRES YEUX
PAPA !
CE FUT NOTRE DERNIÈRE MANIFESTATION.
SAUVE QUI PEUT !

LA SITUATION S'AGGRAVAIT DE JOUR EN JOUR. EN SEPTEMBRE 1980, MES PARENTS ORGANISÈRENT SUBITEMENT UN VOYAGE AVEC MOI. COMME S'ILS SENTAIENT QUE BIENTÔT CE NE SERAIT PLUS POSSIBLE. LA SUITE LEUR DONNA RAISON... NOUS PARTÎMES DONC PENDANT TROIS SEMAINES EN ESPAGNE ET EN ITALIE...
...C'ÉTAIT MERVEILLEUX.

JUSTE AVANT DE RENTRER, DANS LA CHAMBRE D'HÔTEL À MADRID.
VENEZ VOIR ÇA!
IRAN
À LA TÉLÉ ON VOYAIT LA CARTE D'IRAN ET UNE MASSE NOIRE QUI COUVRAIT PEU À PEU LE PAYS.
AFGHANISTAN
IRAK
IRAN
KOWEIT
GOLFO PERSICO
PAKISTAN
QU'EST-CE QUE C'EST QUE ÇA?
C'EST DOMMAGE QU'ON NE COMPRENNE PAS L'ESPAGNOL!
SI ÇA SE TROUVE, ILS PARLENT DE LA POLLUTION. TU SAIS, TÉHÉRAN EST LA QUATRIÈME VILLE POLLUÉE DU MONDE!
ILS N'ONT PAS L'AIR DE PARLER DE LA CAPITALE, MAIS DU PAYS ENTIER.
LE LENDEMAIN MA GRAND-MÈRE EST VENUE NOUS CHERCHER À L'AÉROPORT.
MAMIE! JE T'AI ACHETÉ UNE ROBE NOIRE!
ELLE AVAIT L'AIR INQUIET.
ÇA VA MAMAN?
OUI...

AH ! JE VAIS ÔTER CE FOULARD. IL FAIT TROP CHAUD.
JE SUIS CONTENTE DE RENTRER. ON N'EST NULLE PART COMME CHEZ SOI !
OUI ! MAIS BIENTÔT ON N'AURA PLUS DE CHEZ SOI...
POURQUOI TU DIS ÇA ?
VOUS N'ÊTES PAS AU COURANT ?
AU COURANT DE QUOI ?
C'EST LA GUERRE !
QUOI??
...ILS L'ONT ANNONCÉ OFFICIELLEMENT DEPUIS DEUX JOURS MAIS EN FAIT ELLE A COMMENCÉ DEPUIS UN MOIS... ...LES INTÉGRISTES IRANIENS SONT ALLÉS EXCITER LEURS ALLIÉS SHIITES IRAKIENS CONTRE SADDAM. DEPUIS LE TEMPS QUE CE TYPE CHERCHE À ENVAHIR L'IRAN, ÇA LUI A DONNÉ UN BON PRÉTEXTE POUR NOUS ATTAQUER. C'EST LA DEUXIÈME INVASION ARABE... BREF, C'EST LA MERDE.
LA DEUXIÈME INVASION EN MILLE QUATRE CENTS ANS ! MON SANG N'A FAIT QU'UN TOUR ! J'ÉTAIS PRÊTE À DÉFENDRE MON PAYS CONTRE CES ARABES QUI N'EN FINISSAIENT PAS DE NOUS AGRESSER.
JE VOULAIS ME BATTRE !!

LES F.14

QUELQUES JOURS APRÈS NOTRE VOYAGE ET JUSTE AVANT LA RENTRÉE SCOLAIRE, JE ME TROUVAIS DANS LE BUREAU DE MON PÈRE.
TAPEZ-MOI ÇA EN TROIS EXEMPLAIRES
D'ACCORD
BOUM !
AU SECOURS!
C'ÉTAIT LA PREMIÈRE FOIS QUE JE VOYAIS DES AVIONS DE CHASSE...
SUPER! C'EST NOTRE ARMÉE QUI FAIT DES MANŒUVRES.
JE NE PENSE PAS. ÇA DOIT ÊTRE DES IRAKIENS.
QUOI? POURQUOI TU DIS ÇA???
PARCE QUE ÇA NE RESSEMBLE PAS À NOS AVIONS F14!
LÀ, ÇA DEVENAIT TRÈS POINTU MAIS PAPA ÉTAIT INGÉNIEUR. C'ÉTAIT LUI LE SPÉCIALISTE.
IRANIENS OU IRAKIENS, LES AVIONS VOLAIENT EN RASE-MOTTES. UNE FOIS ARRIVÉS À L'HORIZON, ILS ONT FAIT UNE MONTÉE EN FLÈCHE DEVANT LES MONTAGNES.
VITE! LA RADIO!
ELLE EST LÀ PAPA!
LES MIGS IRAKIENS ONT BOMBARDÉ TÉHÉRAN...
AH! LES SALAUDS!
LES TROUS DU CUL!

FAUT RENTRER VITE! TA MÈRE DOIT AVOIR TRÈS PEUR!!!
PAPA! TU T'EN SOUVIENS DE CE QU'ON T'A APPRIS AU SERVICE MILITAIRE? TU VAS FAIRE LA GUERRE? TU VAS TE BATTRE? IL FAUT DONNER UNE BONNE LEÇON À CES IRAKIENS?
MAIS DE QUOI TU PARLES? BIEN SÛR QUE JE NE VAIS PAS ME BATTRE... JE NE VOIS PAS POURQUOI JE ME BATTRAIS!?
OH! COMMENT TU PEUX DIRE ÇA? LES IRAKIENS SONT NOS ENNEMIS DEPUIS TOUJOURS. ILS VEULENT NOUS ENVAHIR!
EN PLUS EN VOITURE ILS ROULENT COMME DES COCHONS...
LES ARABES N'ONT JAMAIS AIMÉ LES PERSES, C'EST CONNU! ILS NOUS ONT ATTAQUÉS, IL Y A 1400 ANS. ILS NOUS ONT IMPOSÉ LEUR RELIGION
OH! ÇA SUFFIT AVEC CETTE HISTOIRE. S'IL Y A BIEN UNE INVASION ISLAMIQUE, ELLE VIENT DE NOTRE PROPRE GOUVERNEMENT
TAJI!
MAMAN!
TAJI!!?
MON AMOUR
?
MAMAN
LES IRAKIENS NOUS ONT BOMBARDÉS!
AH BON? QUAND ÇA??
LÀ!
BON! JE DOIS ME SÉCHER!
LA GUERRE VOUS PREND TOUJOURS AU DÉPOURVU.

IL FAUT BOMBARDER BAGDAD !!
ENLÈVE TES PIEDS DE LA TABLE, C'EST MALPOLI !
BOMBARDER BAGDAD... ENCORE FAUDRAIT-IL QUE NOUS AYONS DES PILOTES. APRÈS LE COUP D'ÉTAT MANQUÉ DES GÉNÉRAUX, ILS SONT TOUS EN TAULE OU EXÉCUTÉS...
?
C'EST QUOI ENCORE CETTE NOUVELLE HISTOIRE ? QUEL COUP D'ÉTAT ? QUELS PILOTES EMPRISONNÉS ?
DES PILOTES DE CHASSE, MOI J'EN CONNAISSAIS. LE PÈRE DE MA COPINE PARDISSE EN ÉTAIT UN.
ELLE NE M'A JAMAIS DIT QUE SON PÈRE ÉTAIT EN PRISON ! QUOIQUE... L'AN DERNIER, ELLE A MANQUÉ L'ÉCOLE PENDANT PLUS D'UN MOIS.
CE SALAUD DE SADDAM A ATTENDU QU'ON SOIT AFFAIBLIS POUR NOUS ATTAQUER !
LE PÈRE DE PARDISSE ENTEZAMI EST PILOTE DE GUERRE. LUI, IL IRA BOMBARDER BAGDAD.
ENTEZAMI... ENTEZAMI... IL FAISAIT PARTIE DES CONJURÉS. IL FAUDRA D'ABORD QU'IL PUISSE SORTIR DE SA PRISON !
JE VAIS DANS MA CHAMBRE.

C'EST TERRIBLE ! MON PÈRE EST UN DÉFAITISTE. AUCUN SENTIMENT NATIONAL...
SOUDAIN, J'AI ENTENDU LA TÉLÉ DIFFUSER L'HYMNE NATIONAL D'IRAN. NOTRE MARSEILLAISE...
♫ OH L'IRAN ♪ NOTRE ♫ PAYS EN OR. ♫ TA TERRE EST LA SOURCE DE L'ART ♪♪.
IL AVAIT ÉTÉ BANNI AU PROFIT DE L'HYMNE ISLAMIQUE PAR LE NOUVEAU RÉGIME...
ÇA FAISAIT PLUS D'UN AN QU'ON NE L'ENTENDAIT PLUS...
♫ SOIT LOIN DE TOI LA MAUVAISE PENSÉE DE TES ENNEMIS ♪♫...
NOUS ÉTIONS BOULEVERSÉS...
BIENVENUE AU JOURNAL DE 20 HEURES. CENT QUARANTE AVIONS F-14 IRANIENS ONT BOMBARDÉ BAGDAD CE SOIR.
BEN, TU VOIS QUE NOTRE ARMÉE EST ENCORE PUISSANTE !
IL FAUT SE MÉFIER DE LEURS INFORMATIONS. À 8H, IL Y A AUSSI LES NOUVELLES À LA B.B.C. ELLE EST OÙ LA RADIO ?
TU DOUTES DE TOUT TOI ! LA VOILÀ TA RADIO !

KRR... KRR...
KRR... KRR...
CENT QUARANTE BOMBARDIERS IRANIENS ONT PILONNÉ BAGDAD AUJOURD'HUI...
HA! HA!
PRENDS-TOI ÇA DANS LA GUEULE SADDAM!
ON LES A POURRIS!
JE M'ÉTAIS FAIT UNE FAUSSE IDÉE DE LUI : PAPA AIMAIT SON PAYS COMME MOI.
LE PRÉSIDENT BANISADR A DEMANDÉ LA LIBÉRATION DES PILOTES DE GUERRE QUI ÉTAIENT EMPRISONNÉS À LA SUITE DU PUTSCH MANQUÉ. CES DERNIERS ONT ACCEPTÉ DE BOMBARDER L'IRAK EN ÉCHANGE DE LA DIFFUSION DE L'HYMNE NATIONAL...
COMME D'HABITUDE, MON PÈRE AVAIT RAISON...

...LA SUITE DES INFORMATIONS N'A PAS ÉTÉ SI RÉJOUISSANTE...
LES PERTES IRANIENNES ONT ÉTÉ TRÈS LOURDES... LA MOITIÉ DES AVIONS NE SERAIENT PAS RENTRÉS À LEURS BASES.
J'ESPÈRE QUE LE PAPA DE PARDISSE N'EST PAS MORT!
APPELLE-LA
JE N'AI PAS SON NUMÉRO DE TÉLÉPHONE
IL A FALLU QUE J'ATTENDE DEUX SEMAINES POUR LE SAVOIR.
HÉ! PARDISSE
ET JE L'AI TOUT DE SUITE COMPRIS MAIS JE N'AI RIEN OSÉ DEMANDER.
EN CLASSE LA MAÎTRESSE NOUS A DEMANDÉ DE FAIRE UNE RÉDACTION SUR LA GUERRE.
C'EST UN SUJET TRÈS DIFFICILE, MAIS C'EST UN SUJET QUI NOUS CONCERNE TOUTES. RÉFLÉCHISSEZ-Y BIEN.
MOI, JE N'AVAIS PAS BESOIN DE RÉFLÉCHIR. J'AVAIS DES IDÉES TRÈS PROFONDES À CE PROPOS.
TU AS DES TRUCS À DIRE TOI?
OH! PLEIN...

J'AI ÉCRIT QUATRE PAGES OÙ J'AI DÉVELOPPÉ LE POINT DE VUE HISTORIQUE DE L'ÉVÉNEMENT : "LA SIMILITUDE ENTRE LA CONQUÊTE ARABE ET LA GUERRE IRAN-IRAK".
J'ÉTAIS TRÈS FIÈRE DE MOI.
...CETTE GUERRE EST LA MÊME QUE CELLE QUI A EU LIEU IL Y A 1400 ANS...
LA MAÎTRESSE PAR CONTRE N'AVAIT PAS L'AIR TRÈS EMBALLÉE.
C'EST PAS MAL. BON, PARDISSE ENTEZAMI, AU TABLEAU.
... PARDISSE AVAIT FAIT LA PLUS BELLE RÉDACTION. C'ÉTAIT UNE LETTRE ADRESSÉE À SON PÈRE OÙ ELLE LUI PROMETTAIT QU'ELLE S'OCCUPERAIT DE SA MÈRE ET DE SON PETIT FRÈRE.
REPOSE EN PAIX PAPA
À LA RÉCRÉ J'AI ESSAYÉ DE LA CONSOLER...
TON PÈRE S'EST COMPORTÉ COMME UN VRAI HÉROS. TU DOIS ÊTRE FIÈRE DE LUI !
J'AURAIS PRÉFÉRÉ QU'IL RESTE EN PRISON VIVANT, QUE HÉROS MAIS MORT.
C'EST CE QU'ELLE M'A RÉPONDU MOT POUR MOT.

LES BIJOUX

LA GUERRE AVAIT BEL ET BIEN COMMENCÉ. TRÈS VITE, ON NE TROUVAIT PLUS GRAND-CHOSE DANS LES SUPERMARCHÉS.
JE NE SAIS PAS SI ÇA VAUT LA PEINE DE PRENDRE UN CADDIE
C'EST MOI QUI L'AI VU EN PREMIER !!
RENDS-MOI ÇA !!
MAIS ARRÊTEZ ENFIN !
?
?
NON, MAIS DE QUOI JE ME MÊLE ?
QU'EST-CE QU'ELLE A CELLE-LÀ ?
LAISSE TOMBER MAMAN !
IL SUFFIT QUE LES MAGASINS SOIENT VIDES UN SEUL JOUR ET VOUS VOUS MANGERIEZ ENTRE VOUS, ET ÇA S'APPELLE DES GENS CIVILISÉS ! SI CHACUN PRENAIT SELON SES BESOINS, IL Y EN AURAIT POUR TOUT LE MONDE !
ET À LA SORTIE DU SUPERMARCHÉ...
COMBIEN DE BOÎTES DE RIZ ON A PRIS ?
BEN, DEUX !
HUM... ON IRA DANS LE MAGASIN À CÔTÉ EN REPRENDRE. ON NE SAIT JAMAIS !
?

ON NE TROUVAIT PLUS GRAND-CHOSE DANS LES STATIONS-SERVICE NON PLUS.
TU AS DES BIDONS ?
DES BIDONS ? POUR QUOI FAIRE ?
À TON AVIS !!? POUR FAIRE DE LA FRAISE À L'EAU !!!
PARLE PAS COMME ÇA À MA MÈRE !
TOUS LES MATINS, JE FAIS SOIXANTE BORNES POUR QUE VOUS AYEZ UNE VIE PAISIBLE. SANS MA VOITURE COMMENT JE FAIS MOI ? VOILÀ POURQUOI J'AI BESOIN DE BIDONS ! POUR L'ESSENCE, TU COMPRENDS ! LA VOITURE MARCHE À L'ESSENCE !!!
OH PARDONNE-MOI MA CHÉRIE. J'AI COURU TOUTE LA JOURNÉE. JE N'AI PAS TOUS MES NERFS. TIENS, JE VAIS FAIRE LE PLEIN ET APRÈS ON ESSAIERA DE TROUVER UN RESTAURANT.
TU ES FIER DE TOI, J'ESPÈRE.
APRÈS LA RÉCONCILIATION, NOUS AVONS ACCOMPAGNÉ MON PÈRE.
ON A ATTENDU JUSQU'À DEUX HEURES DU MATIN. POUR LE RESTAURANT, C'ÉTAIT FOUTU.
ON NE REMPLIT PAS LES BIDONS D'ESSENCE, SINON IL N'Y EN AURA PAS ASSEZ POUR TOUT LE MONDE.
BEN TANT PIS, MAIS VOUS SAVEZ CE QUI SE PASSE AU JUSTE ? LA PRESSE NATIONALE NE DIT RIEN.
BIEN SÛR QU'ILS NE DISENT RIEN. C'EST LE BORDEL !!... L'IRAK A BOMBARDÉ LA RAFFINERIE DE PÉTROLE D'ABADAN !
MON DIEU MALI !
OUH LÀ LÀ OUH LÀ LÀ LÀ
MALI ÉTAIT L'AMIE D'ENFANCE DE MA MÈRE. ELLE HABITAIT À ABADAN AVEC SON MARI ET SES DEUX FILS.

VITE ! LE TÉLÉPHONE !
DRING... DRING... DRING...
ÇA NE RÉPOND PAS !!
J'AI ESSAYÉ CHEZ ELLE AUSSI, MAIS ELLE EST SOURDE !
TU AS ESSAYÉ CHEZ SA MÈRE? ELLE DOIT AVOIR DES NOUVELLES !
APRÈS ABADAN, TOUTES LES VILLES FRONTALIÈRES FURENT LA CIBLE DES BOMBES. LA PLUPART DES HABITANTS DE CES RÉGIONS DURENT S'ENFUIR DANS LA DIRECTION DU NORD, LOIN DES MISSILES IRAKIENS.

DING DONG
QUI C'EST, À CETTE HEURE?
JE N'EN SAIS RIEN!
CLIC!
MALI !!??!
TOUT EST FICHU... TOUT!
ALLEZ! ÇA IRA, CALME-TOI...
REGARDE-MOI ÇA! C'EST TOUT CE QUE J'AI RÉUSSI À SAUVER
AH...
VENEZ LES ENFANTS, JE VAIS VOUS FAIRE UN CHOCOLAT CHAUD.
J'AIME PAS
MOI NON PLUS
D'ABORD ON EST ALLÉS CHEZ MA MÈRE. ON A SONNÉ CENT FOIS, MAIS ELLE N'ENTEND PLUS RIEN. JE SUIS DÉSOLÉE!!
MAIS NON MA CHÉRIE, TU AS BIEN FAIT DE VENIR CHEZ NOUS.
LA MAISON QUE J'AVAIS PAYÉE UN MILLION EST PARTIE EN FUMÉE! UN MILLION! TU T'IMAGINES?!
...
MON PÈRE N'AIMAIT PAS TROP LE MARI DE MALI. IL LE TROUVAIT UN PEU MATÉRIALISTE.
C'EST VRAI QU'ILS AVAIENT UNE TRÈS BELLE MAISON. NOUS Y AVIONS PASSÉ DES VACANCES TROIS ANS AUPARAVANT.
RIEN QUE POUR LE MARBRE, ÇA M'A COÛTÉ CENT MILLE!!!
AH....

BON, VOILÀ, JE VOUS AI PRÉPARÉ VOTRE LIT. FAITES COMME CHEZ VOUS. LES ENFANTS DORMIRONT DANS LA CHAMBRE DE MARJI.
OH! MERCI TAJI!
OUI, MERCI!
VOUS DEUX, SUIVEZ-MOI.
T'AS PAS DE JOUETS?
NON. JE SUIS GRANDE MOI. J'AI DES LIVRES; SI VOUS VOULEZ, JE PEUX VOUS LIRE UNE HISTOIRE.
CHEZ NOUS, NOUS AVONS TOUT LE STARWARS!
MOI, J'AI UN DARK VADOR!
LA CHANCE!
T'AIMES BIEN STAR WARS?
J'AIME BIEN LA PRINCESSE LEÏA.
LEÏLA!!?
WOO! ELLE EST MOCHE, ELLE...
BON, MAINTENANT IL FAUT SE COUCHER. BONNE NUIT LES ENFANTS.
...
...

LE TEMPS DE VENDRE LES BIJOUX ET DE RECOMMENCER TOUT À ZÉRO, MALI ET SA FAMILLE VÉCURENT UN MOIS CHEZ NOUS. LA MÈRE DE MALI ÉTAIT AIGRE ET DÉSAGRÉABLE (ET SOURDE). CHEZ NOUS, ILS ÉTAIENT CONTENTS. UN JOUR NOUS SOMMES ALLÉS ENSEMBLE AU SUPERMARCHÉ.
QU'EST-CE QU'ILS SONT PÉNIBLES !
MOI, JE VEUX ÇA !
JE VEUX LA BOÎTE !
TIENS, IL RESTE DES HARICOTS ROUGES. ON PEUT FAIRE UN CHILI CE SOIR.
ET LES CRISES D'AÉROPHAGIE, JE NE T'EN PARLE PAS !
?
C'EST QUOI AÉROPHAGIE ?
C'EST DES PROUTS !
??!
!
HAHAHA ! HAHA !
HA HA HA !
HAHAHAHA !
CACA !
DEPUIS QUE LES RÉFUGIÉS SONT À TÉHÉRAN, ON NE TROUVE PLUS RIEN À MANGER.
AH ! ÇA C'EST VRAI !

ILS NOUS PRENNENT TOUT.
MA VOISINE M'A MÊME DIT QU'ELLE AVAIT ENTENDU QUE LEURS FEMMES SE PROSTITUAIENT. AUCUNE DIGNITÉ !
BIENTÔT EN PLUS DE LA NOURRITURE, IL FAUDRA AUSSI SURVEILLER NOS MARIS ! AVEC TOUTES CES SALOPES !!
DE TOUTE FAÇON C'EST CONNU : « LES FEMMES DU SUD, TOUTES DES PUTES ! »
?
C'EST SCANDALEUX CE QUE VOUS DITES !
QUELLE HUMILIATION !...
DES PROUTS...
ÊTRE ATTAQUÉ PAR LES IRAKIENS, PERDRE EN UN CLIN D'OEIL TOUT CE QUE TU AS CONSTRUIT PENDANT UNE VIE EST UNE CHOSE...
... MAIS ÊTRE REJETÉ PAR LES SIENS, C'EST INSUPPORTABLE !
J'EUS COMME UN TERRIBLE SENTIMENT DE HONTE...
?
... ET DE COMPASSION.

LA CLEF

L'ARMÉE IRAKIENNE AVAIT CONQUIS LA VILLE DE KHORAMSHAHR. LEUR ÉQUIPEMENT ÉTAIT DE QUALITÉ, MAIS NOUS, NOUS AVIONS LA QUANTITÉ. EN COMPARAISON AVEC L'IRAK, L'IRAN ÉTAIT UN VÉRITABLE RÉSERVOIR HUMAIN. LE NOMBRE DE NOS MARTYRS DE GUERRE SOULIGNAIT CETTE DIFFÉRENCE.
MARTYRS DU JOUR
TU VEUX M'AIDER À FAIRE MON BRUSHING ?
TU AS VU TOUS CES MORTS ?
COMMENT JE POURRAIS FAIRE POUR NE PAS LES VOIR ? ILS FONT TOUT POUR NOUS LES MONTRER ! LES RUES SONT BONDÉES DE CHAMBRES NUPTIALES !
SELON LA TRADITION SHIITE, ON DRESSE UNE CHAMBRE NUPTIALE POUR UN HOMME MORT AVANT LE MARIAGE, POUR LUI FAIRE VIVRE SYMBOLIQUEMENT LA RELATION CHARNELLE, AVANT D'ATTEINDRE LE CIEL.
IL FAUT CROIRE QUE BEAUCOUP D'ENTRE EUX ÉTAIENT VIERGES.
VUUUUUUUU
MAMAN, ÇA NE TE FAIT RIEN TOUS CES MORTS ?
MAIS BIEN SÛR QUE ÇA ME FAIT QUELQUE CHOSE ! SEULEMENT NOUS, NOUS SOMMES ENCORE EN VIE !
CE PAYS A TOUJOURS CONNU DES GUERRES ET DES MARTYRES. ALORS COMME DISAIT MON PÈRE : "QUAND UNE GRANDE VAGUE ARRIVE, BAISSE LA TÊTE ET LAISSE-LA PASSER ! "
ÇA, C'EST TRÈS PERSAN. LA PHILOSOPHIE DES RÉSIGNÉS.

J'ÉTAIS D'ACCORD AVEC MA MÈRE. MOI AUSSI J'AVAIS ENVIE DE NE PENSER QU'À LA VIE. POURTANT CE N'ÉTAIT PAS TOUJOURS FACILE : À L'ÉCOLE, ON NOUS METTAIT DEUX FOIS PAR JOUR EN RANG POUR PLEURER LES VICTIMES DE LA GUERRE. LA DIRECTION DE L'ÉCOLE PASSAIT DES MUSIQUES TRISTES ET NOUS, ON SE FRAPPAIT SUR LA POITRINE.

D'AILLEURS JE ME SOUVIENS DE MON INITIATION. C'ÉTAIT LA RENTRÉE EN CLASSE DE CINQUIÈME.
BIENVENUE FILLES DE L'IRAN. LA GUERRE NOUS A ENLEVÉ LES MEILLEURS ENFANTS DE CE PAYS !
ET LES HAUT-PARLEURS SE SONT MIS À CHANTER.
TUTURUTUTU HÉ, LES TROUPES DE... SOYEZ PRÊTES, SOYEZ PRÊTES
? ? ? ?
ALLEZ LES ENFANTS, SUR LE COEUR !
PAF ! PAF !
? ? ? ? ? ? ?
ET C'EST EN CHOEUR QU'ON A COMMENCÉ LA SÉANCE.
BON, CE N'ÉTAIT PAS AUSSI TRAUMATISANT QU'ON L'IMAGINE. ON AVAIT DÉJÀ VU ÇA.
SE FRAPPER FAIT PARTIE DES RITUELS DU PAYS. PENDANT CERTAINES CÉRÉMONIES RELIGIEUSES, IL Y AVAIT DES GENS QUI SE MORTIFIAIENT BRUTALEMENT.
PARFOIS MÊME AVEC DES CHAÎNES.
ÇA POUVAIT ALLER TRÈS LOIN.
DES FOIS C'ÉTAIT CONSIDÉRÉ COMME PREUVE DE VIRILITÉ.

ASSEZ RAPIDEMENT, PLUS PERSONNE N'A PRIS CES SÉANCES DE SUPPLICE AU SÉRIEUX. MOI, LA PREMIÈRE : JE ME PLAÇAIS TOUT DEVANT ET JE FAISAIS LE PITRE.
LES MARTYRS ! LES MARTYRS !
ACHEVEZ-MOI !!
SATRAPI ! QU'EST-CE QUE TU FAIS PAR TERRE ?
JE SOUFFRE, ÇA NE SE VOIT PAS ?
TOUS LES PRÉTEXTES ÉTAIENT BONS POUR RIGOLER : QUAND ON NOUS OBLIGEAIT À TRICOTER DES CAGOULES POUR LES COMBATTANTS...
ARRÊTEZ ! SINON J'APPELLE LA DIRECTRICE !!
...QUAND IL FALLAIT DÉCORER LA CLASSE POUR L'ANNIVERSAIRE DE LA RÉVOLUTION...
QU'EST-CE QUE C'EST QUE CES GUIRLANDES ?
DU PAPIER TOILETTE ??
VOUS NE VALEZ PAS MIEUX QUE VOTRE DÉCORATION ! VOUS NE VALEZ RIEN !! VOUS M'ENTENDEZ ?! RIEN !!!...
CACA
QUI A DIT CE MOT ? C'ÉTAIT QUI ? QU'ELLE AIT LE COURAGE DE SE LEVER ! SINON VOUS SEREZ TOUTES PUNIES ! ALORS ? C'ÉTAIT QUI ??!!!?
NOUS ÉTIONS TRÈS SOLIDAIRES.
VOUS ÊTES TOUTES RENVOYÉES PENDANT UNE SEMAINE !

JE PENSE QUE NOUS ÉTIONS TRÈS RÉVOLTÉES CAR NOTRE GÉNÉRATION AVAIT CONNU L'ÉCOLE LAÏQUE. ÉVIDEMMENT NOS PARENTS ÉTAIENT SOUVENT CONVOQUÉS.
VOS ENFANTS NE RESPECTENT RIEN. AUCUNE RETENUE! LES PREMIÈRES BASES DE L'ÉDUCATION VIENNENT DE LA FAMILLE!
JE VOUS ARRÊTE TOUT DE SUITE. VOUS DITES QUE NOUS NE SAVONS PAS COMMENT ÉDUQUER NOS ENFANTS ??
MADAME, NOUS SOMMES EN GUERRE. BEAUCOUP D'ENFANTS N'ONT PAS D'ÉCOLE. LES VÔTRES ONT LA CHANCE D'EN AVOIR UNE! ALORS QU'ELLES SOIENT DOCILES!
DOCILES? POUR SE TAPER DEUX FOIS PAR JOUR ???
POUR ÊTRE COUVERTES DES PIEDS À LA TÊTE?
POUR NE PAS POUVOIR JOUER COMME LES ENFANTS DE LEUR ÂGE ??
OH!
DE TOUTE FAÇON C'EST COMME ÇA! SOIT ELLES RESPECTENT LA LOI, SOIT ELLES SONT VIRÉES !!
ET QU'ELLES PORTENT BIEN LEUR VOILE...
SI LES POILS SONT AUSSI EXCITANTS QUE VOUS LE DITES, VOUS N'AVEZ QU'À ÉPILER VOS MOUSTACHES!
ÇA, C'EST MON PÈRE QUI L'A DIT.

SI NOUS LES FILLES ÉTIONS CONTRAINTES DE FAIRE DES CAGOULES POUR LES COMBATTANTS, ON PRÉPARAIT LES GARÇONS À DEVENIR DES GUERRIERS.
BONJOUR MADAME NASSRINE. VOUS EN FAITES UNE TÊTE !
MADAME NASSRINE ÉTAIT NOTRE FEMME DE MÉNAGE.
EH BIEN ? QU'EST-CE QUI NE VA PAS ?
ÇA VA ?
NON MON ENFANT, ÇA NE VA PAS.
VOUS VOYEZ ÇA ?
BEN OUI, C'EST UNE CLEF EN PLASTIQUE DORÉ.
À L'ÉCOLE, ILS ONT DONNÉ ÇA À MON FILS. ILS LEUR ONT DIT QUE S'ILS COMBATTAIENT ET QU'ILS AVAIENT LA CHANCE DE MOURIR, ILS ENTRERAIENT AU PARADIS AVEC CETTE CLEF.
MON DIEU !
VENEZ, PLEUREZ, LAISSEZ-VOUS ALLER.
JE VAIS VOUS FAIRE UN THÉ.
J'AI BEAUCOUP SOUFFERT. J'AI ÉLEVÉ MES CINQ GOSSES AVEC LES LARMES DE MES YEUX. MAINTENANT CES MESSIEURS VEULENT ME PRENDRE MON AÎNÉ CONTRE CETTE CLEF...
TOUTE MA VIE J'ÉTAIS FIDÈLE À LA RELIGION. SI C'EST ÇA.... ALORS JE NE VEUX PLUS CROIRE EN RIEN...
ET LE PETIT, QU'EST-CE QU'IL DIT ?

ON LUI A RACONTÉ QU'AU PARADIS IL Y AVAIT DE LA NOURRITURE EN ABONDANCE, DES FEMMES, DES MAISONS EN OR ET EN DIAMANT...
DES FEMMES ?
OUI ! BEN IL A QUATORZE ANS. ÇA L'INTÉRESSE.
AMENEZ-LE-MOI. JE LUI PARLERAI.
BON, JE VAIS À L'ÉCOLE.
SUR LE CHEMIN, J'AI PENSÉ À MON COUSIN PEYMAN. LUI AUSSI AVAIT QUATORZE ANS.
À MON RETOUR DES CLASSES.
ÉCOUTE MON ENFANT, TOUT ÇA C'EST DES HISTOIRES ! QUEL ENFER ? QUEL PARADIS ?
SALUT !
AU LIEU DE TE GAVER, ÉCOUTE !
PENSE À TOI QUAND TU SERAS GRAND. TU IRAS À L'UNIVERSITÉ. TU DEVIENDRAS QUELQU'UN.
JE ME MARIERAI AVEC ELLE !
QUEL IDIOT !
ARRÊTEZ ! CE N'EST PAS GRAVE !
PAF !
JE VAIS DANS MA CHAMBRE.
ALLÔ PEYMAN ?... QUOI ?... LA SEMAINE PROCHAINE IL Y A UNE FÊTE ?... JE VAIS DEMANDER À MAMAN.
DIS-MOI, EST-CE QU'À L'ÉCOLE, ON VOUS A DONNÉ DES CLEFS DU PARADIS ?
LES CLEFS DE QUOI ??

MAMAN, IL Y A PEYMAN QUI M'INVITE À UNE FÊTE ! JE PEUX Y ALLER ?
DING DONG
OOOOH ! CHAHAB !!
SALUT !
SALUT !
CHAHAB ÉTAIT UN AUTRE COUSIN. LUI N'A PAS EU DE CHANCE. LA GUERRE A ÉCLATÉ AU MOMENT OÙ IL FAISAIT SON SERVICE MILITAIRE. ON L'A VITE ENVOYÉ AU FRONT.
JE SUIS EN PERMISSION.
ENTRE, ENTRE, JE TE FAIS UN THÉ.
JE VIENS DE VOIR MA FEMME DE MÉNAGE. IL PARAÎT QU'ILS RECRUTENT DES SOLDATS PARMI LES ENFANTS !!?
C'EST TERRIBLE. TOUS LES JOURS JE VOIS DES CARS REMPLIS DE GAMINS ARRIVER EN RENFORT.
PUTAIN.... TU VOIS ÇA ?
ILS VIENNENT DES MILIEUX DÉFAVORISÉS, ÇA SE VOIT... APRÈS LEUR AVOIR PROMIS MONTS ET MERVEILLES DANS L'AU-DELÀ, ILS LEUR FONT CHANTER DES CHANSONS POUR LES METTRE EN TRANSE...
... C'EST FOU ! ILS LES FANATISENT ET LES JETTENT DANS LA BATAILLE. C'EST UN CARNAGE...

LA CLEF DU PARADIS, C'ÉTAIT POUR LES DÉMUNIS. EN LEUR ASSURANT UNE VIE MEILLEURE, DES MILLIERS DE JEUNES, LEUR CLEF AUTOUR DU COU, EXPLOSÈRENT SUR LES CHAMPS DE MINES.
LE FILS DE MADAME NASSRINE FUT ÉPARGNÉ MAIS DANS SON VOISINAGE BEAUCOUP D'ENFANTS CONNURENT CE SORT.
PENDANT CE TEMPS, MOI, JE SUIS ALLÉE À MA PREMIÈRE BOUM. NON SEULEMENT MA MÈRE M'A PERMIS D'Y PARTICIPER MAIS EN PLUS, ELLE M'A TRICOTÉ UN PULL AVEC PLEIN DE TROUS ET M'A FABRIQUÉ UN COLLIER AVEC DES CHAÎNES ET DES CLOUS. C'ÉTAIT LA PÉRIODE PUNK.
J'AVAIS UN LOOK D'ENFER

LE VIN
APRÈS LES VILLES FRONTALIÈRES, C'EST TÉHÉRAN QUI FUT LA CIBLE DES BOMBES. AVEC NOS VOISINS D'IMMEUBLE, NOUS AVIONS AMÉNAGÉ LES CAVES. À CHAQUE FOIS QUE LA SIRÈNE RETENTISSAIT, NOUS Y COURIONS...
ÉTEINS TA CIGARETTE, ON DIT QUE CETTE PETITE LUMIÈRE ROUGE, C'EST CE QUI SE VOIT LE MIEUX DU CIEL.
ATTENDS! ON EST DANS LA CAVE LÀ !

ET UNE FOIS QUE C'ÉTAIT FINI...

ALORS ? ALORS ?
ÇA NE RÉPOND PAS !
ÇA VA !
AH LES PAUVRES ! HEUREUSEMENT QUE VOUS N'AVEZ RIEN EU
IL VEUT TE PARLER !
APRÈS LES BOMBES ET LA PEUR INSTINCTIVE DE LA MORT, LA RAISON REVIENT. ON PENSE AUX VICTIMES ET C'EST UNE AUTRE ANGOISSE QUI VOUS ENVAHIT.

IL N'Y AVAIT PAS QUE LES CAVES. L'INTÉRIEUR DES MAISONS CHANGEAIT AUSSI. MAIS CE N'ÉTAIT PAS SEULEMENT À CAUSE DES AVIONS IRAKIENS.
MAMAN, MAIS QU'EST-CE QUE TU FAIS?
LES BANDES ADHÉSIVES SONT CONTRE LES ÉCLATS DE VERRE AU MOMENT DES BOMBARDEMENTS ET LES RIDEAUX NOIRS, CONTRE LES VOISINS.
QUELS VOISINS?
CEUX D'EN FACE! C'EST DES FERVENTS SYMPATHISANTS DU RÉGIME. IL SUFFIT QU'ILS VOIENT CE QUI SE PASSE CHEZ NOUS, POUR NOUS DÉNONCER!
TU CONNAIS LE PAPA DE TINOUCHE?
TINOUCHE? OUI! ET ALORS?
L'AUTRE SOIR DEUX PATROUILLES DES GARDIENS DE LA RÉVOLUTION LEUR ONT RENDU VISITE.
ON NOUS A AVERTIS QUE VOUS ÉTIEZ EN TRAIN DE FAIRE UNE FÊTE. VOUS SAVEZ QUE C'EST FORMELLEMENT INTERDIT!
EUH...
...CHEZ EUX, ILS ONT TROUVÉ DES DISQUES, DES CASSETTES VIDÉO, UN JEU DE CARTES, UN JEU D'ÉCHEC, ENFIN TOUT CE QUI EST DÉFENDU...
ALLEZ, MONTE ET PLUS VITE QUE ÇA!
MONSIEUR, PARDON!
TA GUEULE, SALOPE!
...IL A EU DROIT À SOIXANTE-QUINZE COUPS DE FOUET.
SA FEMME A TELLEMENT PLEURÉ QU'ILS L'ONT FINALEMENT RELÂCHÉE EN ÉCHANGE D'UNE GROSSE SOMME D'ARGENT. MAIS LUI, IL NE PEUT PLUS MARCHER... TU COMPRENDS POURQUOI JE RAJOUTE DES RIDEAUX; AVEC LES FÊTES QUE NOUS ORGANISONS LE JEUDI ET LES PARTIES DE CARTES DU LUNDI, IL FAUT ÊTRE PRUDENT.

C'EST VRAI QUE MALGRÉ TOUTES LES MENACES, LA FÊTE CONTINUAIT. " POUR QUE ÇA DEVIENNE PSYCHOLOGIQUEMENT SUPPORTABLE " DISAIENT LES UNS, " SANS LA FÊTE ON N'A QU'À NOUS ENTERRER TOUT DE SUITE" RAJOUTAIENT LES AUTRES. POUR LA NAISSANCE DE MON PETIT COUSIN, ON ÉTAIT INVITÉS CHEZ MON ONCLE. TOUT LE MONDE Y ÉTAIT. MÊME MA MAMIE DANSAIT.
ZUT! PLUS D'ÉLECTRICITÉ!!
ATTENTION OÙ VOUS METTEZ LES PIEDS!!!
RHÔÔ! PLUS DE MUSIQUE!
NE VOUS EN FAITES PAS! JE VAIS CHERCHER LE "ZARB".
LE ZARB EST UN TAMBOUR. MON PÈRE EN JOUE TRÈS BIEN. UN VRAI PRO.
IL Y AVAIT DE TOUT. ENFIN, DE TOUT CE QUI ÉTAIT INTERDIT. MÊME DE L'ALCOOL À FLOTS.
MON ONCLE ÉTAIT LE POURVOYEUR EN VIN. IL S'ÉTAIT AMÉNAGÉ UN VRAI LABORATOIRE DE VINIFICATION DANS SA CAVE.
C'ÉTAIT MADAME NASSRINE QUI ÉTAIT ÉGALEMENT SA FEMME DE MÉNAGE, QUI PRESSAIT LE RAISIN.
QUE DIEU ME PARDONNE! QUE DIEU ME PARDONNE!

SOUDAIN, LES SIRÈNES SE SONT MISES À HURLER...
...ET MA TANTE AUSSI.
ÇA VA, ÇA VA, RESTEZ CALME!
AAAA...!
?
JE ME SUIS RETROUVÉE AVEC L'ENFANT FÊTÉ DANS LES BRAS.
À PEINE NÉ, QU'IL ÉTAIT ABANDONNÉ PAR SA MÈRE.
DEPUIS CE JOUR, J'AI DES DOUTES SUR CE QU'ON APPELLE "INSTINCT MATERNEL".

APRÈS L'ALERTE, NOUS SOMMES RENTRÉS.
ELLE EST COMPLÈTEMENT FOLLE ! TU AS VU COMMENT ELLE A LÂCHÉ LE PETIT ? C'EST TOUT DE MÊME INCROYABLE !
MON PAUVRE FRÈRE N'EST VRAIMENT PAS GÂTÉ.
HALTE !
HALTE !
ALLEZ, DESCENDS !
PAPIERS D'IDENTITÉ, CARTE GRISE, PERMIS DE CONDUIRE.
OK. OK.
FAIS HAAAAHHH
HAA...
EN PLUS TU AS BU !!?!!!
NON, PAS DU TOUT !
TU TE FOUS DE MOI ?!!!... ÇA SE VOIT À TA CRAVATE ! ORDURE OCCIDENTALISÉE !
ÇA SUFFIT PETIT. ÇA FAIT VINGT ANS QUE JE TRAVAILLE POUR CE PAYS ET TU OSES ME PARLER COMME ÇA ?
PARDONNEZ-LE
LA FERME !

PARDONNEZ-LE. ÉCOUTEZ... JE POURRAIS ÊTRE VOTRE MÈRE. QUEL ÂGE AVEZ-VOUS? SEIZE ANS?... MA FILLE EN A DOUZE... PARDONNEZ-LE...
HEUREUSEMENT POUR TOI QU'IL Y A TA FEMME, SINON TU SERAIS DÉJÀ EN ENFER!
MERCI! MILLE FOIS MERCI!
TU PRÉTENDS QUE T'AS PAS BU. ALLEZ, MONTE. ON VA VÉRIFIER S'IL N'Y A PAS DE BOUTEILLES CHEZ TOI.
MAMIE! MARJI! QUAND ON ARRIVERA, MONTEZ LES PREMIÈRES. JE VAIS ESSAYER DE LE RETENIR. VIDEZ TOUTES LES BOUTEILLES D'ALCOOL.
MAIS COMMENT?
NE TE BILE PAS MA FILLE. J'AI L'HABITUDE AVEC TON DÉFUNT PÈRE! TOUT LE TEMPS, IL FALLAIT CACHER SES TRACTS.
ALORS, ILS NOUS ONT SUIVIS JUSQU'À LA MAISON.
?
CE N'EST PEUT-ÊTRE PAS NÉCESSAIRE DE MONTER CHEZ MOI. LE VOISIN DU PALIER EST VIEUX ET CARDIAQUE. SI ON FAIT DU BRUIT, IL RISQUERAIT DE MOURIR...
ALLEZ, FILEZ!
OH LÀ! OÙ EST-CE QUE VOUS ALLEZ, VOUS DEUX?

JE SUIS DIABÉTIQUE MON FILS. SI JE NE BOIS PAS UN PEU DE SIROP, JE VAIS M'ÉVANOUIR.
DIABÉTIQUE? COMME MA MÈRE!
ALORS VOUS COMPRENEZ? C'EST URGENT!
ALLEZ-Y
C'ÉTAIT UN MIRACLE.
ALLEZ! DÉPÊCHE-TOI! JE NE SAIS PAS COMBIEN DE TEMPS TON PÈRE LE TIENDRA!
VITE! VITE!
ET LA TOUCHE FINALE.
CLIC!
ILS ARRIVENT!
BEN, IL EST OÙ L'AUTRE?
TU PARLES! LEUR CROYANCE N'A RIEN D'IDÉOLOGIQUE! QUELQUES BILLETS ONT SUFFI POUR LUI FAIRE TOUT OUBLIER!!
DITES, VOUS AVEZ TOUT JETÉ!
OUI
TOUT?
TOUT
MON DIEU!... IL ME FAUT UN REMONTANT...

LA CIGARETTE

L'AVENUE JORDAN ÉTAIT LE LIEU DE RENCONTRE DES ADOLESCENTS DU NORD DE TÉHÉRAN (LES QUARTIERS AISÉS). KANSAS ÉTAIT SON TEMPLE.
SI CERTAINS LIEUX PUBLICS AVAIENT SURVÉCU AUX RÉPRESSIONS DU RÉGIME, SOIT C'ÉTAIT POUR NOUS LAISSER UN ESPACE DE LIBERTÉ, SOIT C'ÉTAIT DE L'IGNORANCE. PERSONNELLEMENT J'OPTE POUR LA DEUXIÈME THÉORIE : ILS NE DEVAIENT MÊME PAS SAVOIR CE QUE SIGNIFIAIT "KANSAS".
KANS
STOP
TU AS VU SES CHEVEUX ? ON DIRAIT ROD STEWART !
OUAIS, S'IL SE FAIT PRENDRE, C'EST LA BOULE À ZÉRO !
... MALGRÉ TOUT, LES JEUNES SUIVAIENT LA MODE AU RISQUE D'ÊTRE ARRÊTÉS.
CE QUI INTÉRESSAIT MES COPINES, CE N'ÉTAIT PAS LES HAMBURGERS ...
WC
APRÈS QUELQUES SIGNES, ON A FAIT COMPRENDRE AUX GARÇONS QU'ILS POUVAIENT NOUS SUIVRE.
ENFIN, LES SUIVRE. J'ÉTAIS TROP JEUNE POUR QU'ILS S'INTÉRESSENT À MOI.
WOOINN
... LES SIRÈNES ONT RETENTI.
MAIS QU'EST-CE QUE TU FOUS ??
TOUS À TERRE !
?
?
?
ON NOUS AVAIT APPRIS QUE SI NOUS ÉTIONS DANS LA RUE LORS D'UN BOMBARDEMENT, IL FALLAIT SE PROTÉGER EN SE JETANT LE LONG DES CANIVEAUX.
AH ! LA POULE MOUILLÉE !

CETTE BELLE JOURNÉE FUT GÂCHÉE PAR MA MÈRE.
C'ÉTAIT COMMENT L'ÉCOLE ?
BIEN ! POURQUOI ?
TU OSES ME REGARDER DROIT DANS LES YEUX ET MENTIR ?
JE NE MENS PAS !
C'EST PEUT-ÊTRE MOI QUI AI SÉCHÉ LES COURS ?
QUELS COURS ?
SOIT TU ME DIS TOUT DE SUITE LA VÉRITÉ, SOIT TU SERAS DOUBLEMENT PUNIE !
MA MÈRE UTILISAIT LE MÊME SYSTÈME QUE LES TORTIONNAIRES.
MAIS J'AVAIS SEULEMENT COURS DE RELIGION !
JE M'EN FOUS ! TU NE SÈCHES PAS L'ÉCOLE !
ET EN PLUS, TU CONTINUES À ME MENTIR ! L'ÉCOLE A APPELÉ. TU AVAIS LANGUE CET APRÈS-MIDI !
J'AVAIS DIT RELIGION POUR ATTÉNUER LA COLÈRE DE MA MÈRE. ÇA N'A PAS MARCHÉ.
CETTE FOIS JE T'AI COUVERTE, MAIS C'EST LA DERNIÈRE FOIS ! C'EST MAINTENANT QUE TU DOIS APPRENDRE. TU AS TOUTE TA VIE POUR T'AMUSER ! TU VEUX DEVENIR QUOI ?? DANS CE PAYS TU DOIS SAVOIR TOUT MIEUX QUE N'IMPORTE QUI POUR SURVIVRE !!
TU AS RENCONTRÉ PAPA À QUATORZE ANS, NON ?
TU N'AS PAS ENCORE QUATORZE ANS !
BEN J'EN AI DOUZE !
?
DICTATEUR ! TU ES LE GARDIEN DE LA RÉVOLUTION DE LA MAISON !!

UN PEU PLUS TARD...
L'ARMÉE IRANIENNE A REPRIS LA VILLE DE KHORAMSHAHR.
C'EST LA QUATRIÈME FOIS EN UN MOIS.
MÊME EN SUPPOSANT QUE C'EST VRAI, QU'EST-CE QUE ÇA PEUT BIEN NOUS FAIRE?
JE PEUX DESCENDRE À LA CAVE MADAME?
OUI MADEMOISELLE!
LA CAVE AMÉNAGÉE ÉTAIT MON REFUGE.
CLIC
L'HISTOIRE DE LA REPRISE DE LA VILLE DE KHORAMSHAHR S'EST CONFIRMÉE. ON A TOUS CRU QUE LA GUERRE ALLAIT ENFIN SE TERMINER.
D'AILLEURS L'IRAK NOUS L'A PROPOSÉ ET L'ARABIE SAOUDITE VOULAIT NOUS REMBOURSER TOUTES LES DESTRUCTIONS DE GUERRE POUR RÉINSTAURER LA PAIX DANS LA RÉGION.
MAIS NOTRE GOUVERNEMENT S'Y OPPOSA.
ILS ONT DÉCLARÉ
NOUS REFUSONS CETTE PAIX IMPOSÉE!

* CITÉ SAINTE SHIITE IRAKIENNE

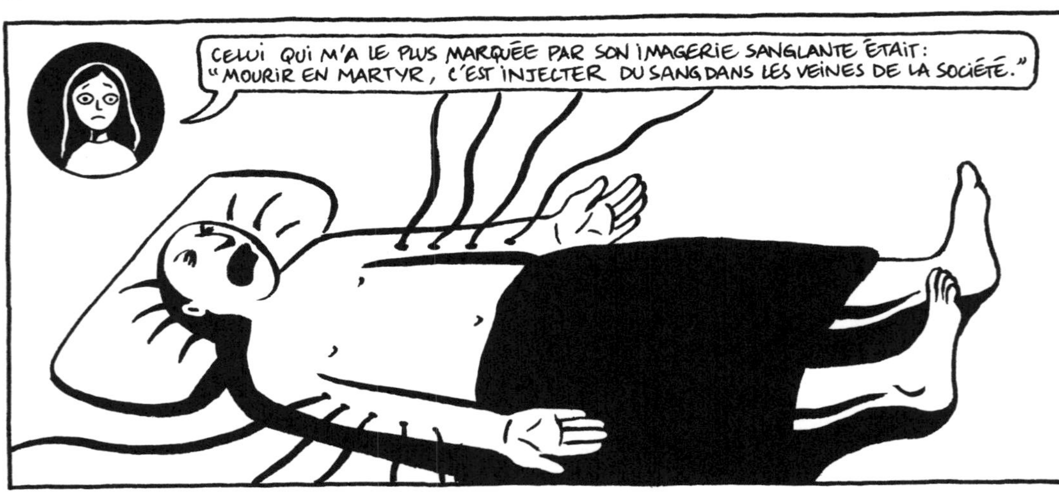

ILS ONT FINI PAR AVOUER QUE LA SURVIE DU RÉGIME DÉPENDAIT DE CETTE GUERRE.
QUAND JE PENSE QU'À CETTE PÉRIODE, ON AURAIT PU ÉVITER ÇA, J'AI LA NAUSÉE... IL N'Y AURAIT SANS DOUTE PAS EU UN MILLION DE MORTS.

LOGIQUEMENT LE RÉGIME S'EST DURCI...
AU NOM DE CETTE GUERRE, ON EXTERMINA L'ENNEMI INTÉRIEUR.
LES OPPOSANTS AU RÉGIME FURENT SYSTÉMATIQUEMENT ARRÊTÉS
ET EXÉCUTÉS EN MASSE.
POUR MA PART, J'AI CONCLU MON ACTE DE RÉBELLION CONTRE LA DICTATURE DE MA MÈRE, EN FUMANT LA CIGARETTE QUE J'AVAIS PIQUÉE À MON ONCLE, DEUX MOIS AUPARAVANT.
KOFFF! KOFFF! KOFFF!!!
CE N'ÉTAIT VRAIMENT PAS BON, MAIS CE N'ÉTAIT PAS LE MOMENT DE CÉDER.
CETTE PREMIÈRE CIGARETTE ME SORTIT DÉFINITIVEMENT DE L'ENFANCE.
MAINTENANT J'ÉTAIS GRANDE.

LE PASSEPORT
JUILLET 1982. NOUS ÉTIONS CHEZ MA TANTE. LA GUERRE INTERNE AVAIT PRIS LE DESSUS SUR LA GUERRE CONTRE L'IRAK. TOUTE PERSONNE MANIFESTANT UNE RÉSISTANCE AU RÉGIME ÉTAIT PERSÉCUTÉE...
APPAREMMENT DANS NOTRE QUARTIER IL Y A PLEIN D'OPPOSANTS. TOUS LES JOURS ON ENTEND DES FUSILLADES.
TAHER, ARRÊTE DE FUMER !
LES CIGARETTES NE ME FONT PAS DE MAL EN COMPARAISON AVEC LE STRESS QUE ME DONNE CHAQUE COUP DE FEU QUE J'ENTENDS.
DEPUIS QU'IL AVAIT ENVOYÉ SON FILS CADET EN HOLLANDE, MON ONCLE TAHER AVAIT FAIT DEUX CRISES CARDIAQUES. IL LUI ÉTAIT FORMELLEMENT INTERDIT DE FUMER.
LE BOUCHER M'A RACONTÉ QU'IL AVAIT VU DES GOSSES SE FAIRE EXÉCUTER DANS LA RUE SANS JUGEMENT. QUELLE HONTE !
QUAND J'Y PENSE, JE ME RÉJOUIS À L'IDÉE QUE MON FILS SOIT EN SÛRETÉ À L'ÉTRANGER. MAIS AVEC CES FRONTIÈRES FERMÉES, JE ME DEMANDE SI JE LE REVERRAI UN JOUR...
LES FRONTIÈRES ONT ÉTÉ FERMÉES PENDANT TROIS ANS ENTRE 1980 ET 1983.
DIX FOIS J'AI DIT À MADAME : "VIENS ON PART LE REJOINDRE !". ELLE N'A PAS VOULU. MON PAYS PAR-CI, MA FAMILLE PAR-LÀ !
ENFIN ! J'AI DÉJÀ CINQUANTE-NEUF ANS. CES PAUVRES JEUNES DE VINGT ANS QUI SE FONT ABATTRE, ÇA ME TUE..., ÇA ME TUE !
MON ONCLE TAHER ÉTAIT TELLEMENT TRISTE QUE C'EN ÉTAIT POIGNANT. PERSONNE N'OSA PRONONCER UN SEUL MOT.

QUELQUES JOURS PLUS TARD.
À QUOI TU PENSES ?
À TAHER. LE DÉPART DE SON FILS ALI L'A ACHEVÉ. JE NE L'AVAIS JAMAIS VU COMME ÇA.
TU IMAGINES ? UN ENFANT SEUL À TREIZE, QUATORZE ANS DANS UN PAYS OÙ IL NE PARLE MÊME PAS LA LANGUE ?
PFF... À QUATORZE ANS ON N'A PLUS BESOIN DE SES PARENTS !
BEN QUOI ? C'EST VRAI, NON ? JUSQU'À UN ÂGE ON A BESOIN DE NOS PARENTS, APRÈS, C'EST EUX QUI ONT BESOIN DE NOUS.
?
TU FERAIS MIEUX DE NE PAS METTRE CE VERNIS ROUGE. TU POURRAIS TE FAIRE ARRÊTER !
JE METTRAI MES MAINS DANS MES POCHES...
ELLE EST TÊTUE, HEIN ?
ON SE DEMANDE DE QUI ELLE TIENT ?
DES FOIS ELLE ME FAIT PEUR AVEC SON FRANC-PARLER.
ÇA LUI SERVIRA PLUS TARD. TU VERRAS.
J'AI EU DE LA CHANCE DE ME MARIER AVEC TOI. TU ES LE PLUS GENTIL DE LA TERRE. TU N'ES PAS MACHO.
ON NE PEUT PAS ÊTRE MACHO AVEC LA FEMME QU'ON AIME...
DRING.. DRING..
ÇA SONNE TOUJOURS AU BON MOMENT !
NOM DE DIEU, ENCORE ???
QUOI ?

MON ONCLE TAHER VENAIT DE FAIRE SA TROISIÈME CRISE CARDIAQUE. ON EST AUSSITÔT PARTIS À L'HÔPITAL.
DEVANT L'HÔPITAL, ON EST TOMBÉS SUR LES CAMIONS DU CROISSANT ROUGE QUI RÉCLAMAIENT DU SANG POUR LES BLESSÉS DE GUERRE. ILS ÉTAIENT SI NOMBREUX.
DONNEZ DU SANG! DONNEZ DU SANG!!
DONNEZ DU SANG!
J'ÉTAIS EN COLÈRE ET GÊNÉE À LA FOIS.
MES SENTIMENTS N'ONT FAIT QU'ACCROÎTRE DANS L'HÔPITAL.
JE CHERCHE LA CHAMBRE DE MONSIEUR TALISCHI.
TALISCHI... LE 342, 3e ÉTAGE, ASCENSEUR AU FOND DU COULOIR, À DROITE.
342

342
CHUT
ILS ONT LANCÉ UNE GRENADE... ILS VOULAIENT ARRÊTER DES COMMUNISTES QUI SE CACHAIENT PRÈS DE CHEZ NOUS ET ILS ONT LANCÉ UNE GRENADE... TAHER N'A PAS SUPPORTÉ... QUAND JE SUIS ARRIVÉE DANS LE SALON, IL GISAIT SUR LE SOL...
342
ON DEVRAIT LUI FAIRE UNE OPÉRATION À COEUR OUVERT, MAIS ILS N'EN ONT PAS LES MOYENS. ILS DISENT QU'IL FAUT L'ENVOYER EN ANGLETERRE.
POUR ÇA, IL LUI FAUT UNE PERMISSION. ON M'A DONNÉ CE NOM, C'EST LE DIRECTEUR ADMINISTRATIF DE L'HÔPITAL. S'IL LE VEUT, TAHER AURA UN PASSEPORT POUR PARTIR.
LES FRONTIÈRES ÉTANT FERMÉES, SEULES LES PERSONNES GRAVEMENT MALADES POUVAIENT QUITTER LE PAYS AVEC UNE AUTORISATION DU MINISTÈRE DE LA SANTÉ.
C'EST AU 4° ÉTAGE, PORTE 406.
ON N'A LAISSÉ RENTRER QUE MA TANTE. ELLE FUT TRÈS SURPRISE. LE DIRECTEUR ÉTAIT SON ANCIEN LAVEUR DE CARREAUX MAIS ELLE FIT MINE DE RIEN POUR NE PAS LE HEURTER.
MON MARI A FAIT UNE CRISE CARDIAQUE POUR LA TROISIÈME FOIS. IL DOIT SE FAIRE OPÉRER À L'ÉTRANGER.
MMM...
NOUS FERONS DE NOTRE MIEUX. SI DIEU LE VEUT IL VA GUÉRIR. TOUT DÉPEND DE DIEU!
J'AI BESOIN DE VOTRE AUTORISATION POUR QU'IL OBTIENNE UN PASSEPORT!
SI DIEU LE VEUT BIEN.
CE CONNARD DE LAVEUR DE CARREAUX S'EST MIS UNE BARBE ET UN COSTARD ET LE VOILÀ DIRECTEUR! LE DESTIN DE MON MARI DÉPEND D'UN LAVEUR DE CARREAUX! MAINTENANT IL EST TELLEMENT RELIGIEUX QU'IL NE REGARDE PLUS LES FEMMES DANS LES YEUX! PAUVRE CON!!

APRÈS LE DIRECTEUR, ON EST ALLÉS VOIR LE CHEF DU SERVICE, DOCTEUR FATHI.
MADAME, NOUS FERONS CE QUE NOUS POURRONS. NOUS MANQUONS CRUELLEMENT DE MOYENS.
REGARDEZ DANS CETTE SALLE. CE SONT TOUS DES VICTIMES DE BOMBARDEMENTS CHIMIQUES !
LES ALLEMANDS VENDENT DES BOMBES CHIMIQUES À L'IRAN ET L'IRAK. LES BLESSÉS SONT ENSUITE ENVOYÉS EN ALLEMAGNE POUR SE FAIRE SOIGNER. DE VRAIS COBAYES HUMAINS.
POURQUOI VOUS ME RACONTEZ ÇA ?! JE M'EN FOUS ! JE VEUX QUE MON MARI GUÉRISSE !
CALMEZ-VOUS
DU CALME MA CHÉRIE, TOUT VA S'ARRANGER. NE T'EN FAIS PAS.
ON REVIENT TOUT DE SUITE !

ON EST ALLÉS VOIR UNE CONNAISSANCE DE MON PÈRE, KHOSRO. SON FRÈRE ET MON ONCLE ANOUCHE AVAIENT FAIT DE LA PRISON ENSEMBLE À L'ÉPOQUE DU CHAH.
ÉBI ? LE FRÈRE D'ANOUCHE ? ENTRE ! ENTRE !
DEPUIS QU'ILS ONT FERMÉ MA MAISON D'ÉDITION, JE FABRIQUE DES FAUX PASSEPORTS. ÇA VEND BIEN. VOUS EN VOULEZ ?
NON PAS MOI, MON BEAU FRÈRE.
À SA LIBÉRATION, MON FRÈRE A PARTICIPÉ AUX MANIFESTATIONS CONTRE-RÉVOLUTIONNAIRES. IL M'A DIT QU'IL A VU DE SES PROPRES YEUX QUE LE CHEF DES NOUVEAUX BOURREAUX ÉTAIT SON ANCIEN TORTIONNAIRE SOUS LE CHAH. IL M'A DIT : "KHOSRO, LÀ C'EST LA FIN". JE LUI AI FAIT UN FAUX PASSEPORT. MAINTENANT IL EST RÉFUGIÉ POLITIQUE EN SUÈDE.
REGARDE ÉBI, UN MOIS DE TRAVAIL RIEN QUE POUR LE TAMPON !
IL TE FAUT COMBIEN DE TEMPS POUR FAIRE UN PASSEPORT ?
UNE SEMAINE.
CRR...
TU PEUX ENTRER. CE SONT DES AMIS.
C'EST NILOUFAR. SON FRÈRE ÉTAIT MON COURSIER. ON LA RECHERCHE PARTOUT PARCE QU'ELLE EST COMMUNISTE. JE LUI AI LAISSÉ MA CAVE.
ELLE A L'ÂGE DE MA FILLE MANDANA, DIX-HUIT ANS.
KHOSRO AVAIT UNE FILLE QUI AVAIT QUITTÉ LE PAYS AVEC SA MÈRE JUSTE APRÈS LA RÉVOLUTION.
ILS ONT DÉJÀ FOUILLÉ CHEZ TOUS LES MEMBRES DE SA FAMILLE. IL N'Y A QU'ICI QU'ELLE EST EN SÉCURITÉ

APRÈS NÉGOCIATION, CONTRE L'ÉQUIVALENT DE MILLE FRANCS, KHOSRO ACCEPTA DE FAIRE UN PASSEPORT DANS LES CINQ JOURS. NOUS RETOURNÂMES UN PEU PLUS RASSURÉS À L'HÔPITAL.
JE SUIS ALLÉ VOIR KHOSRO. IL VA FABRIQUER UN PASSEPORT POUR TAHER D'ICI MERCREDI.
ALORS ?
IL A REPRIS CONNAISSANCE. IL VEUT VOUS VOIR.
VOUS VOYEZ ! CE NE SONT PAS LES CIGARETTES QUI M'ONT FAIT ÇA ! CETTE PUTAIN DE GRENADE...
ARRÊTE, TU VAS ENCORE T'ÉNERVER. PARLE D'AUTRE CHOSE.
CETTE PETITE MARJI, REGARDEZ-LA BIEN GRANDIR. UN JOUR ELLE PARTIRA ET VOUS VOUS RENDREZ COMPTE COMME C'EST DUR DE LES PERDRE...
JE N'AI QU'UN SOUHAIT. C'EST DE POUVOIR ENCORE REVOIR UNE FOIS MON FILS.

DEUX JOURS PLUS TARD, NILOUFAR, LA COMMUNISTE DE DIX-HUIT ANS FUT REPÉRÉE...
ARRÊTÉE...
ET EXÉCUTÉE.
KHOSRO TROUVA SA MAISON SENS DESSUS DESSOUS...
PRIT LA FUITE PAR LES MONTAGNES DE TURQUIE...
ET S'EXILA EN SUÈDE PRÈS DE SON FRÈRE.
IL NE PUT FABRIQUER AUCUN PASSEPORT.
TROIS SEMAINES APRÈS CES ÉVÉNEMENTS, MON ONCLE TAHER FUT ENTERRÉ, LE JOUR OÙ SON VRAI PASSEPORT LUI FUT DÉLIVRÉ...
... IL NE REVIT JAMAIS SON FILS...

KIM WILDE

UN AN APRÈS LA MORT DE MON ONCLE, LES FRONTIÈRES FURENT RÉOUVERTES. MES PARENTS COURURENT SE PROCURER DES PASSEPORTS.
REGARDE SUR LA DERNIÈRE PAGE. C'EST ÉCRIT : "IL EST STRICTEMENT INTERDIT DE VOYAGER EN PALESTINE OCCUPÉE AVEC CE DOCUMENT."
OH LÀ LÀ ! QUAND JE ME VOIS SUR LA PHOTO AVEC CE FOULARD SUR LA TÊTE...
JE PEUX VOIR ?
C'EST VRAI QU'ELLE N'AVAIT PAS L'AIR TRÈS GAIE. EN PLUS ON NE LA RECONNAISSAIT MÊME PAS.
NAME: CHALTCHI TAJI
DATE OF BIRTH
12.03.1947
IRAN
DÈS QUE J'AURAI MOI AUSSI MON PASSEPORT, NOUS PARTIRONS FAIRE UN GRAND VOYAGE !
C'EST-À-DIRE QUE...
ON A ENVIE DE SE RETROUVER UN PEU TOUS LES DEUX, PENDANT TROIS, QUATRE JOURS.
VOUS ALLEZ OÙ ?
EN TURQUIE
PFF... C'EST TROP NUL LA TURQUIE ! Y A QUE LES RINGARDS QUI Y VONT. TANT QU'À VOYAGER, ALLEZ UN PEU PLUS LOIN, EN EUROPE OU AUX ÉTATS-UNIS PAR EXEMPLE !...
SI TU VEUX QU'ON TE RAPPORTE DES CADEAUX, TU DEMANDES.
VOUS VOULEZ ME RAMENER QUOI DE TURQUIE ? DES CHICH-KEBBABS ?
TU SAIS MARJI, TOUT CE QUE TU TROUVES DE CHIC ICI, VIENT DE LÀ !
PENDANT LA GUERRE, L'IRAN N'IMPORTAIT RIEN D'OCCIDENT.
UNE VESTE EN JEAN, DU CHOCOLAT, UN POSTER, NON DEUX, UN DE KIM WILDE ET UN DE IRON MAIDEN, ...
IRON MAIDEN ? LES QUATRE BRUTES LÀ ?
CE N'EST PAS DES BRUTES. J'AIME BEAUCOUP CE QU'ILS FONT.
TU AIMES ÇA TOI ?
J'ADORE !
TU AS VU ?

LA PREMIÈRE CHOSE QU'ILS ONT FAITE EN ARRIVANT À ISTANBUL, C'ÉTAIT DE M'ACHETER LES DEUX POSTERS.
?
ROLLING STONES
AC/DC
IRON MAIDEN
JE SUIS SI CONTENTE D'AVOIR PU TROUVER EXACTEMENT CE QU'ELLE VOULAIT!
BIEN SÛR! C'EST TELLEMENT DUR POUR LES ENFANTS EN IRAN! LES PAUVRES PETITS!
DIS, TU AIMES VRAIMENT IRON MAIDEN?
TOUT À FAIT!
QUEL HYPOCRITE!
JE ME DEMANDE COMMENT ON VA FAIRE POUR LES FAIRE PASSER À LA DOUANE!
J'Y PENSE DEPUIS TOUT À L'HEURE. C'EST VRAI QU'ILS SONT ÉNORMES.
DÈS LEUR ARRIVÉE À L'HÔTEL, ILS ESSAYÈRENT DE TROUVER UN MOYEN.
ON POURRA LES PLIER ET LES CACHER DANS LA DOUBLURE DE LA VALISE!
PLIER? ÇA VA FAIRE DES MARQUES. ELLE VA ÊTRE DÉÇUE.
ON POURRA LES PORTER SOUS LES BRAS ET FAIRE MINE DE RIEN.
TU NE DOUTES DE RIEN, TOI!
C'EST ALORS QUE MA MÈRE A EU UNE IDÉE INGÉNIEUSE...
ENLÈVE TON MANTEAU.

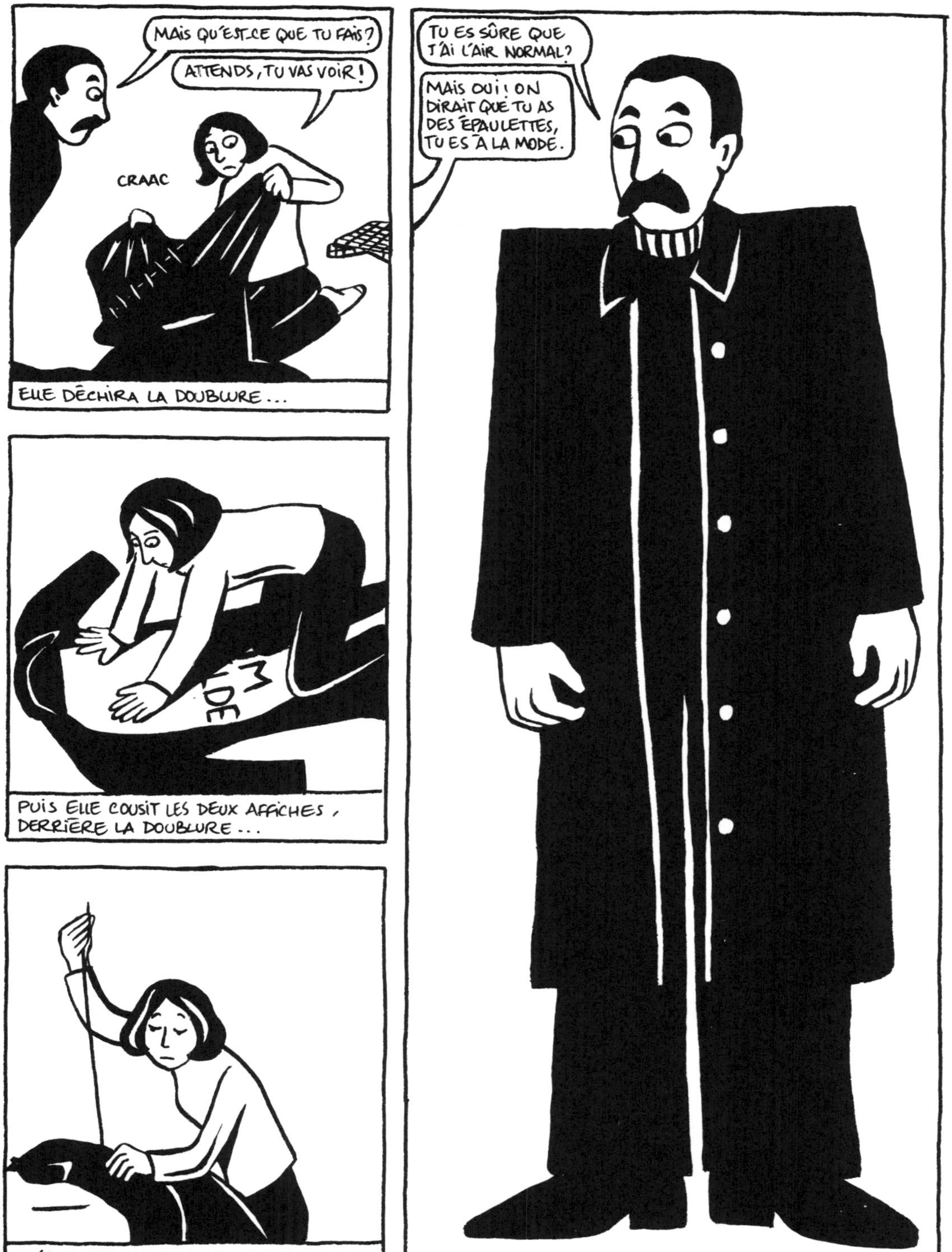
MAIS QU'EST-CE QUE TU FAIS ?
ATTENDS, TU VAS VOIR !
CRAAC
ELLE DÉCHIRA LA DOUBLURE...
PUIS ELLE COUSIT LES DEUX AFFICHES, DERRIÈRE LA DOUBLURE...
QU'ELLE REPLAÇA DANS LE MANTEAU.
TU ES SÛRE QUE J'AI L'AIR NORMAL ?
MAIS OUI ! ON DIRAIT QUE TU AS DES ÉPAULETTES, TU ES À LA MODE.

DE RETOUR, À L'AÉROPORT MEHRABAD DE TÉHÉRAN.
JE MARCHE COMME FRANKENSTEIN.
MAIS NON, TU AS L'AIR TRÈS NATUREL
POSEZ VOS VALISES SUR LA TABLE.
RESTE CALME!
ALORS, QU'EST-CE QUE VOUS AVEZ AVEC VOUS ? ALCOOL, JEU DE CARTES, MUSIQUE, FILM, JEU D'ÉCHEC, MAGAZINE...?
RIEN! QUE DES AFFAIRES PERSONNELLES!
VOUS ÊTES SÛRS QUE VOUS N'AVEZ RIEN D'INTERDIT?
NON
NON, NON!
VOUS SAVEZ QUE SI JE TROUVE QUOI QUE CE SOIT D'INTERDIT, JE VOUS...
MAIS ENFIN MONSIEUR, ON A L'AIR DE CONTREBANDIERS OU QUOI ?
....
... ALLEZ, FERMEZ VOS BAGAGES ET PARTEZ!
EXIT خروج
CUSTOM گمرک
?
MAMAN! PAPA!

DE RETOUR À LA MAISON.
TIENS, ÇA C'EST POUR TOI. C'EST LE DERNIER MODÈLE DE NIKE.
ÇA AUSSI
WOOO..... MICHAEL JACKSON!
CHAEL JACKSON
RILLER
VOILÀ TA VESTE EN JEAN.
TROP COOL!
ET MES POSTERS ALORS?
ÉBI! APPORTE TON MANTEAU!
?
FAIS ATTENTION!
J'AVAIS DEMANDÉ DES POSTERS, PAS DES PHOTOS!!
ATTENDS IMPATIENTE!
CRAAC
TROP DÉLIRE!!
IM
ILDE
PAPA! TU ES UN GÉNIE!
C'EST TA MÈRE QU'IL FAUT REMERCIER, C'EST SON IDÉE.
!!
MERCI MAMAN! ALORS, LA TURQUIE, C'ÉTAIT COMMENT?
BIEN! IL A FAIT UN PEU FROID. SINON, C'ÉTAIT BIEN...
J'ADORAIS LA TURQUIE.

J'AI ACCROCHÉ MES POSTERS DANS MA CHAMBRE.
IRON MAIDEN
KIM WILDE
J'AI MIS MES NIKE 1983...
... MA VESTE EN JEAN AVEC MON BADGE MICHAEL JACKSON ET BIEN SÛR MON FOULARD POUR SORTIR.
ALORS, TU ME TROUVES COMMENT?
BELLE, TRÈS MIGNONNE!
BON, J'Y VAIS.
TU VAS OÙ?
M'ACHETER DES CASSETTES.
OÙ ÇA?
SUR L'AVENUE GANDHI, JUSTE À CÔTÉ...
TU ES LÀ DANS UNE HEURE!
JE SERAI LÀ DANS DEUX HEURES.
POUR UNE MÈRE IRANIENNE, MA MÈRE ÉTAIT TRÈS PERMISSIVE. À PART MOI, JE NE CONNAISSAIS QUE DEUX OU TROIS AUTRES FILLES QUI AVAIENT LE DROIT DE SORTIR SEULES À TREIZE ANS.

LE PROBLÈME DE LA NOURRITURE ÉTAIT DÉJÀ RÉSOLU DEPUIS UN AN PAR LA CROISSANCE DU MARCHÉ NOIR. PAR CONTRE POUR TROUVER DES CASSETTES, C'ÉTAIT UN PEU PLUS COMPLIQUÉ. SUR L'AVENUE GANDHI, ON ARRIVAIT À S'EN PROCURER.
ÉSTIVIE VONDER
ABBA, BEE JEES
YAZOO
JULIO IGLESIAS
PINK FLOYD
JICKAEL MACKSON
CASSETTES VIDÉO, CASSETTES MUSIQUE, CARTES, ROUGES À LÈVRES, VERNIS À ONGLES, JEUX D'ÉCHEC, COLLANTS, CHOCOLAT, ..., ...
J'AI ACHETÉ UNE CASSETTE DE KIM WILDE ET UNE DE CAMEL.
COMBIEN ?
CENT DIX TOUMANS.
♪ WE ARE THE KIDS IN AMERICA ♫ HOU...
ARRÊTE-TOI !
C'ÉTAIENT LES GARDIENNES DE LA RÉVOLUTION. À PARTIR DE 1982 CETTE CATÉGORIE SE JOIGNIT AUX HOMMES POUR ARRÊTER LES FEMMES QUI N'ÉTAIENT PAS CORRECTEMENT VOILÉES (COMME MOI PAR EXEMPLE).

LEUR FONCTION ÉTAIT DE NOUS REMETTRE SUR LE DROIT CHEMIN EN NOUS EXPLIQUANT LES DEVOIRS DE LA FEMME MUSULMANE.
C'EST QUOI CES CHAUSSURES DE PUNK?
QUELLES CHAUSSURES DE PUNK?
ÇA LÀ!
MAIS, C'EST DES BASKETS!
LA FERME! C'EST PUNK.
IL EST ÉVIDENT QU'ELLE N'AVAIT JAMAIS VU DE PUNK.
IL FALLAIT MENTIR! IL N'Y AVAIT PAS D'AUTRE ALTERNATIVE.
JE PORTE CES CHAUSSURES PARCE QUE JE FAIS DU BASKET.
JE FAIS PARTIE DU CLUB DE MON ÉCOLE.
AH OUI... ÇA SE VOIT À TA TAILLE!
ET AVEC CETTE VESTE, TU FAIS DU BASKET AUSSI??
QU'EST-CE QUE JE VOIS? MICHAEL JACKSON? CE SYMBOLE DE LA DÉCADENCE?
C'EST MALCOM X. LE CHEF DES NOIRS MUSULMANS AMÉRICAINS.
TU TE FOUS DE MOI? C'EST MICHAEL JACKSON!
QUI ÇA? CONNAIS PAS!
À CETTE ÉPOQUE MICHAEL JACKSON ÉTAIT ENCORE NOIR.
BAISSE TON FICHU, PETITE PUTE!
T'AS PAS HONTE DE PORTER UN JEAN MOULANT COMME ÇA??
IL A RÉTRÉCI!!
ALLEZ, MONTE DANS LA VOITURE. ON VA T'AMENER AU COMITÉ.
LE COMITÉ ÉTAIT LE COMMISSARIAT DES GARDIENS DE LA RÉVOLUTION.

AU COMITÉ ON POUVAIT NE PAS PRÉVENIR MES PARENTS, ON POUVAIT ME GARDER QUELQUES HEURES OU QUELQUES JOURS, ON POUVAIT ME FOUETTER, BREF TOUT POUVAIT M'ARRIVER. IL FALLAIT AGIR.
PARDON MADAME! JE NE RECOMMENCERAI PLUS...
MONTE DANS LA VOITURE!
MADAME! MA MÈRE EST MORTE. C'EST UNE MÉCHANTE BELLE-MÈRE QUI S'OCCUPE DE MOI. SI JE NE RENTRE PAS TOUT DE SUITE À LA MAISON, ELLE ME TUERA...
ELLE ME BRÛLERA AU FER À REPASSER!
ELLE OBLIGERA MON PÈRE À ME METTRE DANS UN ORPHELINAT
JE NE SAIS PAS SI ELLE M'A CRUE OU SI ELLE A FAIT SEMBLANT, MAIS PAR MIRACLE, ELLE M'A LAISSÉE PARTIR.
EN RENTRANT...
MARJI! QU'EST-CE QUI SE PASSE? TU AS PLEURÉ?
NON MAMAN. JE SUIS FATIGUÉE. JE VAIS DANS MA CHAMBRE
JE NE POUVAIS PAS DIRE LA VÉRITÉ À MA MÈRE. ELLE NE M'AURAIT PLUS JAMAIS LAISSÉE SORTIR TOUTE SEULE.
JE M'EN SUIS QUAND MÊME BIEN SORTIE. LES GARDIENNES DE LA RÉVOLUTION N'ONT PAS TROUVÉ MES CASSETTES.
♫ WE ARE THE KIDS IN AMERICA HOUOU ♫
ON SE CALME COMME ON PEUT.

LE SHABBAT

POUR NE PAS OUBLIER QUE NOUS ÉTIONS EN GUERRE, L'IRAK OPTA POUR UNE NOUVELLE STRATÉGIE...
IL PARAÎT QU'ILS VEULENT NOUS ATTAQUER AVEC DES MISSILES BALISTIQUES.
QU'EST-CE QUE TU RACONTES ? ON N'EST PAS EN GUERRE CONTRE L'UNION SOVIÉTIQUE. JE NE CROIS PAS QUE LES IRAKIENS DISPOSENT DE TELLES ARMES.
TU SAIS, C'EST DES RUMEURS QUI COURENT !
NOUS, LES IRANIENS, ON EST CHAMPIONS OLYMPIQUES DU RAGOT.
DE LA FRONTIÈRE IRAKIENNE À TÉHÉRAN, IL Y A PLUSIEURS MILLIERS DE KILOMÈTRES. LES MISSILES QUI PARCOURENT CES DISTANCES VALENT UNE FORTUNE !
ELLE A RAISON ! NOUS ADORONS EXAGÉRER TOUT !
ON DIRAIT QUE TOI, TU AS LE SYMPTÔME INVERSE.
POURQUOI TU DIS ÇA ?
TOI, MÊME QUAND TU VOIS QUELQUE CHOSE DE TES PROPRES YEUX, IL FAUT QUE TU L'ENTENDES CONFIRMER PAR LA B.B.C.
C'EST DE L'INCRÉDULITÉ INSPIRÉE PAR MON OPTIMISME NATUREL !

L'OPTIMISME DE MON PÈRE FUT VITE REMPLACÉ PAR LE PESSIMISME DE MA MÈRE. CAR EFFECTIVEMENT LES IRAKIENS POSSÉDAIENT DES MISSILES CONNUS SOUS LE NOM DE "SCUD". TÉHÉRAN DEVINT LEUR CIBLE.
DÈS QU'ON ENTENDAIT LES SIRÈNES, IL NOUS RESTAIT TROIS MINUTES POUR SAVOIR SI C'ÉTAIT LA FIN.
ON NE VA PAS À LA CAVE?
ÇA NE SERT À RIEN, TU SAIS!?
VU LES DÉGÂTS QUE ÇA FAIT, SI ÇA TOMBE SUR NOUS, QU'ON SOIT DANS LA CAVE OU SUR LE TOIT, CE SERA DU PAREIL AU MÊME.
LES TROIS MINUTES D'ATTENTE NOUS PARAISSAIENT TELLEMENT LONGUES. POUR LA PREMIÈRE FOIS, J'AI PRIS CONSCIENCE DU DANGER QUE NOUS ENCOURIONS.
BOUM!!
JE NE VEUX PAS MOURIR!
ÇA N'ARRIVERA PAS MA CHÉRIE. JE TE LE PROMETS!

LES TÉHÉRANAIS SANS PROTECTION, CE FUT L'EXODE. LA VILLE ÉTAIT DÉSERTE. NOUS, NOUS SOMMES RESTÉS : PAS SIMPLEMENT PAR FATALISME. S'IL Y AVAIT UN AVENIR, POUR MES PARENTS, IL PASSAIT PAR MON ÉDUCATION FRANÇAISE ET CELA NE POUVAIT SE FAIRE QU'À TÉHÉRAN.
D'AUTRES HABITANTS MOINS INCONSCIENTS AVAIENT TROUVÉ REFUGE DANS LES SOUS-SOLS DES GRANDS HÔTELS, CONNUS POUR LEUR SÉCURITÉ. APPAREMMENT LEUR STRUCTURE EN BÉTON ARMÉ DÉFIAIT N'IMPORTE QUELLE BOMBE.
PAR EXEMPLE NOS VOISINS, LES BABA-LÉVY. ILS FAISAIENT PARTIE DES RARES JUIFS QUI N'AVAIENT PAS QUITTÉ L'IRAN APRÈS LA RÉVOLUTION. MONSIEUR BABA-LÉVY DISAIT QUE LEURS ANCÊTRES ÉTAIENT LÀ DEPUIS TROIS MILLE ANS ET QU'ILS ÉTAIENT CHEZ EUX.
...LEUR FILLE NÉDA ÉTAIT UNE FILLE UN PEU TACITURNE QUI N'AIMAIT PAS TROP JOUER, MAIS AVEC LAQUELLE NOUS PARLIONS D'AMOUR DE TEMPS À AUTRE.
...UN JOUR UN PRINCE BLOND AUX YEUX BLEUS M'EMMÈNERA DANS SON CHÂTEAU...
AH OUI ! MOI AUSSI !
BREF, LA VIE CONTINUAIT...

...ET UN JOUR COMME LES AUTRES:
MAMAN, TU ME DONNES DE L'ARGENT ? JE VEUX M'ACHETER UN JEAN ET DES ESPADRILLES.
COMBIEN TU VEUX ?
MILLE, MILLE DEUX CENT TOUMANS.
MILLE TOUMANS ?
BEN OUI. C'EST LE PRIX.
AH BON !
NOTRE ARGENT AVAIT PERDU TOUTE SA VALEUR. PAR EXEMPLE 1 $ QUI VALAIT 7 TOUMANS AU TEMPS DU CHAH, AVAIT ATTEINT LES 110 TOUMANS QUATRE ANS PLUS TARD. POUR MA MÈRE CE CHANGEMENT ÉTAIT SI BRUTAL, QU'ELLE L'ACCEPTAIT MAL.
JE SUIS ALLÉE AVEC MA COPINE, SHADI.
ALORS, C'EST COMMENT ?
ÇA TE VA TROP BIEN !
BON, JE PRENDS LE JEAN ET PUIS, CES BOUCLES D'OREILLES.
MOI, JE VEUX CETTE BAGUE LÀ !
NOUS ÉTIONS DANS L'EUPHORIE DU SHOPPING, QUAND BRUSQUEMENT...
BOUM !!!
UN MISSILE VIENT D'EXPLOSER DANS LE QUARTIER DE TAVANIR.
QUOI ?
TAVANIR, C'ÉTAIT MON QUARTIER.
LE JEAN !
JE CROIS QUE SI ON M'AVAIT CHRONOMÉTRÉE, J'AURAIS BATTU LE RECORD DU MONDE DE VITESSE.
TAXI !

ALLEZ, PLUS VITE, ...
DEVANT NOTRE RUE, J'AI TROUVÉ UNE FOULE. LA BOMBE AVAIT EXPLOSÉ DANS MA RUE !
MADAME, C'EST QUEL IMMEUBLE QUI A ÉTÉ TOUCHÉ ?
APPAREMMENT C'EST TOMBÉ AU FOND DE LA RUE.
AU FOND DE LA RUE, IL Y AVAIT NOTRE IMMEUBLE ET LA MAISON DES BABA-LEVY.
LAISSEZ-MOI PASSER.
UNE CHANCE SUR DEUX POUR QUE CE SOIT CHEZ NOUS.
S'IL VOUS PLAÎT, LAISSEZ-MOI PASSER.
TU NE PEUX PAS FRANCHIR CETTE LIMITE !
... J'HABITE LÀ ...
ET IL M'A LAISSÉE PASSER.

JE NE VOULAIS PAS REGARDER. JE FIXAIS MES JAMBES QUI FLAGEOLAIENT. JE N'AVANÇAIS PAS; COMME DANS UN CAUCHEMAR.
POURVU QU'ILS SOIENT VIVANTS POURVU QU'ILS SOIENT VIVANTS POURVU ......
MARJI
MARJI
MAMAN
TU N'AS RIEN? PAPA N'A RIEN? MAMIE N'A RIEN?
TOUT LE MONDE VA BIEN! J'ÉTAIS SEULE À LA MAISON.
MA MAMAN
...

ÇA A EXPLOSÉ OÙ ?
CHEZ LES BABA-LÉVY.
EUX AU MOINS N'ÉTAIENT PAS CHEZ EUX !
...
MAMAN, ILS N'ÉTAIENT PAS LÀ AU MOINS ?
C'EST-À-DIRE QUE JE NE SAIS PAS. TU SAIS, ON EST SAMEDI.
OUI, JE SAIS QU'ON EST SAMEDI. ET ALORS ?
SAMEDI, C'EST LE SHABBAT DES JUIFS. OÙ QU'ILS SOIENT, ILS DOIVENT RENTRER CHEZ EUX.
..., TU PENSES QUE ... ?
C'EST VRAI QU'ILS N'ÉTAIENT PAS TRÈS PRATIQUANTS. JE PENSE QUE TU AS RAISON ! ILS SONT SÛREMENT RESTÉS AU HILTON.
TU SAIS, LES RUBANS ADHÉSIFS QUE J'AVAIS COLLÉS SUR LES FENÊTRES ; EH BIEN ! ÇA A MARCHÉ. TOUTES LES VITRES SONT CASSÉES, MAIS ON N'A PAS D'ÉCLAT DE VERRE DANS LA MAISON !
JE SENTAIS QUE MA MÈRE ESSAYAIT DE CHANGER DE SUJET.

QUAND NOUS SOMMES PASSÉES DEVANT LA MAISON DÉTRUITE DES BABA-LÉVY, JE SENTAIS QU'ELLE ME TRAÎNAIT DISCRÈTEMENT DERRIÈRE ELLE. QUELQUE CHOSE ME DISAIT QUE LES BABA-LÉVY ÉTAIENT LÀ. QUELQUE CHOSE A ATTIRÉ MON ATTENTION.
J'AI VU ALORS UN BRACELET EN TURQUOISE, CELUI DE NÉDA. C'ÉTAIT SA TANTE QUI LE LUI AVAIT OFFERT POUR SES QUATORZE ANS...
LE BRACELET ÉTAIT ENCORE ATTACHÉ À ... JE NE SAIS PAS...
AUCUN CRI AU MONDE N'AURAIT SUFFI À SOULAGER MA SOUFFRANCE ET MA COLÈRE.

LA DOT

500 TOUMANS

APRÈS LA MORT DE NÉDA BABA-LÉVY, MA VIE PRIT UNE AUTRE TOURNURE. EN 1984, J'AVAIS QUATORZE ANS, J'ÉTAIS RÉVOLTÉE ET PLUS RIEN NE ME FAISAIT PEUR.
JE VOUS AI RÉPÉTÉ CENT FOIS QUE LE PORT DE BIJOUX ET DE JEANS EST STRICTEMENT INTERDIT !
ALORS, QU'EST-CE QUE TU FAIS AVEC CETTE GOURMETTE ? DONNE-LA-MOI TOUT DE SUITE !
JAMAIS DE LA VIE ! C'EST UN CADEAU DE MA MÈRE.
J'AVAIS COMPRIS QU'IL FALLAIT TOUJOURS CRIER PLUS FORT QUE L'AGRESSEUR.
SI DEMAIN TU PORTES ENCORE DES BIJOUX...
OUAIS, C'EST ÇA !
ET LE LENDEMAIN...
FAIS-MOI VOIR TON POIGNET.
POUR QUOI FAIRE ?
FAIS-MOI VOIR ÇA, JE TE DIS !!
AVEC TOUS LES BIJOUX QUE VOUS NOUS VOLEZ, VOUS DEVEZ VOUS FAIRE UN BON PAQUET DE FRIC !
QU'EST-CE QUI SE PASSE ?
MARJI A FRAPPÉ LA DIRECTRICE !
ELLE EST FINIE !
PARDON ! CE N'EST PAS CE QUE JE VOULAIS FAIRE !
SATRAPI ! TU ES RENVOYÉE !

APRÈS MON EXPULSION, CE FUT LA CROIX ET LA BANNIÈRE POUR TROUVER UNE AUTRE ÉCOLE QUI VEUILLE BIEN M'ACCEPTER. C'ÉTAIT UN VÉRITABLE CRIME QUE D'AVOIR FRAPPÉ UNE DIRECTRICE MAIS GRÂCE À MA TANTE QUI CONNAISSAIT DES HAUTS FONCTIONNAIRES DANS L'ÉDUCATION NATIONALE, ON A PU ME PLACER DANS UN AUTRE ÉTABLISSEMENT ET LÀ...
DEPUIS QUE LA RÉPUBLIQUE ISLAMIQUE A ÉTÉ INSTAURÉE, NOUS N'AVONS PLUS DE PRISONNIERS POLITIQUES.
MADAME !
MON ONCLE A ÉTÉ EMPRISONNÉ SOUS LE RÉGIME DU CHAH, PAR CONTRE C'EST LE RÉGIME ISLAMIQUE QUI A ORDONNÉ SON EXÉCUTION !
VOUS PRÉTENDEZ QU'ON N'A PLUS DE PRISONNIERS POLITIQUES. OR DE TROIS MILLE DÉTENUS SOUS LE CHAH ON EST EN FAIT PASSÉ À TROIS CENT MILLE AVEC VOTRE RÉGIME.
COMMENT OSEZ-VOUS NOUS MENTIR COMME ÇA ?
OH, SATRAPI !
CLAP! CLAP! CLAP! CLAP! CLAP! CLAP! CLAP! CLAP! CLAP!

ÉVIDEMMENT, LE SOIR MÊME, MON PÈRE REÇUT UN COUP DE FIL.
OUI BIEN SÛR, ..., OUI, ...
C'EST QUI ?
C'ÉTAIT LA DIRECTRICE DE L'ÉCOLE. APPAREMMENT, MARJI A REMIS LA PROF DE RELIGION À SA PLACE. ELLE TIENT ÇA DE SON ONCLE.
TU VEUX PEUT-ÊTRE QU'ELLE FINISSE AUSSI COMME LUI ? EXÉCUTÉE ?
TU SAIS CE QU'ILS FONT AUX JEUNES FILLES QUAND ILS LES ARRÊTENT ?
TU SAIS CE QUI EST ARRIVÉ À NILOUFAR ? LA FILLE QUE TU AS RENCONTRÉE CHEZ KHOSRO, CELUI QUI FABRIQUAIT DES PASSEPORTS ?
TU SAIS QUE SELON LA LOI, ON N'A PAS LE DROIT DE TUER UNE VIERGE...
ALORS ON LA MARIE AVEC UN GARDIEN DE LA RÉVOLUTION...
...QUI LA DÉPUCELLE AVANT DE L'EXÉCUTER ! TU SAIS CE QUE ÇA VEUT DIRE ???
SI QUELQU'UN TOUCHE À UN SEUL DE TES CHEVEUX... JE LE TUE !

* L'ÉQUIVALENT DE 5€

UNE SEMAINE PLUS TARD...
MARJI, TU PEUX VENIR DEUX MINUTES ? ON VEUT TE PARLER.
AUJOURD'HUI JE SUIS ALLÉ VOIR LA DIRECTRICE. ELLE M'A ASSURÉ QU'ELLE N'AVAIT PAS ENVOYÉ DE RAPPORT POUR CETTE FOIS. MAIS VU TON CARACTÈRE ET L'ÉDUCATION QUE TU AS REÇUE, NOUS AVONS PENSÉ QU'IL SERAIT PRÉFÉRABLE QUE TU QUITTES L'IRAN.
QUOI ?
TA MÈRE ET MOI, NOUS AVONS DÉCIDÉ DE T'ENVOYER EN AUTRICHE.
POURQUOI L'AUTRICHE ?
PREMIÈREMENT, PARCE QU'IL EST PLUS FACILE D'OBTENIR UN VISA AUTRICHIEN ET DEUXIÈMEMENT MA MEILLEURE AMIE VIT À VIENNE. TU TE SOUVIENS D'ELLE ? ZOZO, LA MAMAN DE CHIRINE ! TU TE SOUVIENS DE CHIRINE ?
OUI, OUI,... MAIS JE NE PARLE PAS ALLEMAND !
IL Y A UN LYCÉE FRANÇAIS À VIENNE. UN DES MEILLEURS D'EUROPE !
ET VOUS, VOUS FEREZ QUOI LÀ-BAS ?
DANS UN PREMIER TEMPS, TU IRAS SEULE. NOUS AVONS QUELQUES AFFAIRES À RÉGLER. D'ICI QUELQUES MOIS, NOUS TE REJOINDRONS !
MAIS J'AI QUATORZE ANS ! VOUS ME FAITES CONFIANCE ?
TU AS QUATORZE ANS ET JE SAIS TRÈS BIEN COMMENT JE T'AI ÉLEVÉE. J'AI SURTOUT CONFIANCE EN TON ÉDUCATION.

TU SAIS, TU ES LA MÊME PERSONNE QUI A PASSÉ DES VACANCES SEULE EN FRANCE.
AVANT LA RÉVOLUTION, MES PARENTS M'ENVOYAIENT POUR PASSER L'ÉTÉ EN EUROPE DANS DES COLONIES DE VACANCES. MA MÈRE NE VOULAIT PAS QUE JE GRANDISSE COMME UNE FILLE UNIQUE.
OUI, C'EST VRAI, C'ÉTAIT CHOUETTE... UNE VRAIE PÉRIODE D'INDÉPENDANCE!
ON T'AIME TELLEMENT, QU'ON VEUT QUE TU PARTES.
ON PRÉFÈRE T'AVOIR LOIN DE NOUS ET HEUREUSE, PLUTÔT QUE PROCHE MAIS MALHEUREUSE ET VU LA SITUATION, TU TE PORTERAS MIEUX AILLEURS QU'ICI.
LÀ J'AI EU DES DOUTES. POURQUOI ME PARLER SUR CE TON, S'ILS DEVAIENT ME REJOINDRE?
ON T'ADORE!
N'OUBLIE JAMAIS QUI TU ES!
NON... JE N'OUBLIERAI JAMAIS...

JE ME SUIS RÉPÉTÉ DES CENTAINES DE FOIS CE QU'ILS M'AVAIENT DIT. J'ÉTAIS QUASIMENT PERSUADÉE QU'ILS NE VIENDRAIENT PAS À VIENNE.
J'AI VEILLÉ TOUTE LA NUIT. JE ME DEMANDAIS SI LA LUNE BRILLAIT AUTANT EN AUTRICHE.
LE LENDEMAIN J'AI REMPLI UN POT AVEC LA TERRE DE NOTRE JARDIN. LA TERRE D'IRAN.
J'AI ENLEVÉ TOUTES MES AFFICHES
KIM WI
ET J'AI INVITÉ MES COPINES POUR LEUR DIRE ADIEU.
VOILÀ ! JE VOUS DONNE CE QUE J'AI DE PLUS CHER AU MONDE. COMME ÇA VOUS NE M'OUBLIEREZ PAS.
JE NE PENSAIS PAS QU'ELLES M'AIMAIENT AUTANT.
JE ME SUIS RENDU COMPTE DE MON CÔTÉ À QUEL POINT ELLES COMPTAIENT POUR MOI.

LA VEILLE DE MON DÉPART, MA MAMIE VINT DORMIR CHEZ NOUS.
JE PEUX DORMIR AVEC TOI ?
C'EST BIEN POUR ÇA QUE JE SUIS LÀ !
J'AI REGARDÉ MA MAMIE SE DÉSHABILLER. TOUS LES MATINS, ELLE CUEILLAIT DES JASMINS QU'ELLE METTAIT DANS SON SOUTIEN-GORGE POUR SENTIR BON. QUAND ELLE DÉGRAFAIT SON CORSAGE, ON VOYAIT LES FLEURS TOMBER DE SES SEINS.
C'ÉTAIT UN SPECTACLE.
MAMIE, COMMENT TU FAIS POUR AVOIR DES SEINS AUSSI RONDS À TON ÂGE ?
JE LES METS DIX MINUTES CHACUN DANS UN BOL D'EAU GLACÉE, MATIN ET SOIR.
C'EST VRAI QU'ELLE LE FAISAIT ET JE LE SAVAIS. J'AVAIS JUSTE ENVIE DE L'ENTENDRE DIRE.
TU ME MANQUERAS.
MAIS JE VIENDRAI TE VOIR.
ELLE AUSSI, ELLE ME MENTAIT.
ÉCOUTE, JE N'AIME PAS TE FAIRE LA MORALE, MAIS JE VAIS TE DONNER UN CONSEIL QUI TE SERVIRA À JAMAIS.
DANS LA VIE TU RENCONTRERAS BEAUCOUP DE CONS. S'ILS TE BLESSENT, DIS-TOI QUE C'EST LA BÊTISE QUI LES POUSSE À TE FAIRE DU MAL. ÇA T'ÉVITERA DE RÉPONDRE À LEUR MÉCHANCETÉ. CAR IL N'Y A RIEN DE PIRE AU MONDE QUE L'AMERTUME ET LA VENGEANCE... RESTE TOUJOURS DIGNE ET INTÈGRE À TOI-MÊME.
JE SENTAIS LA POITRINE DE MA GRAND-MÈRE. ELLE SENTAIT BON. JAMAIS JE N'OUBLIERAI CE PARFUM.

ET LE LENDEMAIN MATIN
RÉVEILLEZ-VOUS! IL EST SEPT HEURES, IL FAUT PARTIR.
?
JE RESTERAI TOUJOURS INTÈGRE À MOI-MÊME.
JE NE VIENS PAS.
N'OUBLIE JAMAIS CE QUE JE T'AI DIT.
MAMIE
NOUS Y VOILÀ!
IL Y AVAIT UNE QUEUE MONSTRUEUSE. BEAUCOUP DE GENS QUITTAIENT LE PAYS.
SURTOUT DES JEUNES GARÇONS. ESTIMÉS COMME DES FUTURS SOLDATS, ILS N'AVAIENT PAS LE DROIT DE QUITTER LE PAYS À PARTIR DE TREIZE ANS.
MEHRABAD AIRPORT

TU VERRAS, TOUT IRA BIEN.
PAS DE LARMES. PENSE À TON FUTUR.
L'EUROPE S'OUVRE À TOI.
DÈS QUE TU ARRIVES À VIENNE, VA MANGER UN SACHERTORTE. C'EST UN GÂTEAU AU CHOCOLAT EXQUIS.
ET DANS SIX MOIS ON VIENDRA TE VOIR.
MES DOUTES SE CONFIRMÈRENT. ILS VIENDRONT PEUT-ÊTRE ME RENDRE VISITE, MAIS NOUS NE VIVRONS PLUS JAMAIS ENSEMBLE.
TU ES UNE GRANDE FILLE. PAS DE LARMES.
ALLEZ, TU DOIS PARTIR. N'OUBLIE PAS QUI TU ES ET D'OÙ TU VIENS.
JE VOUS AIME!

JE NE SUPPORTAIS PAS DE LES VOIR LÀ, DERRIÈRE LES VITRES. IL N'Y A RIEN DE PLUS PÉNIBLE QUE LES ADIEUX. C'EST UN PEU COMME LA MORT.
PARTEZ PARTEZ
REFERME TA VALISE. TU PEUX PARTIR.
ET PUIS NON...
JE ME SUIS RETOURNÉE POUR LES VOIR UNE DERNIÈRE FOIS...
... J'AURAIS MIEUX FAIT DE M'EN ALLER.

3

LA SOUPE

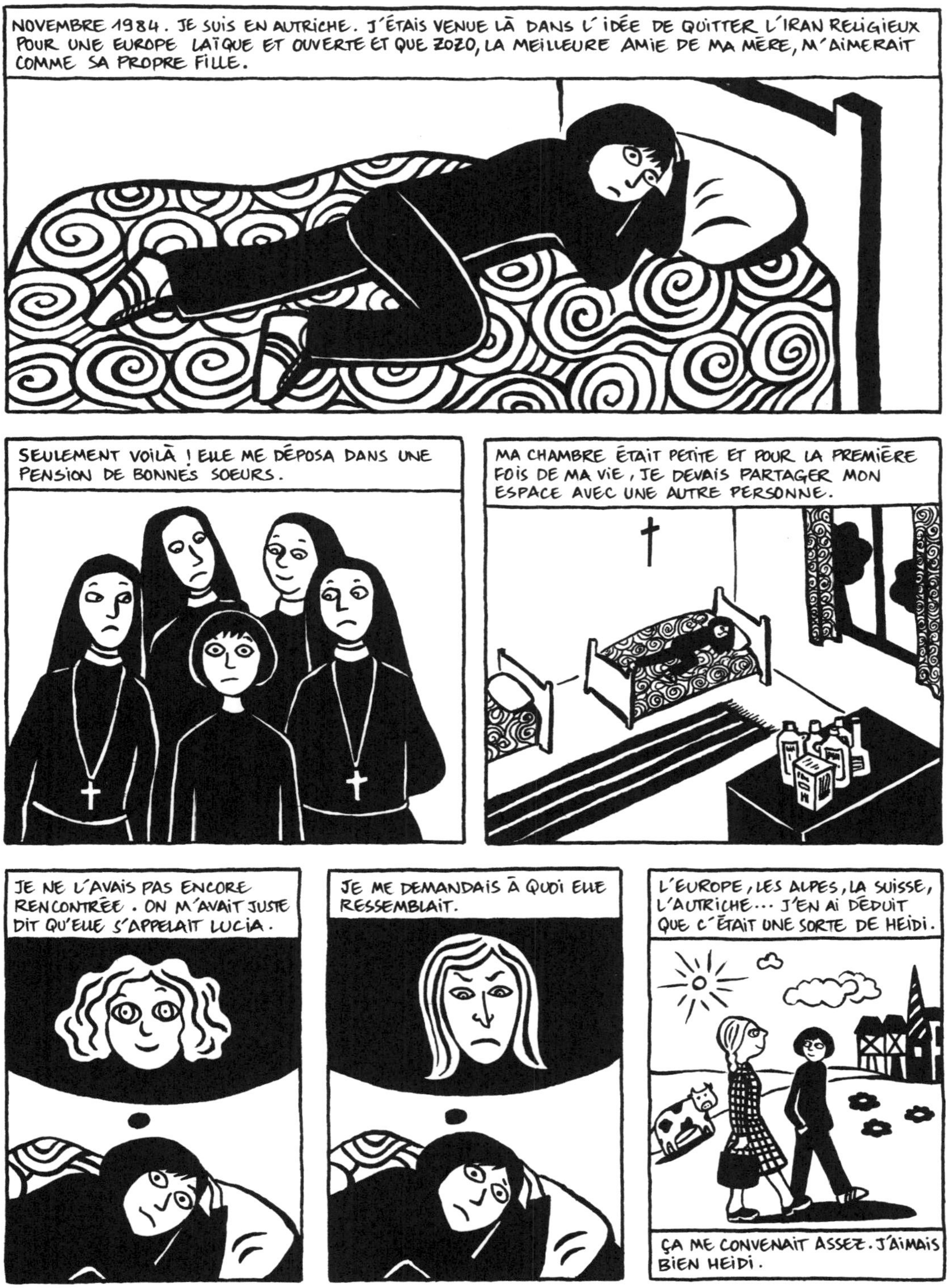
NOVEMBRE 1984. JE SUIS EN AUTRICHE. J'ÉTAIS VENUE LÀ DANS L'IDÉE DE QUITTER L'IRAN RELIGIEUX POUR UNE EUROPE LAÏQUE ET OUVERTE ET QUE ZOZO, LA MEILLEURE AMIE DE MA MÈRE, M'AIMERAIT COMME SA PROPRE FILLE.
SEULEMENT VOILÀ ! ELLE ME DÉPOSA DANS UNE PENSION DE BONNES SOEURS.
MA CHAMBRE ÉTAIT PETITE ET POUR LA PREMIÈRE FOIS DE MA VIE, JE DEVAIS PARTAGER MON ESPACE AVEC UNE AUTRE PERSONNE.
JE NE L'AVAIS PAS ENCORE RENCONTRÉE. ON M'AVAIT JUSTE DIT QU'ELLE S'APPELAIT LUCIA.
JE ME DEMANDAIS À QUOI ELLE RESSEMBLAIT.
L'EUROPE, LES ALPES, LA SUISSE, L'AUTRICHE... J'EN AI DÉDUIT QUE C'ÉTAIT UNE SORTE DE HEIDI.
ÇA ME CONVENAIT ASSEZ. J'AIMAIS BIEN HEIDI.

ÇA FAISAIT ONZE JOURS QUE J'ÉTAIS À VIENNE. ZOZO ET SA FILLE CHIRINE, QUE J'AVAIS CONNUES DURANT MON ENFANCE, ÉTAIENT VENUES ME CHERCHER À L'AÉROPORT.
CHIRINE ÉTAIT COMME DANS MES SOUVENIRS. PAR CONTRE, JE DÉCELAIS QUELQUE CHOSE D'ANTIPATHIQUE DANS LE REGARD DE SA MÈRE.
TU N'AS PAS BEAUCOUP CHANGÉ. SI! MAINTENANT TU AS LES CHEVEUX LONGS!!
TOI NON PLUS. TU ES PAREILLE.
ÇA VA ÊTRE COOL D'ALLER À L'ÉCOLE SANS VOILE, DE NE PAS SE TAPER TOUS LES JOURS POUR LES MARTYRS DE LA GUERRE...
?
TU AS VU? ÇA C'EST SUPER À LA MODE. C'EST POUR PROTÉGER LES OREILLES DU FROID. TU VEUX L'ESSAYER?
NON MERCI!
ÇA, C'EST MON STYLO PARFUM FRAMBOISE MAIS J'EN AI AUSSI À LA FRAISE ET À LA MÛRE.
TU VEUX METTRE DU ROUGE À LÈVRES? J'ADORE CE ROSE NACRÉ. C'EST TROP IN!!!
PFFF...
QUELLE TRAÎTRESSE! ALORS QUE LES GENS MOURAIENT DANS NOTRE PAYS, ELLE ME PARLAIT DE CHOSES FUTILES.

...J'AI VÉCU DIX JOURS CHEZ EUX. C'ÉTAIT DES DISPUTES AU QUOTIDIEN.
BONJOUR MA CHÉRIE! TIENS, C'EST POUR TOI!
ESPÈCE D'INCAPABLE! JE TRAVAILLE COMME UNE FOLLE POUR QUE MONSIEUR CLAQUE LE FRIC DANS DES FLEURS!!
MAIS ZOZO, C'EST NOTRE ANNIVERSAIRE DE MARIAGE.
TU M'OFFRIRAS TOUT CE QUE TU VOUDRAS QUAND TU AURAS GAGNÉ DE L'ARGENT! J'EN AI ASSEZ!!
À TÉHÉRAN, ZOZO ÉTAIT LA SECRÉTAIRE DE SON MARI HOUSHANG,
À VIENNE, ELLE DEVINT COIFFEUSE.
C'EST D'AILLEURS ELLE QUI COUPA MES CHEVEUX LONGS.
QUANT À HOUSHANG LE MARI DE ZOZO, IL ÉTAIT PDG EN IRAN,
EN AUTRICHE, IL NE DEVINT RIEN.
EN RAISON D'UNE DOUZAINE DE MAUVAIS INVESTISSEMENTS, HOUSHANG AVAIT PERDU TOUT SON CAPITAL. "ON L'AVAIT ROULÉ!" J'AI ENTENDU ÇA LORS D'UNE DE LEURS QUERELLES HABITUELLES.
JE T'AI VU AU CAFÉ AVEC CES DEUX SALAUDS! IL FAUT QU'ILS TE PIQUENT TES VÊTEMENTS POUR QUE TU TE RENDES COMPTE DE LEUR INGRATITUDE!
MOI J'AVAIS HONTE. JE N'AVAIS JAMAIS VU MES PARENTS SE CHAMAILLER POUR DES HISTOIRES D'ARGENT.
PROBABLEMENT PARCE QUE MON PÈRE N'ÉTAIT PAS UN INCAPABLE...

ET AU BOUT DE CES DIX JOURS...
MARJANE, J'AI PARLÉ À TA MÈRE.
NOTRE APPARTEMENT, COMME TU AS PU LE CONSTATER, EST TROP PETIT. JE T'AI TROUVÉ UNE PENSION DANS UN BEAU QUARTIER DE VIENNE, PRÈS DE RATHAUS.
ELLE EST TENUE PAR DES BONNES SOEURS. LA MÈRE SUPÉRIEURE ET QUELQUES NONNES PARLENT COURAMMENT FRANÇAIS.
ON Y VA QUAND?
TOUT DE SUITE. VA FAIRE TA VALISE.
LES BONNES SOEURS, J'EN CONNAISSAIS. EN CP, J'ÉTAIS À L'ÉCOLE JEANNE D'ARC À TÉHÉRAN. CELLES QUE J'AVAIS FRÉQUENTÉES ÉTAIENT BIEN FÉROCES.
TU VIENDRAS NOUS VOIR LES WEEK-ENDS. ON IRA FAIRE DU PATIN À GLACE.
OUAIS OUAIS...
MALGRÉ TOUT, J'ÉTAIS CONTENTE DE PARTIR DE CHEZ EUX. JE SERAIS AINSI DÉBARRASSÉE DE ZOZO LA MÉCHANTE ET DE CHIRINE LA NIAISE.
LE SEUL QUI ALLAIT ME MANQUER ÉTAIT HOUSHANG. JE VOYAIS EN LUI UN DÉFENSEUR,
FAIS ATTENTION À TOI.
OUI ONCLE HOUSHANG.
LUI EN MOI UNE ALLIÉE.
BON! ÇA SUFFIT. ON Y VA!
ET NOUS SOMMES PARTIES...

* ALDI C'EST UN SUPERMARCHÉ ET LINKS VEUT DIRE GAUCHE EN ALLEMAND.

ÇA FAISAIT QUATRE ANS QUE JE N'AVAIS PAS VU UN MAGASIN AUSSI BIEN ACHALANDÉ.
KARTOFFEL
PASTA
AKTION
LE PREMIER RAYON VERS LEQUEL JE ME SUIS DIRIGÉE ÉTAIT CELUI DES LESSIVES PARFUMÉES.
ON N'EN TROUVAIT PLUS DU TOUT EN IRAN.
J'AI REMPLI LE CADDIE DE TOUTES SORTES DE PRODUITS.
MÊME AUJOURD'HUI, APRÈS TOUT CE TEMPS, ON PEUT TOUJOURS TROUVER CHEZ MOI AU MOINS UNE DIZAINE DE BOÎTES DE DÉTERGENT AROMATISÉ.
VU MON BUDGET RESTREINT, J'AI PRIS DEUX PAQUETS DE PÂTES.
JE NE SAVAIS PAS ENCORE QUE CE SERAIT MON UNIQUE NOURRITURE PENDANT LES QUATRE ANNÉES À VENIR.
J'AI DONNÉ UN BILLET DE CENT SCHILLINGS. HEUREUSEMENT C'ÉTAIT SUFFISANT, SINON J'AURAIS EU HONTE.
ACHT UND NEUNZIG DREIZIG BITTE !
?

HALLO! ICH BIN DA!!
LUCIA
MARCHAL?
MARJANE
NON, MARJANE
TU PARLES FRANÇAIS?
NEIN
SPRICHST DU DEUTSCH?
EUH... NON!
!
!

JE LUI AI OFFERT DES PISTACHES QUE J'AVAIS RAMENÉES AVEC MOI. C'ÉTAIT MON ONCLE QUI M'EN AVAIT FAIT CADEAU. UNE SPÉCIALITÉ DU PAYS QUE L'ON OFFRE SOUVENT QUAND QUELQU'UN PART À L'ÉTRANGER. NOUS ESTIMONS QUE NOS PISTACHES SONT LES MEILLEURES DU MONDE...
MMM...
... COMME BEAUCOUP D'AUTRES CHOSES D'AILLEURS.
LUCIA, ELLE, ME PRÉPARA UNE SOUPE KNORR, "CRÈME DE CHAMPIGNONS".
mmm...
JE N'AIMAIS PAS TROP.
MAGST DU FERNSEHEN?
FERNSEHEN?
FENS, FUNS, FENR,... FENÊTRE!!!
FERNSEHEN?
NEIN! HI HI HI... DAS IST FENSTER!
WARTE MAL!
DAS IST EIN FERNSEHER.
AH! TÉLÉ! BO, C'EST LA MÊME CHOSE.
TÉLÉ!
FERNSEHEN! YA! YA! FERNSEHEN!
J'ÉTAIS CONTENTE. JE PARLAIS ALLEMAND.

NOUS SOMMES DONC ALLÉES À LA SALLE DE TÉLÉ QUI SE TROUVAIT AU REZ-DE-CHAUSSÉE.
HALLO !
ELLES REGARDAIENT UN FILM. TOUT LE MONDE SEMBLAIT S'AMUSER. SAUF MOI ! J'ENTENDAIS DES "ACH" ET DES "OCH", DES "ICH", DES "MICH", MAIS RIEN QUE JE PUISSE COMPRENDRE.
HA!
HA! HA! HA! HA HA!
!!!
HI! HI! HI!
?!
J'AI DÉCIDÉ DE PARTIR DISCRÈTEMENT.
BYE BYE LUCIA.
ELLE NE M'A MÊME PAS RÉPONDU.

TYROL

TOUS LES MATINS, J'ÉTAIS TIRÉE DU SOMMEIL PAR LE BRUIT DU SÈCHE-CHEVEUX DE LUCIA.
C'ÉTAIT MON RÉVEIL À MOI. PROGRAMMÉ À 6H30 PILE.
BONJOUR!
C'EST ÇA!
HALLO!
RÉVEILLÉE PAR UN SÈCHE-CHEVEUX POUR ME RENDRE ENSUITE DANS UNE ÉCOLE OÙ JE N'AVAIS PAS D'AMIS.
SALUT!
SALUT!
SALUT!
SALUT!
SALUT!
MAIS C'ÉTAIT NORMAL. J'ARRIVAIS AU MILIEU DU TRIMESTRE ET LES GROUPES ÉTAIENT DÉJÀ FORMÉS.

* JE VOULAIS DIRE UNE ÉQUERRE

LES CHOSES ÉVOLUAIENT. AU BOUT DE QUELQUE TEMPS, JULIE, LA FILLE TACITURNE DU DEUXIÈME RANG, S'INTÉRESSA À MOI. C'ÉTAIT UNE FRANÇAISE DE DIX-HUIT ANS DANS UNE CLASSE DE TROISIÈME OÙ LA MOYENNE D'ÂGE ÉTAIT DE QUATORZE ANS.
BESSI
J'AI COMPRIS PLUS TARD QUE CETTE RÉSERVE VENAIT DU FAIT QU'ELLE CONSIDÉRAIT LES AUTRES COMME DES ENFANTS GÂTÉS. MOI, J'ÉTAIS DIFFÉRENTE. J'AVAIS CONNU LA GUERRE.
ELLE ME PRÉSENTA MOMO. IL ÉTAIT EN PREMIÈRE.
VOILÀ MARJANE. ELLE EST IRANIENNE. ELLE A CONNU LA GUERRE.
LA GUERRE?
ENCHANTÉE!
TU AS DÉJÀ VU BEAUCOUP DE MORTS?
EUH... QUELQUES-UNS.
BALAISE!
MOMO EMBRASSAIT TOUT LE MONDE D'UNE FAÇON PARTICULIÈRE.
MMM...
...MMM
C'EST D'AILLEURS LUI QUI M'EMBRASSA POUR LA PREMIÈRE FOIS SUR LA BOUCHE.
...PAR MOMO, J'AI CONNU THIERRY ET OLIVIER, DEUX ORPHELINS SUISSES QUI VIVAIENT EN AUTRICHE AVEC LEUR ONCLE DIPLOMATE.
MOI AUSSI JE SUIS UN PEU ORPHELINE.
TES PARENTS SONT MORTS?
NON, ILS SONT EN IRAN.
LE FAIT DE VIVRE SANS MES PARENTS CONVENAIT AUSSI À JULIE.

UNE ALLUMÉE, UN PUNK, DEUX ORPHELINS ET UNE TIERS-MONDISTE, VOILÀ QUI FAISAIT UNE BELLE BANDE DE COPAINS. EUX S'INTÉRESSAIENT À MON HISTOIRE. SURTOUT MOMO ! IL ÉTAIT FASCINÉ PAR LA VISION DE LA MORT.

LES VACANCES DE NOËL APPROCHAIENT. TOUT LE MONDE PARLAIT DE SES PROJETS.
QU'EST-CE QUE JE VAIS M'EMMERDER AVEC MES PARENTS À NICE.
LES ÎLES FIDJI
BORA BORA
CHICAGO
BARCELONE
HONDURAS
NOËL EST UNE INVENTION AMÉRICAINE. LE PÈRE NOËL HABILLÉ EN ROUGE ET BLANC ÉTAIT LA MASCOTTE DE COCA-COLA.
C'EST UN BON FONDS DE COMMERCE.
MOI, JE RETOURNE VOIR MON PÈRE EN FRANCE.
PERSONNELLEMENT, JE VAIS CHEZ MA GRAND-MÈRE À SALZBOURG. C'EST LA SEULE DE MA FAMILLE QUI SOIT ENCORE POTABLE.
NOUS ALLONS NOUS FAIRE CHIER DANS LES ALPES.
OUI, ON VA SKIER, ÇA VA ÊTRE COOL!
VOUS SAVEZ, EN IRAN ON NE FÊTE PAS NOËL...
VOUS ALLEZ SKIER? C'EST CHOUETTE!!
ON S'EN FOUT UN PEU.
notre nouvel an est le 21 mars, le ..., ...
OUI
JE SERAI À ANNECY. ON SERA VOISINS. ON POURRA PEUT-ÊTRE SE VOIR.

VENDREDI 22 DÉCEMBRE 1984. LES RUES ÉTAIENT BONDÉES. LA FRÉNÉSIE DE NOËL AVAIT CONTAMINÉ TOUT LE MONDE. JE PENSAIS À THIERRY QUAND IL PARLAIT DU "GRAND FONDS DE COMMERCE".
MA RUE, ELLE, ÉTAIT DÉSERTE. IL N'Y AVAIT PAS DE MAGASIN.
17
QU'EST-CE QUE JE VAIS FAIRE TOUTE SEULE PENDANT DEUX SEMAINES ? MÊME LA PENSION SERA VIDE.
EN RENTRANT, J'AI TROUVÉ LUCIA. TOUJOURS FIDÈLE À SON POSTE.
ÇA VA ?

ÇA N'A PAS L'AIR D'ALLER. JE SAIS ! CE N'EST PAS FACILE DE PASSER NOËL SANS SA FAMILLE.
NOËL ? NON, CE N'EST PAS ÇA.
DEMAIN JE PARS AVEC MA TANTE. JE PENSE QU'IL Y A DE LA PLACE DANS SA VOITURE. SI TU VEUX, TU PEUX VENIR AVEC NOUS.
OÙ ÇA ?
AU TYROL !
TYROL ?
♫ TYRLIA, TYRLIO, TYRL HOU ! HOU ! ♫♪
HA ! HA ! HA !
TU SAIS ! SI TU VIENS, IL NE FAUT SURTOUT PAS PARLER DE KLAUS.
KLAUS ?
MON PETIT COPAIN.
AH !
LA FAMILLE DE LUCIA ÉTAIT CATHOLIQUE TRÈS TRÈS PRATIQUANTE.
SI TU VEUX QUE JE ME TAISE, TU DOIS ARRÊTER DE ME RÉVEILLER AVEC TON SÈCHE-CHEVEUX.
JAWOHL !
LE LENDEMAIN, LA TANTE DE LUCIA PASSA NOUS PRENDRE.
ALLONS-Y MES ENFANTS.
ET NOUS PARTÎMES VERS LE SUD-OUEST DE L'AUTRICHE.

LES PARENTS DE LUCIA ÉTAIENT INVRAISSEMBLABLES. ILS NE CORRESPONDAIENT À RIEN QUE JE CONNAISSE. SON PÈRE DU TYROL AUTRICHIEN PORTAIT UNE CULOTTE DE PEAU. SA MÈRE DU TYROL ITALIEN AVAIT UNE MOUSTACHE. SEULE SA SOEUR ME RAPPELAIT HEIDI.
APRÈS LE DINEKH, NOUS IKHONS À L'ÉGLIZZ.
AAA !!!
JA !
LEUR ALLEMAND ÉTAIT DIFFICILE À COMPRENDRE.
ET EFFECTIVEMENT NOUS ALLÂMES À L'ÉGLISE POUR LA MESSE DE MINUIT.
ÇA S'EST TERMINÉ À 3H DU MATIN !

LA FAMILLE DE LUCIA N'AVAIT JAMAIS VU D'IRANIENS. J'ÉTAIS DONC INVITÉE TOUS LES JOURS PAR UN ONCLE OU UNE TANTE QUI VOULAIT FAIRE MA CONNAISSANCE.
C'EST BON? TU AIMES?
OUI
MON ALLEMAND ÉTAIT RUDIMENTAIRE, LE LEUR ORIGINAL. UN COUSIN QUI AVAIT PASSÉ QUATRE ANS EN SUISSE FRANCOPHONE SE FAISAIT UN PLAISIR DE ME SERVIR DE TRADUCTEUR.
ELLE DIT QU'ELLE A BIEN MANGÉ
ELLE DIT QU'ELLE AIME BEAUCOUP LE TYROL.
LE DESSERT!
ELLE DIT QUE LES TYROLIENS SONT TRÈS SYMPATHIQUES.
ILS DISENT QU'ILS T'AIMENT BIEN AUSSI.
ON PARLAIT DE TOUT ET DE RIEN.
C'EST SUPER D'AVOIR DES AMIS INTERNATIONAUX.
JAAA
CONTRAIREMENT AUX SUJETS DE CONVERSATION PRÉFÉRÉS DE MES AMIS DU LYCÉE, NOUS N'ÉVOQUIONS JAMAIS NI LA GUERRE, NI LA MORT.
ENFIN LE JOUR DU DÉPART ARRIVA.
COMME TU SAIS, JE SUIS ÉBÉNISTE. J'AI FABRIQUÉ CE CADRE SPÉCIALEMENT POUR TOI.
SCHATZI*, UNE POMME D'AMOUR ET DES FRUITS POUR LA ROUTE.
J'AVAIS DE NOUVEAUX PARENTS...
...LUCIA ÉTAIT MA SOEUR.
APRÈS CE VOYAGE, JE NE ME SUIS PLUS JAMAIS PLAINTE DE SON SÈCHE-CHEVEUX.

*CHÉRIE

LES PÂTES

BAKOUNINE ALLAIT À L'ENCONTRE DE MARX.
C'EST QUI BAKOUNINE ?
QUOI ? TU NE CONNAIS PAS BAKOUNINE ?
...
C'ÉTAIT UN ANARCHISTE.
NON ! C'ÉTAIT L'ANARCHISTE !
ENFIN... VIVEMENT LES VACANCES.
ENCORE DES VACANCES ??
?
POUR MOI, NE PLUS ALLER À L'ÉCOLE ÉTAIT SYNONYME DE SOLITUDE, SURTOUT DEPUIS QUE LUCIA PASSAIT TOUT SON TEMPS AVEC SON COPAIN KLAUS.
TU AS UN PROBLÈME AVEC LES VACANCES ?
NON ! TU COMPRENDS, CHEZ MOI, NOUS AVONS DEUX SEMAINES DE REPOS POUR LE NOUVEL AN ET APRÈS IL FAUT ATTENDRE L'ÉTÉ.
TU VAS T'HABITUER. GRÂCE À LA GAUCHE, IL Y A DES CONGÉS EN EUROPE. ON N'EST PAS OBLIGÉ DE TRAVAILLER TOUT LE TEMPS.
QUEL RAPPORT ?
SI AU DÉBUT DU SIÈCLE, LES ANARCHISTES AVAIENT VAINCU, ON NE BOSSERAIT PLUS DU TOUT ! L'HOMME N'EST PAS FAIT POUR LE TRAVAIL.
ALLEZ, RELAX, PROFITES-EN ! CULTIVE-TOI ! TU NE CONNAIS MÊME PAS BAKOUNINE !
CONNARD...
ET TOI, TU VAS SKIER ?
OUAIS... COMME D'HABITUDE.
CE CRÉTIN DE MOMO N'AVAIT PAS TOUT À FAIT TORT. IL FALLAIT QUE JE M'INTÈGRE, ET POUR ÇA IL FALLAIT QUE JE M'INSTRUISE.
ALORS, JE ME SUIS FAIT UNE RAISON.
TU VAS OÙ EN VACANCES ?
NULLE PART. JE VAIS LIRE. J'ADORE ÇA.
EN PLUS, C'ÉTAIT UNE RÉPONSE BIEN PRATIQUE À CETTE SEMPITERNELLE QUESTION " OÙ VAS-TU ? ", TOUT EN ME DONNANT UN GENRE.

ILS SONT DONC PARTIS SKIER ET MOI JE ME SUIS MISE À LIRE. J'AI DÉBUTÉ PAR BAKOUNINE. J'AI APPRIS QU'IL ÉTAIT RUSSE, QU'IL AVAIT ÉTÉ EXCLU DE LA PREMIÈRE INTERNATIONALE ET QU'IL REJETAIT TOUTE AUTORITÉ, SURTOUT CELLE DE L'ÉTAT.
À PART ÇA, JE N'AI PAS COMPRIS GRAND-CHOSE À SA PHILOSOPHIE, COMME SÛREMENT MOMO.
PUIS, J'AI ÉTUDIÉ L'HISTOIRE DE LA COMMUNE.
J'EN AI DÉDUIT QUE LA DROITE FRANÇAISE DE CETTE ÉPOQUE VALAIT BIEN LES INTÉGRISTES DE MON PAYS.
ENSUITE, JE ME SUIS INTÉRESSÉE À SARTRE, L'AUTEUR FAVORI DE MES CAMARADES.
LA NOTION D'ÊTRE PROVIENT DE L'EXPÉRIENCE VÉCUE PAR L'HOMME.
JE L'AI TROUVÉ UN PEU AGAÇANT...
QUAND J'EN AVAIS ASSEZ DE LIRE, J'ALLAIS AU SUPERMARCHÉ.
IL FAISAIT TELLEMENT FROID QUE J'EUS L'IDÉE D'ENFILER MA COMBINAISON DE SKI, RAPPORTÉE DE TÉHÉRAN, POUR SORTIR.
AINSI FAGOTÉE DANS VIENNE, JE ME SENTAIS SUR LES PISTES D'INNSBRÜCK, PROCHE DE MES AMIS.
JE M'ENNUYAIS TELLEMENT QUE POUR ACHETER QUATRE PRODUITS DIFFÉRENTS, J'ALLAIS AU MOINS QUATRE FOIS AU SUPERMARCHÉ.
ALDI AL
MA PENSION
LE SUPERMARCHÉ

SI J'AVAIS PU M'AMUSER UN PEU, JE CROIS QUE JE N'AURAIS JAMAIS AUTANT LU.
POUR M'INSTRUIRE, IL FALLAIT QUE JE COMPRENNE TOUT. EN COMMENÇANT PAR MOI-MÊME : MOI, MARJI, LA FEMME. JE ME SUIS ALORS LANCÉE DANS LA LECTURE DE L'OEUVRE PRÉFÉRÉE DE MA MÈRE.
SIMONE
LES MANDARINS DE SIMONE DE BAVAR.
NON! BEAUVOIR
ELLE M'EN AVAIT LU DES EXTRAITS, MAIS J'ÉTAIS UN PEU JEUNE.
...??
J'AI LU LE DEUXIÈME SEXE. SIMONE EXPLIQUAIT QUE SI LES FEMMES FAISAIENT PIPI DEBOUT, LEUR CONCEPTION DE LA VIE CHANGERAIT.
ALORS J'AI ESSAYÉ. ÇA COULAIT LÉGÈREMENT SUR MA JAMBE GAUCHE. C'ÉTAIT UN PEU DÉGOÛTANT.
ASSISE, C'ÉTAIT BIEN PLUS SIMPLE. DE PLUS, EN TANT QU'IRANIENNE, AVANT D'URINER COMME UN HOMME, IL FALLAIT QUE J'APPRENNE À DEVENIR UNE FEMME LIBÉRÉE ET ÉMANCIPÉE.

ET PUIS VINT CE JOUR. CE FAMEUX JOUR DU MOIS DE FÉVRIER OÙ JE PRÉPARAIS MES ÉTERNELS SPAGHETTIS.
J'AVAIS TRÈS FAIM. TELLEMENT FAIM QU'UNE ASSIETTE N'AURAIT PAS SUFFI À ME RASSASIER.
JE SUIS DESCENDUE AVEC MA CASSEROLE POUR REGARDER LA TÉLÉ DANS LE RÉFECTOIRE.
J'ADORAIS ÇA. CHEZ MES PARENTS, C'ÉTAIT STRICTEMENT INTERDIT. ILS DIFFUSAIENT L'INSPECTEUR DERRICK. LES BONNES SOEURS L'AIMAIENT BEAUCOUP.

QUAND SOUDAIN LA MÈRE SUPÉRIEURE OBSTRUA MON CHAMP DE VISION.
UN PEU DE RETENUE MADEMOISELLE !
!
MAIS ICI, TOUT LE MONDE REGARDE LA TÉLÉ EN MANGEANT !
MAIS PAS DANS UNE CASSEROLE ! QU'EST-CE QUE C'EST QUE CES MANIÈRES ?
C'EST VRAI CE QU'ON DIT SUR LES IRANIENS. ILS N'ONT VRAIMENT AUCUNE ÉDUCATION.
C'EST VRAI AUSSI CE QU'ON DIT SUR VOUS. VOUS ÉTIEZ TOUTES DES PROSTITUÉES AVANT DE DEVENIR BONNES SOEURS !
ÔÔÔÔ
ÔÔÔ

JE FUS CONVOQUÉE CHEZ L'ADJOINTE DE LA MÈRE SUPÉRIEURE QUI NE VOULAIT PLUS ME RECEVOIR.
APPROCHEZ!
C'EST INACCEPTABLE CE QUE VOUS AVEZ DIT À MÈRE BIRGIT!
ET CE QU'ELLE M'A DIT, VOUS TROUVEZ ÇA ACCEPTABLE?
VOUS ÊTES RENVOYÉE. JE VAIS APPELER MADAME L'AMIE DE VOTRE MÈRE POUR QU'ELLE VIENNE VOUS CHERCHER.
CE N'EST PAS LA PEINE. J'AI DES AMIS QUI POURRONT TRÈS BIEN S'OCCUPER DE MOI.
JE PENSAIS À JULIE.
VOUS DEVRIEZ AVOIR HONTE DE VOUS!
VOUS AUSSI!
TAISEZ-VOUS INSOLENTE. COMME VOUS AVEZ PAYÉ, VOUS POUVEZ RESTER JUSQU'À LA FIN DU MOIS.
...
VOUS N'AVEZ RIEN À ME DIRE?
...
PARDON?
J'AI DIT MERCI!
DANS TOUTES LES RELIGIONS, ON TROUVE LES MÊMES EXTRÉMISTES.

JE N'AI PAS ATTENDU LA FIN DU MOIS. QUELQUES JOURS PLUS TARD, J'AI APPELÉ JULIE.
TELEFON
ELLES M'ONT VIRÉE. JE NE SAIS PAS QUOI FAIRE.
NE QUITTE PAS UNE MINUTE. JE VAIS DEMANDER À MA MÈRE SI TU PEUX VENIR HABITER ICI.
ELLE DIT QU'ELLE EST RAVIE DE T'ACCUEILLIR!
AH JULIE! MERCI!!
J'AI REPRIS MA VALISE.
J'AI DIT ADIEU À LUCIA QUE JE N'AI PLUS JAMAIS REVUE.
LES BONNES SOEURS ENVOYÈRENT UNE LETTRE À MES PARENTS...
... LEUR EXPLIQUANT QU'HUMILIÉE D'AVOIR ÉTÉ PRISE EN FLAGRANT DÉLIT DE VOL DE YAOURT AUX FRUITS, J'AVAIS DÉCIDÉ DE QUITTER LA PENSION DE MON PLEIN GRÉ.
QU'EST-CE QUE C'EST QUE CETTE HISTOIRE? ELLE DÉTESTE LES YAOURTS AUX FRUITS.
JE NE COMPRENDS PAS.
HEUREUSEMENT MES PARENTS CONNAISSAIENT MES GOÛTS.
AH LES MENTEUSES!... ELLES AURAIENT QUAND MÊME PU TROUVER UNE MEILLEURE EXCUSE.
LA LECTURE NE SUFFISAIT PAS. POUR M'INTÉGRER, J'AVAIS ENCORE UN LONG CHEMIN À FAIRE.

VEN SAM DIM MER MAR LUN
LA PILULE
MON NOUVEAU FOYER ÉTAIT BIEN PLUS CONFORTABLE QUE LA PENSION. JE PARTAGEAIS LA CHAMBRE DE JULIE.
TU VEUX QUE J'AILLE TRAVAILLER AILLEURS ?
BOUGE PAS, JE SUIS JUSTE PASSÉE PRENDRE MA VESTE.
FIGURE-TOI QUE J'AI RENDEZ-VOUS AVEC ERNST, LE PATRON DU CAFÉ SCHELTER.
LE PATRON ?
MAIS IL A QUEL ÂGE LE PATRON ?
VINGT-SIX ANS.
VINGT-SIX ANS ??
OUI... MÛR COMME JE LES AIME.
ALLEZ, JE FILE.
TU AS FAIT TES DEVOIRS ?
SALUT MAMAN !
JULIE, OÙ EST-CE QUE TU VAS ?
ET LES BONNES SOEURS QUI ME TROUVAIENT INSOLENTE... SI SEULEMENT ELLES AVAIENT VU JULIE.
DANS MA CULTURE, LES PARENTS ÉTAIENT SACRÉS. ON LEUR DEVAIT AU MOINS UNE RÉPONSE.
ARMELLE, VOULEZ-VOUS UNE TASSE DE THÉ ?
OUI.
SE COMPORTER AINSI ENVERS SA PROPRE MÈRE M'INDIGNAIT.

J'AIMAIS BIEN ARMELLE. ELLE ÉTAIT DOUCE ET DISCRÈTE. D'AILLEURS UN PEU TROP. COMPARÉE À MA MÈRE, ELLE MANQUAIT D'AUTORITÉ.
N'EN METS PAS TROP. QUAND LE THÉ EST FORT, IL PERD SA SAVEUR.
JE SAIS, CHEZ MOI ON EN BOIT À LONGUEUR DE JOURNÉE.
BIEN SÛR. SUIS-JE BÊTE! LE THÉ, L'INDE, LA PERSE, LA RUSSIE, LE SAMOVAR...
ARMELLE ÉTAIT TRÈS CULTIVÉE MÊME SI ELLE NE CONNAISSAIT PAS BAKOUNINE. SON TRUC À ELLE, C'ÉTAIT LACAN. ELLE EN ÉTAIT PASSIONNÉE.
TU SAIS QU'IL A OUVERT LE CHAMP DE LA PSYCHANALYSE PAR LE BIAIS DE LA LINGUISTIQUE.
IL EST ARRIVÉ À ISOLER LES REGISTRES DE L'IMAGINAIRE DU SYMBOLIQUE ET DE LA RÉALITÉ.
C'EST UN DES PREMIERS À AVOIR ENTREPRIS DES THÉRAPIES DE GROUPE!
UNE FEMME ET UN HOMME NE PENSENT PAS PAREIL, NE FONCTIONNENT PAS PAREIL, N'ÉCRIVENT PAS PAREIL. LA LITTÉRATURE FÉMININE BLA, BLA, BLA, LA LITTÉRATURE MASCULINE BLA, BLA, BLA, BLA,...
JE L'ÉCOUTAIS PAR POLITESSE...
...ET AUSSI PARCE QUE C'ÉTAIT LA SEULE QUI CONNAISSAIT L'IRAN. ELLE COMPRENAIT MA NOSTALGIE POUR LA MER CASPIENNE. ELLE ÉTAIT AUSSI LA SEULE À AVOIR VU UN SAMOVAR.
ET PUIS ELLE ÉTAIT CELLE QUI AVAIT APPELÉ MES PARENTS POUR LES RASSURER.

JULIE ET MOI DISCUTIONS BEAUCOUP AVANT DE DORMIR.
JE TROUVE QUE TA MÈRE EST VRAIMENT TRÈS SYMPA.
ELLE PEUT ÊTRE TRÈS INSUPPORTABLE SI ELLE LE VEUT.
MAIS ELLE T'AIME BIEN AUSSI. GRÂCE À TOI ELLE M'EMMERDE MOINS. ELLE PENSE QUE TU AS UNE BONNE INFLUENCE SUR MOI.
QUELLE BONNE INFLUENCE?
GENRE VIERGE EFFAROUCHÉE INNOCENTE ET PURE QUI FAIT SES DEVOIRS. MOI, CE N'EST PAS PAREIL. ÇA FAIT CINQ ANS QUE JE COUCHE.
J'AI DÉJÀ COUCHÉ AVEC DIX-HUIT MECS : FABRICE, OLIVIER, LAURENT, LUC, JEAN-MARC, UN AUTRE LAURENT, SÉBASTIEN, ...
J'ÉTAIS TRÈS CHOQUÉE. DANS MON PAYS MÊME QUAND ON AVAIT UNE RELATION AVANT LE MARIAGE, ON LE CACHAIT.
AU DÉBUT ON METTAIT DES CAPOTES MAIS LE MEC LE SENT MOINS.
"SENT MOINS" QUOI ?
BEN LE VAGIN !
LE VVV...??!!!
MAINTENANT JE PRENDS LA PILULE. C'EST POUR ÇA QUE J'AI UN GROS CUL.
MOI AUSSI J'AVAIS UN GROS DERRIÈRE ET POURTANT JE NE PRENAIS PAS DE CONTRACEPTIFS.

ARMELLE AVAIT UN BON POSTE AUX NATIONS UNIES. ELLE VOYAGEAIT FRÉQUEMMENT.
J'AI REMPLI LE FRIGIDAIRE. TRAVAILLEZ BIEN ! JULIE, TU NE SÈCHES PAS LES COURS !!
D'AC
À MON RETOUR, JE VEUX QUE LA MAISON SOIT PROPRE ET BIEN RANGÉE.
OUI CHEF.
TU PARS POUR COMBIEN DE TEMPS ?
SIX JOURS. SI VOUS AVEZ BESOIN DE QUOI QUE CE SOIT, VOUS APPELEZ MARTIN.
MARTIN ET ARMELLE S'ÉTAIENT CONNUS À VIENNE. ILS TRAVAILLAIENT ENSEMBLE, ÉTAIENT TOUS DEUX DIVORCÉS ET VIVAIENT UNE RELATION PLATONIQUE.
C'ÉTAIT JULIE QUI ME L'AVAIT EXPLIQUÉ.
JE NE PENSE PAS QU'ILS COUCHENT ENSEMBLE, SINON JE L'AURAIS SU.
QU'EST-CE QUE T'EN SAIS ?
MAIS ATTENDS, TU AS VU COMME ELLE EST CHIANTE... NON ! C'EST SÛR ! ELLE NE BAISE PAS.
?
JE N'AVAIS ENCORE AUCUNE EXPÉRIENCE QUI ME PERMETTAIT DE FAIRE LE LIEN ENTRE LE CARACTÈRE D'ARMELLE ET SA VIE SEXUELLE.
BON VOYAGE !
ET AUSSITÔT SA MÈRE PARTIE...
... JULIE ORGANISA UNE FÊTE POUR LE SURLENDEMAIN AVEC SES AMIS DU CAFÉ SCHELTER.

LE SOIR DE LA FÊTE.
COMMENT TU ME TROUVES?
PAS TERRIBLE.
ATTENDS, JE VAIS TE MAQUILLER. TU VAS VOIR:
ELLE ME COIFFA ET ME DESSINA UN GROS TRAIT D'EYE-LINER NOIR QUI DEVINT MON MAQUILLAGE POUR TOUJOURS.
JE ME TROUVAIS TRÈS BELLE.
MAIS QU'EST-CE QUE TU FAIS JULIE, TU METS DU PARFUM LÀ?
LÀ, ÇA A UN NOM! ÇA S'APPELLE UN SEXE, UNE FOUFOUNE, UN MINOU...
MINOU? MA TANTE S'APPELLE COMME ÇA.
TANT MIEUX POUR ELLE.
EN PLUS MINOU EN PERSAN VEUT DIRE PARADIS!
HA! HA! HA
MESSIEURS! BIENVENUE AU PARADIS.
HA! HA! HA!
TU AS DE LA BONNE MUSIQUE?
OUI, J'AI TOUT PINK FLOYD.
JE CONNAISSAIS PINK FLOYD. MES PARENTS LES ÉCOUTAIENT QUAND ON PARTAIT EN VOYAGE.
POUR MOI, CE N'ÉTAIT PAS DE LA MUSIQUE DE FÊTE.

LA FÊTE NON PLUS N'ÉTAIT PAS COMME JE L'IMAGINAIS. CHEZ MOI, DANS LES FÊTES, TOUT LE MONDE DANSAIT ET MANGEAIT. À VIENNE LES GENS PRÉFÉRAIENT S'ALLONGER ET FUMER.
ET PUIS J'ÉTAIS CONTRARIÉE PAR TOUS CES ACTES SEXUELS PUBLICS. QUE VOULEZ-VOUS, JE VENAIS D'UN PAYS TRADITIONNALISTE.

VERS 4 H DU MATIN, LES DERNIERS INVITÉS PARTIRENT ENFIN. J'AVAIS TELLEMENT SOMMEIL.
J'AI VOULU ME DÉMAQUILLER MAIS ÇA NE PARTAIT PAS À L'EAU.
JE SUIS ALLÉE DEMANDER DU PRODUIT DÉMAQUILLANT À JULIE, MAIS APPAREMMENT ELLE ET ERNST DORMAIENT DÉJÀ DANS NOTRE CHAMBRE.
LORSQUE SOUDAIN
AH! AH!! HO! HO! AHH! AH!
HO, HO, HO! AH, AH! AH OUI! HO! AH! OUI!
MON DIEU, ILS ÉTAIENT EN TRAIN DE...
...FAIRE L'AMOUR!

JE ME SUIS RUÉE DANS LE SALON POUR ME PROTÉGER DE JE NE SAIS QUOI, DERRIÈRE MON MEILLEUR AMI, LE LIVRE.
CELA VA DE SOI QUE JE N'AI RIEN COMPRIS À MA LECTURE.
QUELQUES MINUTES PLUS TARD, J'APERÇUS DANS LE NOIR LA SILHOUETTE D'UN HOMME NU,
SUIVIE PAR CELLE D'UNE FEMME NUE,
ENSUITE UN HOMME ET UNE FEMME À MOITIÉ NUS !
HALLO!
SALUT!
É....
JE N'EN CROYAIS PAS MES YEUX...
... JE N'AVAIS JAMAIS VU ÇA ! .

ÇA M'A FAIT PENSER À CE JOUR, HUIT ANS AUPARAVANT, OÙ MON PÈRE ME CONDUISAIT EN VOITURE.
PAPA! C'EST QUOI COUILLE?
HEIN? ON DIT TESTICULE. LE SEXE DE L'HOMME EST CONSTITUÉ DE DEUX BOULES ET UN PÉNIS. CES BOULES S'APPELLENT DES TESTICULES.
DES BOULES? DES BOULES COMME ÇA LÀ?
ET À UN FEU ROUGE, MON PÈRE ME RÉPONDIT D'UN AIR TRÈS SÉRIEUX
NON, PLUTÔT COMME ÇA. CE NE SONT PAS DES BALLES DE TENNIS. ÇA RESSEMBLE PLUS À DES BALLES DE PING-PONG.
AH LES BALLES DE PING-PONG! HA! HA! HA! HA! HA! HA!
J'Y CROIS PAS. TOI..., TOI..., TU AS FUMÉ TOI!!
MAIS C'EST TROP COOL!
ELLE EST DANS LE TRIP. ALLEZ WOLFY, METS-NOUS UN PEU DE MUSIQUE.
WOLFY?
CE N'ÉTAIT DONC PAS ERNST, LE PATRON DU CAFÉ SCHELTER! JULIE VENAIT DE COUCHER AVEC SON DIX-NEUVIÈME GARÇON.
CE SOIR-LÀ, J'AI VRAIMENT COMPRIS CE QUE SIGNIFIAIT "LA LIBÉRATION SEXUELLE".
CE FUT MON PREMIER GRAND PAS DANS L'ASSIMILATION DE LA CULTURE OCCIDENTALE.

LE LÉGUME

MA TRANSFORMATION MENTALE FUT SUIVIE PAR MA MÉTAMORPHOSE PHYSIQUE.
ENTRE L'ÂGE DE QUINZE ET SEIZE ANS, J'AI GRANDI DE DIX-HUIT CENTIMÈTRES. C'ÉTAIT IMPRESSIONNANT.
MOI À QUINZE ANS
MOI À SEIZE ANS
MA TÊTE CHANGEAIT AUSSI DE FAÇON PARTICULIÈRE. D'ABORD MON VISAGE S'ALLONGEA.
PUIS MON OEIL DROIT GROSSIT,
TALONNÉ PAR MON MENTON QUI DOUBLA DE LONGUEUR.
ENSUITE CE FUT MA BOUCHE,
MA MAIN DROITE,
MON PIED GAUCHE.
(ENCORE AUJOURD'HUI, CELUI-CI FAIT 1/2 POINTURE DE PLUS QUE MON PIED DROIT.)
ÉVIDEMMENT MON NEZ TRIPLA DE VOLUME
ET FUT DÉCORÉ PAR UN ÉNORME GRAIN DE BEAUTÉ.
JE LE TROUVAIS AFFREUX À L'ÉPOQUE.
PUIS MON MENTON AVANÇA MAJESTUEUSEMENT,
POUR RECULER QUELQUES MOIS PLUS TARD ET RETROUVER SA POSITION INITIALE.
POUR FINIR MA POITRINE SE DÉVELOPPA À L'AVANT
ET MON CENTRE DE GRAVITÉ FUT RÉÉQUILIBRÉ PAR LE POIDS DE MES FESSES.
BREF, J'ÉTAIS DANS UNE PÉRIODE DE LAIDEUR SANS CESSE RENOUVELÉE.

ET COMME SI MA DIFFORMITÉ NATURELLE NE SUFFISAIT PAS, J'ESSAYAIS DE NOUVELLES COUPES DE CHEVEUX. UN PETIT COUP DE CISEAUX À GAUCHE.
ET UNE SEMAINE PLUS TARD, UN PETIT COUP DE CISEAUX À DROITE.
JE RESSEMBLAIS À COSETTE DANS " LES MISÉRABLES ".
ALORS JE M'ENDUISIS LES CHEVEUX DE GEL,
JE RAJOUTAI UN BON TRAIT D'EYE-LINER,
UNE PINCÉE D'ÉPINGLES À NOURRICE,
QUI FUT REMPLACÉE PAR UNE ÉCHARPE. ÇA ME DONNAIT UN AIR PLUS DOUX.
ÇA COMMENÇAIT À RESSEMBLER À QUELQUE CHOSE.
VOUS AVEZ VU COMME ELLE EST BELLE MAINTENANT.
...
EUH...
À MA GRANDE SURPRISE, MON NOUVEAU LOOK PLUT MÊME AUX SURVEILLANTES DE L'ÉCOLE. IL FAUT DIRE QU'ELLES ÉTAIENT TOUTES JEUNES.
TU CHANGES DE COIFFURE TOUS LES JOURS. C'EST QUI QUI TE COUPE LES CHEVEUX ?
MOI-MÊME.
SI JE TE PAIE, TU ME LES COUPES AUSSI ?
C'EST AINSI QUE JE DEVINS LA COIFFEUSE OFFICIEUSE DU LYCÉE.
ÇA ME FAISAIT GAGNER UN PEU D'ARGENT DE POCHE.

MA RELATION AVEC LES RESPONSABLES DE L'ÉTABLISSEMENT NE RÉJOUIT PAS TROP MES AMIS.
DIS-DONC, TU AS L'AIR DE BIEN T'ENTENDRE AVEC LES PIONS.
BEN NON ! JE LEUR COUPE JUSTE LES CHEVEUX.
TU NE LEUR FAIS PAS QUE ÇA, TU LEUR LÈCHES LE CUL À L'OCCASION.
MAIS PAS DU TOUT, JE LES TROUVE SYMPAS ! C'EST TOUT.
LES PIONS, C'EST DES PIONS. ILS ONT UN PORTRAIT PSYCHOLOGIQUE DÉFINI. ILS ONT UNE SOIF DE POUVOIR ET CHERCHENT À NOUS CONTRÔLER.
OUI, COMME LES FLICS.
EXACT ! LA VIE EST UNE SOUFFRANCE. TOUT EST SOUFFRANCE. LE TOUT C'EST LE NÉANT. DONC LA VIE EST LE NÉANT. QUAND UN HOMME PREND CONSCIENCE DE CE VIDE, IL NE PEUT PLUS VIVRE COMME DES VERS DE TERRE À INVENTER DES JEUX DE DIRIGEANTS ET DE DIRIGÉS POUR OUBLIER SON INCONSISTANCE.
N'IMPORTE QUOI ! L'EXISTENCE N'EST PAS ABSURDE. IL Y A DES GENS QUI Y CROIENT ET QUI DONNENT LEUR VIE POUR DES VALEURS COMME LA LIBERTÉ.
FOUTAISE ! MÊME ÇA, C'EST UN DIVERTISSEMENT POUR OUBLIER L'ENNUI.
ALORS MON ONCLE EST MORT POUR SE DISTRAIRE ?
...
POUR MOMO, LA MORT ÉTAIT LE SEUL DOMAINE OÙ MA COMPÉTENCE DÉPASSAIT LA SIENNE. SUR LE SUJET J'AVAIS TOUJOURS LE DERNIER MOT.
LE COMBAT NOBLE BLA BLA BLA...
BON ! ON VA FUMER UN JOINT ?
D'ACCORD !

C'ÉTAIT TOUJOURS THIERRY QUI ROULAIT LES PÉTARDS ET NOUS, ON SURVEILLAIT LES SURVEILLANTS POUR NE PAS NOUS FAIRE SURPRENDRE.
TIENS!
JE N'AIMAIS PAS FUMER MAIS JE LE FAISAIS PAR SOLIDARITÉ. À L'ÉPOQUE, POUR MOI, L'HERBE ET L'HÉROÏNE, C'ÉTAIT LA MÊME CHOSE.
À CHAQUE FOIS QU'ON ME PROPOSAIT UN JOINT, JE ME RAPPELAIS CETTE CONVERSATION DE MES PARENTS À PROPOS DE MON COUSIN KAMRAN.
LE PAUVRE, IL S'EST TELLEMENT PIQUÉ QU'IL RESSEMBLE À UN LÉGUME.
CE GENRE DE CHOSES ARRIVE TOUJOURS AUX PLUS FRAGILES.
IL ÉTAIT HORS DE QUESTION DE DEVENIR UN LÉGUME.
ALORS JE FAISAIS SEMBLANT DE PARTICIPER MAIS JE N'AVALAIS PAS LA FUMÉE,
ET DÈS QUE MES COPAINS AVAIENT LE DOS TOURNÉ, JE ME METTAIS LES DOIGTS DANS LES YEUX POUR LES AVOIR BIEN ROUGE.
PUIS, JE SIMULAIS DES ÉCLATS DE RIRE.
J'ÉTAIS ASSEZ CRÉDIBLE.

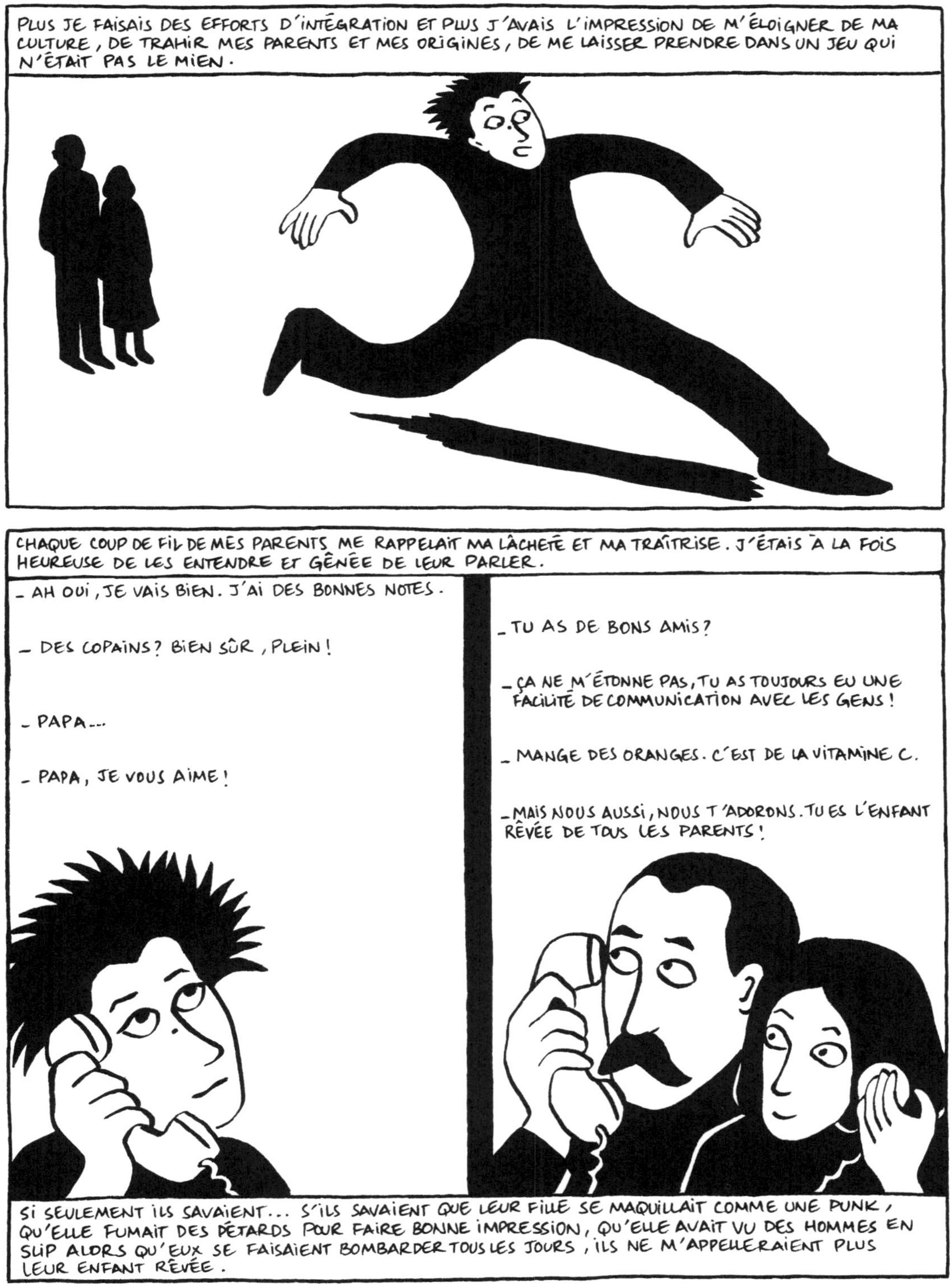
PLUS JE FAISAIS DES EFFORTS D'INTÉGRATION ET PLUS J'AVAIS L'IMPRESSION DE M'ÉLOIGNER DE MA CULTURE, DE TRAHIR MES PARENTS ET MES ORIGINES, DE ME LAISSER PRENDRE DANS UN JEU QUI N'ÉTAIT PAS LE MIEN.
CHAQUE COUP DE FIL DE MES PARENTS ME RAPPELAIT MA LÂCHETÉ ET MA TRAÎTRISE. J'ÉTAIS À LA FOIS HEUREUSE DE LES ENTENDRE ET GÊNÉE DE LEUR PARLER.
- AH OUI, JE VAIS BIEN. J'AI DES BONNES NOTES.
- TU AS DE BONS AMIS?
- DES COPAINS? BIEN SÛR, PLEIN!
- ÇA NE M'ÉTONNE PAS, TU AS TOUJOURS EU UNE FACILITÉ DE COMMUNICATION AVEC LES GENS!
- PAPA...
- MANGE DES ORANGES. C'EST DE LA VITAMINE C.
- PAPA, JE VOUS AIME!
- MAIS NOUS AUSSI, NOUS T'ADORONS. TU ES L'ENFANT RÊVÉE DE TOUS LES PARENTS!
SI SEULEMENT ILS SAVAIENT... S'ILS SAVAIENT QUE LEUR FILLE SE MAQUILLAIT COMME UNE PUNK, QU'ELLE FUMAIT DES PÉTARDS POUR FAIRE BONNE IMPRESSION, QU'ELLE AVAIT VU DES HOMMES EN SLIP ALORS QU'EUX SE FAISAIENT BOMBARDER TOUS LES JOURS, ILS NE M'APPELLERAIENT PLUS LEUR ENFANT RÊVÉE.

JE ME SENTAIS SI COUPABLE QUE DÈS QU'IL Y AVAIT DES INFORMATIONS SUR L'IRAN, JE CHANGEAIS DE CHAÎNE.
IRAN-IRAK KRIEG
C'ÉTAIT TROP INSUPPORTABLE.
TU AS REGARDÉ LA TÉLÉ HIER? TU DOIS ÊTRE INQUIÈTE
NON, ÇA VA! J'AI PARLÉ À MES PARENTS. ILS VONT BIEN.
JE MENTAIS. JE N'EN SAVAIS RIEN ET JE NE VOULAIS PAS EN SAVOIR PLUS.
JE VOULAIS TOUT OUBLIER, FAIRE DISPARAÎTRE MON PASSÉ, MAIS MON INCONSCIENT ME RATTRAPAIT.

J'AI MÊME RÉUSSI À NIER MA NATIONALITÉ.
LORS D'UNE FÊTE AU LYCÉE.
SALUT, JE M'APPELLE MARC. J'AI EU MON BAC L'ANNÉE DERNIÈRE. TU ES NOUVELLE, TOI! TU T'APPELLES COMMENT?
MARJANE. JE SUIS LÀ DEPUIS UN AN.
ET TU VIENS D'OÙ MARIE-JEANNE?
JE SUIS FRANÇAISE.
AH BON? TU AS UN DRÔLE D'ACCENT POUR UNE FRANÇAISE.
BON! JE DOIS ALLER VOIR MES POTES. SALUT.
IL FAUT DIRE QU'À L'ÉPOQUE, L'IRAN C'ÉTAIT LE MAL ET ÊTRE IRANIENNE ÉTAIT LOURD À PORTER.
IL ÉTAIT PLUS FACILE DE MENTIR QUE DE L'ASSUMER.
C'EST QUI CE MEC?
MARC? C'EST LE FRÈRE D'ANNA, LA FILLE AVEC LE PULL À RAYURES C'EST UN CONNARD DE BOURGE. IL NE FAUT PAS PARLER À CES GENS-LÀ.
ET LE SOIR EN RENTRANT, JE ME SUIS SOUVENUE DE CETTE PHRASE QUE M'AVAIT DITE MA GRAND-MÈRE: "RESTE TOUJOURS DIGNE ET INTÈGRE À TOI-MÊME!".
OH MAMIE...

MALHEUREUSEMENT TOUT FINIT PAR SE SAVOIR. QUELQUES JOURS PLUS TARD DANS UN CAFÉ PRÈS DE L'ÉCOLE.
ELLE A RACONTÉ À MON FRÈRE QU'ELLE ÉTAIT FRANÇAISE.
ET TON FRÈRE L'A CRUE?
TU PENSES! TU AS VU COMMENT ELLE PARLE?
TU AS VU SA GUEULE?
MAIS TON FRÈRE VOULAIT LA DRAGUER OU QUOI?
N'IMPORTE QUOI!!
AH ÇA ME RASSURE. VU COMME ELLE EST MOCHE, ÇA SERAIT INJUSTE QU'ELLE SE FASSE UN MEC COMME MARC.
HA! HA! HA! JE ME SUICIDERAIS SI MON FRÈRE SORTAIT AVEC UN THON PAREIL!
JE NE SAIS PAS SI VOUS AVEZ REMARQUÉ MAIS ELLE NE PARLE JAMAIS NI DE SON PAYS, NI DE SES PARENTS.
MAIS BIEN SÛR! ELLE MENT QUAND ELLE DIT QU'ELLE A CONNU LA GUERRE. TOUT ÇA POUR FAIRE SON INTÉRESSANTE.
DE TOUTE FAÇON, SES PARENTS DOIVENT S'EN FOUTRE D'ELLE, SINON ILS NE L'AURAIENT PAS ENVOYÉE SEULE!
LÀ, C'ÉTAIT TROP. MON SANG N'A FAIT QU'UN TOUR.

VOUS ALLEZ VOUS TAIRE OU C'EST MOI QUI VAIS VOUS LA FERMER !
JE SUIS IRANIENNE ET FIÈRE DE L'ÊTRE !
ELLE EST COMPLÈTEMENT FOLLE.
J'AVAIS ENVIE DE MOURIR.
CAFÉ
OÙ ÉTAIENT MES PARENTS POUR ME PRENDRE DANS LEURS BRAS, POUR ME RASSURER ?
ET PUIS APRÈS TOUT, JE N'AVAIS PAS À PLEURER.
JE VENAIS DE ME REVENDIQUER.
POUR LA PREMIÈRE FOIS DEPUIS UN AN, JE ME SENTAIS FIÈRE.
J'AI RÉELLEMENT COMPRIS CE QUE VOULAIT DIRE MA GRAND-MÈRE : SI JE N'ÉTAIS PAS INTÈGRE À MOI-MÊME, JE NE POURRAIS JAMAIS M'INTÉGRER.

LE CHEVAL

JULIE ET SA MÈRE AVAIENT QUITTÉ VIENNE. MAINTENANT J'HABITAIS DANS UN WOHNGEMEINSCHAFT. LE WOHNGEMEINSCHAFT EST UN LOGEMENT PARTAGÉ EN COMMUNAUTÉ. JE DISPOSAIS DES LIEUX POUR QUATRE MOIS.
4
LA FENÊTRE DE MA CHAMBRE.
MA CHAMBRE.
ELLE ÉTAIT TRÈS LUMINEUSE. JE POSSÉDAIS UN LIT DEUX PLACES, UNE ARMOIRE ET UN BUREAU. POUR LA PREMIÈRE FOIS DEPUIS LONGTEMPS J'AVAIS UN ESPACE PRIVÉ.
C'ÉTAIT VRAIMENT BIEN.
MES HUIT COLOCATAIRES ÉTAIENT HUIT HOMMES, TOUS HOMOSEXUELS.
JAN
FRANZ
MARKUS
KLAUS
ANDREAS
DIETER
MARTIN
MOI
MANFRED

ÇA FAISAIT PLUS D'UN AN ET DEMI QUE J'ÉTAIS EN AUTRICHE. J'AVAIS ABANDONNÉ MON LOOK DE PUNK. JE NE VOULAIS PLUS ÊTRE UNE MARGINALE.
MARJANE! C'EST TA MÈRE AU TÉLÉPHONE.
J'ARRIVE!
QUOI??
OH MA MÈRE, MA MÈRE!
ELLE VIENT ME VOIR
TA MÈRE QUOI?
C'EST SUPER!
QUAND ÇA?
DANS DEUX SEMAINES.

MÊME SI CELA FAISAIT DIX-NEUF MOIS QUE JE N'AVAIS PAS VU MA MAMAN, LES QUINZE JOURS D'ATTENTE FURENT TRÈS LONGS. LE JOUR DE SON ARRIVÉE, JE ME LAVAI COMME JAMAIS,
JE REPASSAI MES VÊTEMENTS POUR LA PREMIÈRE FOIS,
JE ME FIS BELLE AUTANT QUE JE LE PUS POUR ALLER LA CHERCHER À L'AÉROPORT.
J'APERÇUS AU LOIN UNE DAME QUI LUI RESSEMBLAIT. MÊME SILHOUETTE, MÊME DÉMARCHE, MAIS AVEC LES CHEVEUX BLANCS. MA MÈRE ELLE, ÉTAIT BRUNE.
?
QUAND CETTE DAME APPROCHA, ÇA NE FAISAIT PLUS DE DOUTE. C'ÉTAIT BIEN ELLE. AVANT QUE JE QUITTE LE PAYS, MAMAN AVAIT SEULEMENT QUELQUES CHEVEUX BLANCS. C'EST INCROYABLE CE QUE LE TEMPS VOUS FAIT.
MAMAN! MAMAN!
?
JE NE SAVAIS PAS SI ELLE NE M'AVAIT PAS RECONNUE OU PAS ENTENDUE.
EN TOUT CAS, ELLE NE S'ARRÊTA PAS.
MAMAN!
MARJI?
ELLE NE M'AVAIT PAS RECONNUE ET POUR CAUSE : J'AVAIS PRESQUE DOUBLÉ DE TAILLE ET DE VOLUME.
OH MA CHÉRIE, QUE TU ES GRANDE!
MAMAN! TU ES TOUTE BLANCHE!
ÇA M'A FAIT BIZARRE DE LA PRENDRE DANS MES BRAS. NOS PROPORTIONS S'ÉTAIENT INVERSÉES.

AVEC LA PERMISSION DES AUTRES, JE L'ACCUEILLIS CHEZ MOI.
J'HABITE LÀ. TU VERRAS, ÇA VA TE PLAIRE. MES COLOCATAIRES SONT TRÈS GENTILS. ILS SONT TRÈS EXCITÉS À L'IDÉE DE TE RENCONTRER.
!!
SALUT
COMMENT ALLEZ-VOUS?
BIENVENUE
SALUT
HALLO
SOYEZ DES NÔTRES
BONJOUR
ICI, C'EST MA CHAMBRE. ON PARTAGERA LE MÊME LIT.
OUI C'EST BIEN... JE N'AVAIS PAS COMPRIS QUE TES COLOCATAIRES ÉTAIENT DES HOMMES.*
* DANS LA GRAMMAIRE PERSANE, IL N'Y A PAS DE GENRE. MASCULIN ET FÉMININ SE CONFONDENT.
C'EST FOU COMME TU AS GRANDI.
JE NE LUI REDIS PAS QU'ELLE AUSSI AVAIT CHANGÉ. À SON ÂGE ON NE GRANDIT PLUS, ON VIEILLIT.
ALORS COMME ÇA TU VIS AVEC HUIT HOMMES.
NE T'INQUIÈTE PAS MAMAN! ILS SONT TOUS HOMOSEXUELS.
DES HOMOSEXUELS??
J'AVAIS DIT ÇA POUR LA RASSURER ET JE CROIS QUE MALGRÉ LE CHOC, ELLE FUT APAISÉE.
D'AILLEURS, JE L'AI SURPRISE UN JOUR EN TRAIN D'APPRENDRE "JE T'AIME" EN PERSAN À FRANZ QUI VENAIT DE RENCONTRER UN IRANIEN.
DOUSTÉTE DARAM. OUU... TU COMPRENDS? OUU...
DÔSTETE DARAM
NON! OUU...

RACONTER DIX-NEUF MOIS EN QUELQUES JOURS N'EST PAS FACILE. IL FALLAIT DONC BEAUCOUP PARLER POUR RÉCUPÉRER LE TEMPS PERDU. NOUS AVIONS SOUVENT DES CONVERSATIONS DÉCOUSUES.
RACONTE-MOI, COMMENT VA PAPA? QU'EST-CE QU'IL FAIT?
OH, IL S'OCCUPE DU GAZ DANS LES IMMEUBLES DE TÉHÉRAN.
ÇA LE FRUSTRE UN PEU. TU SAIS, TON PÈRE EST SPÉCIALISÉ DANS LA CONSTRUCTION D'USINES D'ACIER, MAIS EN TEMPS DE GUERRE ÇA NE SERT À RIEN DE CONSTRUIRE.
IL EST QUAND MÊME HEUREUX?
OUI, ÇA VA. TU LUI MANQUES ÉNORMÉMENT, MAIS IL EST CONTENT QUE TU VIVES ICI, LOIN DES PROBLÈMES.
MAMAN, IL EST OÙ TON COLLIER?
MA MÈRE PORTAIT TOUJOURS UN PENDENTIF EN OR QUE PAPA LUI AVAIT OFFERT POUR LEUR DIXIÈME ANNIVERSAIRE DE MARIAGE.
JE L'AI LAISSÉ EN IRAN. VOIS-TU, ON N'A PAS LE DROIT DE SORTIR LES OBJETS DE VALEUR DU PAYS.
?
J'AI SU PLUS TARD QU'ELLE M'AVAIT MENTI.
TU N'AIMES PAS CE QUE JE T'AI FAIT À MANGER?
SI, SI, J'ADORE, MAIS JE N'AI PLUS TRÈS FAIM.
LÀ ENCORE, ELLE ME MENTAIT. APRÈS CE JOUR, ELLE NE ME LAISSA PLUS JAMAIS FAIRE LA CUISINE.
TIENS, C'EST UNE LETTRE DE TON PÈRE. CE N'EST PAS MOI QUI L'AI OUVERTE, C'EST LA DOUANE DE TÉHÉRAN. ILS CONTRÔLENT TOUT!
DANS LA LETTRE, IL SE RÉJOUISSAIT À L'IDÉE QUE J'AIE UNE VIE PAISIBLE À VIENNE.
SI TU SAVAIS.
J'AVAIS L'IMPRESSION QU'IL NE SE RENDAIT PAS COMPTE DE CE QUE J'ENDURAIS.

NOUS NOUS PROMENIONS SOUVENT, MA MÈRE ET MOI.
COMMENT VA LE PAYS ?
OUF ! TOUJOURS PAREIL, DES BOMBARDEMENTS, DES ARRESTATIONS. ON Y EST TELLEMENT HABITUÉS QUE LE CALME ICI ME PÈSE UN PEU.
TU TE SOUVIENS DES VOISINS, LES KIANI ? ILS ONT ACHETÉ UNE MAISON À DEMAVEND*. QUAND ON APPREND QU'IL VA Y AVOIR UNE OFFENSIVE AÉRIENNE, ON SE RÉFUGIE CHEZ EUX. L'AIR EST TRÈS PUR PAR LÀ-BAS. ON Y PASSE DE BONS MOMENTS.
*VILLE MONTAGNARDE AU NORD DE TÉHÉRAN
QU'EST-CE QUE C'EST BIEN DE MARCHER SANS LE FICHU SUR LA TÊTE, SANS L'ANGOISSE DE SE FAIRE ARRÊTER POUR DEUX MÈCHES OU DU VERNIS À ONGLES.
ELLE NE ME POSAIT JAMAIS DE QUESTION SUR MA SITUATION. CERTAINEMENT PAR PUDEUR ET AUSSI PARCE QU'ELLE AVAIT PEUR DES RÉPONSES. SI ELLE S'ÉTAIT SACRIFIÉE POUR QUE JE VIVE LIBREMENT, IL FALLAIT AU MOINS QUE JE ME PORTE BIEN.
ALORS QUAND LES MOTS MANQUAIENT, LES GESTES VENAIENT À NOTRE SECOURS.
LA FILLE ADORE SA MAMAN.
LA MAMAN AUSSI ADORE SA FILLE.
JE SUIS RAVIE DE TE VOIR SI BIEN INSTALLÉE ICI. MAINTENANT IL FAUT QUE TU FASSES DES EFFORTS, QUE TU DEVIENNES QUELQU'UN. JE ME MOQUE DE CE QUE TU FERAS PLUS TARD, SEULEMENT TÂCHE D'ÊTRE LA MEILLEURE. MÊME SI TU DEVIENS DANSEUSE DE CABARET, MIEUX VAUT DANSER AU LIDO QUE DANS UNE GARGOTE MINABLE.
À PROPOS, SAVAIS-TU QUE TON ONCLE MASSOUD S'EST INSTALLÉ EN ALLEMAGNE ?
EN ALLEMAGNE ? MAIS C'EST À CÔTÉ. IL NE VOUDRAIT PAS NOUS RENDRE VISITE ?
IL EST TRÈS DÉPRIMÉ. EN IRAN IL ÉTAIT QUELQU'UN : "MONSIEUR L'EXPERT COMPTABLE" ! EN ALLEMAGNE, C'EST UN TURC ... C'EST DIFFICILE À NOS ÂGES DE TOUT RECOMMENCER À ZÉRO.
JE ME SOUVIENS DU TEMPS OÙ ON VOYAGEAIT EN EUROPE. IL SUFFISAIT DE MONTRER LE PASSEPORT IRANIEN, C'ÉTAIT LE TAPIS ROUGE. ON ÉTAIT RICHE AVANT. MAINTENANT DÈS QU'ILS APPRENNENT NOTRE NATIONALITÉ, ILS NOUS FOUILLENT PARTOUT, COMME SI NOUS ÉTIONS TOUS DES TERRORISTES. ILS NOUS TRAITENT COMME DES PESTIFÉRÉS.

QUELQUES JOURS PLUS TARD AU CAFÉ HAWELKA.
DONNE-MOI UNE CIGARETTE.
!?
ALLEZ, NE FAIS PAS DE CHICHI, JE SAIS QUE TU FUMES!
QU'EST-CE QUI TE FAIT CROIRE ÇA?
TU SENS LA FUMÉE ET PUIS J'AI VU UN PAQUET DE CAMEL DANS TON SAC!
TU AS FOUILLÉ DANS MES AFFAIRES PERSONNELLES??
ÇA FAISAIT TROP LONGTEMPS QUE JE VIVAIS SEULE POUR ACCEPTER QU'ON S'IMMISCE DANS MA VIE PRIVÉE.
ALLEZ, DONNE-MOI CETTE CLOPE!
J'AI DÉCIDÉ DE LAISSER TOMBER. JE SAVAIS QU'ELLE PARTAIT DANS VINGT JOURS ET JE NE VOULAIS RIEN REGRETTER.
TIENS, LA VOILÀ TA CIGARETTE.
C'EST PEUT-ÊTRE IDIOT DE POSER CETTE QUESTION MAINTENANT, MAIS EN FAIT QU'EST-CE QU'IL S'EST PASSÉ VRAIMENT AVEC LES BONNES SOEURS?
COMME JE TE L'AI DIT.
ELLES ONT DIT QUE LES IRANIENS N'AVAIENT AUCUNE ÉDUCATION ET JE LEUR AI RÉPONDU QU'ELLES ÉTAIENT TOUTES DES PROSTITUÉES.
TU AS BIEN FAIT!
DANS UNE SITUATION NORMALE, ELLE M'AURAIT SÛREMENT ENGUEULÉE D'AVOIR INSULTÉ LES GENS.
TU NE RECOMMENCES PLUS, HEIN?
BIEN SÛR QUE NON.
QUAND ON VOIT RAREMENT SES PARENTS, ON SE PARDONNE TOUT.

MON SÉJOUR AU WOHNGEMEINSCHAFT ÉTAIT PROVISOIRE. JE DEVAIS ME RELOGER
MARJI, JE SUIS PASSÉE DEVANT L'UNIVERSITÉ. J'AI VU UNE ANNONCE POUR UNE CHAMBRE DANS LE TREIZIÈME.
NOUS Y SOMMES ALLÉES L'APRÈS-MIDI MÊME. HANSE NIESE WEG 1.
HALLO! JE SUIS FRAU DOKTOR HELLER.
MADAME SATRAPI.
*QU'ELLE EST GROSSE!
TENEZ... LE LOYER EST DE DEUX MILLE SCHILLINGS.* ELLE PEUT UTILISER LA CUISINE ET LA SALLE DE BAIN QU'ELLE PARTAGERA AVEC TROIS COLOCATAIRES, DEUX MUSICIENS ANGLAIS ET UN ÉTUDIANT EN ARCHITECTURE AMÉRICAIN.
*150 EUROS
TOUTES LES CONDITIONS NOUS CONVENAIENT.
PRENEZ BIEN SOIN DE MA FILLE.
BIEN SÛR MADAME SARTITI, BIEN SÛR!
ET À L'ARRÊT DU TRAMWAY.
COMMENT TU AS TROUVÉ LE THÉ?
UN VRAI PIPI DE CHEVAL!
ELLE AUSSI, ON AURAIT DIT UN CHEVAL!
5
MPFRR
MMF
PIPI DE CHEVAL DE TÊTE DE CHEVAL!!!
ENCORE AUJOURD'HUI CETTE PLAISANTERIE INFANTILE NOUS FAIT BEAUCOUP RIRE MA MÈRE ET MOI.

JE PASSAI VINGT-SEPT JOURS À SES CÔTÉS. JE GOÛTAI À LA NOURRITURE CÉLESTE DE MON PAYS, PRÉPARÉE PAR MA MÈRE. ÇA ME CHANGEAIT DES PÂTES.
ELLE ME CÂLINA TOUS LES SOIRS POUR M'ENDORMIR.
ÇA ME REPOSAIT DE DISCUTER AVEC ELLE. ÇA FAISAIT LONGTEMPS QUE JE N'AVAIS PAS PARLÉ À UNE PERSONNE SANS AVOIR À LUI EXPLIQUER MA CULTURE.
LA VEILLE DE SON DÉPART
MA CHÉRIE, TU N'INSULTES PAS DOKTOR HELLER, HEIN?
C'EST PROMIS
ACHÈTE-TOI DES FRUITS ET LÉGUMES. IL FAUT BIEN MANGER. CE N'EST PAS POUR RIEN QU'ON DIT: "UN ESPRIT SAIN DANS UN CORPS SAIN"!
REGARDE! J'AI FAIT DES CROQUIS D'APRÈS LES VÊTEMENTS EN VITRINE. JE VAIS TE CONFECTIONNER DES HABITS. IL T'EN FAUT DES NOUVEAUX.
DEPUIS MON ARRIVÉE EN AUTRICHE, JE NE M'ÉTAIS RIEN ACHETÉE ET VU MA CROISSANCE, MES FRUSQUES NE M'ALLAIENT PLUS.
PUIS VINT CE VILAIN JOUR DU DÉPART. J'ÉTAIS TRISTE, MAIS BON, JE COMMENÇAIS À ÊTRE HABITUÉE AUX SÉPARATIONS.
MA MÈRE EST PARTIE.
JE SUIS SÛRE QU'ELLE COMPRIT LA DÉTRESSE DE MON ISOLEMENT ET MÊME SI ELLE SE VOILA LA FACE ET NE FIT RIEN PARAÎTRE, ELLE ME LAISSA UN BAGAGE AFFECTIF QUI M'AIDA À TENIR PLUSIEURS MOIS.

CACHE-CACHE
LA MAISON DE FRAU DOKTOR HELLER ÉTAIT UNE VIEILLE VILLA, CONSTRUITE PAR SON PÈRE, UN SCULPTEUR ASSEZ CONNU DES ANNÉES TRENTE. LA GRANDE TERRASSE QUI DONNAIT SUR LE JARDIN ÉTAIT MON ENDROIT FAVORI. J'Y PASSAIS DES MOMENTS TRÈS AGRÉABLES.
SEULS LES EXCRÉMENTS DE VICTOR, LE CHIEN DE FRAU DOKTOR HELLER, TROUBLAIENT CETTE HARMONIE.
IL DÉFÉQUAIT EN MOYENNE UNE FOIS PAR SEMAINE SUR MON LIT.
DOKTOR HELLER!
VOUS VOUS RENDEZ COMPTE? C'EST LA CINQUIÈME FOIS EN UN MOIS. C'EST INACCEPTABLE! MAIS ÉDUQUEZ-LE ENFIN!
OUI, BON! JE VAIS FAIRE CHANGER LES DRAPS.
J'OUBLIAIS SOUVENT QU'IL ÉTAIT TROP VIEUX POUR APPRENDRE QUOI QUE CE SOIT
VOUS ÊTES VRAIMENT TRÈS MANIAQUE!
?!

TOUS MES AMIS ÉTAIENT PARTIS DU LYCÉE. JULIE ÉTAIT EN ESPAGNE, THIERRY ET OLIVIER ÉTAIENT RETOURNÉS EN SUISSE ET MOMO AVAIT ÉTÉ RENVOYÉ. J'ÉTAIS SEULE À L'ÉCOLE MAIS ÇA M'ÉTAIT BIEN ÉGAL.
MON MANQUE D'INTÉRÊT POUR LES AUTRES ME RENDIT PLUS INTÉRESSANTE.
ALORS ÇA VA MARJANE?
OUI, OUI!
DEPUIS QUE J'AVAIS VU MA MÈRE, JE N'AVAIS BESOIN DE PERSONNE.
ENFIN PRESQUE.
TU VEUX QU'ON RENTRE ENSEMBLE?
NON! MON COPAIN VIENT ME CHERCHER.
IL S'APPELAIT ENRIQUE. JE L'AVAIS RENCONTRÉ PAR DIETER, UN DE MES ANCIENS COLOCATAIRES.
72328
!?
!!!
iiiiiii
ENRIQUE ÉTAIT MI AUTRICHIEN, MI ESPAGNOL.
ÇA TE DIRAIT D'ALLER À UNE FÊTE ANARCHISTE CE WEEK-END?
AH BIEN SÛR! J'ADORERAIS.
ENRIQUE AVAIT VINGT ANS ET JOUAIT DU PIANO.
JE L'AIMAIS BEAUCOUP.
NOUS SERONS UNE VINGTAINE DE PERSONNES, ÇA VA ÊTRE COOL!
TU LES CONNAIS TOUS?
OUI
LE FAIT D'APPRENDRE QU'IL CONNAISSAIT DE VRAIS ANARCHISTES RENFORÇA MES SENTIMENTS À SON ÉGARD.

"UNE FÊTE DE RÉVOLUTIONNAIRES ANARCHISTES"!. ÇA ME RAPPELAIT L'ENGAGEMENT ET LES COMBATS DE MON ENFANCE EN IRAN. DE PLUS ÇA ME PERMETTRAIT PEUT-ÊTRE DE MIEUX CONNAÎTRE BAKOUNINE.
À BAS LES BOURGEOIS
VIVE BAKOUNINE
JE COMPTAIS LES HEURES.

ENFIN LE GRAND JOUR ARRIVA.
APRÈS UNE HEURE ET DEMIE DE ROUTE, NOUS ARRIVÂMES EN PLEINE FORÊT.
J'APERÇUS DE LOIN UNE BANDE D'ADULTES SE POURSUIVRE EN CRIANT :
CHAT PERCHÉ !
TU NE M'AURAS PAS
ATTRAPE-MOI SI TU PEUX !
!?
QUELLE DÉCEPTION... MON ENTHOUSIASME FUT VITE REMPLACÉ PAR UN SENTIMENT DE DÉGOÛT ET DE MÉPRIS PROFOND.

C'ÉTAIT DONC ÇA LES ANARCHISTES?
ALORS, ÇA TE PLAÎT?
...
À CET INSTANT PRÉCIS, MON AMOUR POUR ENRIQUE EN PRIT UN GRAND COUP.
VIENS, ON VA JOUER AVEC LES AUTRES.
...
ALLEZ, TU VERRAS, ON VA BIEN S'AMUSER!
JE N'AI PAS TROP ENVIE DE FAIRE LA FÊTE.
ENRIQUE INSISTAIT. J'AI CÉDÉ FINALEMENT.
ON A JOUÉ À CACHE-CACHE.
PUIS AU VOLLEY-BALL.
POUR FINIR LA SOIRÉE, NOUS AVONS GRILLÉ DES SAUCISSES TOUT EN CHANTANT JANIS JOPLIN.
LES SAUCISSES ET LA MUSIQUE ÉTAIENT BONNES... J'ÉTAIS À NOUVEAU AMOUREUSE.

ENSUITE NOUS SOMMES RENTRÉS NOUS COUCHER.
ALLEZ, BONNE NUIT.
FAITES DE BEAUX RÊVES!
ON VA TOUS DORMIR ICI?
ÇA ME GÊNAIT DE DORMIR AVEC ENRIQUE DEVANT TOUS CES GENS. JE VENAIS D'UNE CULTURE OÙ MÊME S'EMBRASSER EN PUBLIC ÉTAIT CONSIDÉRÉ COMME UN ACTE SEXUEL.
TIENS MARJANE, JE TE PRÉSENTE INGRID.
ENCHANTÉE MARJANE. IL Y A UNE CHAMBRE EN HAUT. VOUS POUVEZ VOUS Y INSTALLER SI VOUS VOULEZ.
OH MERCI, C'EST GENTIL.
ELLE EST MIGNONNE TA PETITE COPINE.
JE SAIS.
BONNE NUIT LES AMOUREUX.
JUSQU'À CE SOIR, MA RELATION AVEC ENRIQUE ÉTAIT STRICTEMENT PLATONIQUE. J'AVAIS GRANDI DANS UN PAYS OÙ L'ACTE SEXUEL NE SE CONSOMMAIT QU'APRÈS LE MARIAGE. POUR ENRIQUE, CE N'ÉTAIT PAS UN PROBLÈME. ON S'ACCOMMODAIT AVEC DE TENDRES BAISERS.
MAIS CE SOIR, C'ÉTAIT DIFFÉRENT. JE ME SENTAIS PRÊTE À PERDRE MON INNOCENCE.
ET TANT PIS SI AUCUN IRANIEN NE SE MARIE JAMAIS AVEC MOI. JE VIS EN EUROPE ET J'ÉPOUSERAI UN EUROPÉEN!
JE NE VOULAIS PLUS ÊTRE UNE VIERGE EFFAROUCHÉE.

MALHEUREUSEMENT, LE LENDEMAIN MATIN J'ÉTAIS AUSSI VIERGE ET AUSSI EFFAROUCHÉE QUE LA VEILLE.
?
TAP TAP
POURTANT J'ESSAYAI DE FAIRE DE MON MIEUX.
C'EST DE MA FAUTE ! QU'EST-CE QUE JE SUIS MOCHE. C'EST SÛREMENT POUR ÇA QU'IL N'A PAS VOULU DE MOI.
JE NE VOYAIS PAS D'AUTRE EXPLICATION.
JE SUIS MOCHE, JE PUE, JE SUIS MAL FOUTUE, J'AI DES POILS !
JE SUIS ALLÉE LE REJOINDRE POUR LUI PARLER.
?!!?
INGRID!
JE VENAIS DE TROUVER UNE AUTRE EXPLICATION : "IL ÉTAIT AMOUREUX D'INGRID."
BONJOUR MON CHOUCHOU. JE N'AI PAS VOULU TE RÉVEILLER. TU DORMAIS SI PAISIBLEMENT. ÇA VA?
OUI
J'AI DES CHOSES À FAIRE. À TOUT À L'HEURE.
À TOUT DE SUITE.
POURQUOI TU ES SI TRISTE?
JE SAIS. VIENS, IL FAUT QUE JE TE PARLE.
IL VA ME DIRE QU'IL VA SE MARIER AVEC CETTE VIEILLE GROSSE.
VIENS...
IL VA ME DIRE QU'ELLE EST LE GRAND AMOUR DE SA VIE, QUE JE SUIS COMME UNE SOEUR POUR LUI.

MARJANE, JE T'ADORE. GRÂCE À TOI, J'AI DÉCOUVERT QUELQUE CHOSE DE TRÈS IMPORTANT.
J'ÉCOUTE.
JE N'EN AI PARLÉ À PERSONNE. JE VOULAIS PARTAGER CE SECRET D'ABORD AVEC TOI.
C'EST VRAI? TU NE L'AS MÊME PAS DIT À INGRID?
NON!
VOILÀ, JE PENSE QUE JE SUIS HOMOSEXUEL.
QUOI? TOI AUSSI?
CE N'ÉTAIT PAS CONCEVABLE. D'ABORD MES HUIT COLOCATAIRES ET MAINTENANT MON PETIT COPAIN. À CROIRE QUE TOUS LES HOMMES QUE JE CONNAISSAIS S'AIMAIENT ENTRE EUX.
SI ÇA N'A PAS MARCHÉ AVEC TOI, ÇA NE MARCHERA AVEC PERSONNE!
JE N'AI JAMAIS VRAIMENT SU QUI J'ÉTAIS... TU M'AS ÔTÉ TOUS MES DOUTES.
JE TE JURE, CE N'EST PAS TOI. JE TE TROUVE JOLIE, ATTIRANTE, DOUCE; C'EST MOI! JE TE PROMETS, C'EST MOI.
QUELQUE PART J'ÉTAIS QUAND MÊME RASSURÉE. J'ADMETTAIS PLUS FACILEMENT QU'IL SOIT HOMO, PLUTÔT QU'IL AIT UNE PRÉFÉRENCE POUR INGRID OU QU'IL ME TROUVE LAIDE.
JE SUIS CONTENTE POUR TOI.
QUE POUVAIS-JE LUI RÉPONDRE D'AUTRE?
PROMETS-MOI QU'ON RESTERA TOUJOURS AMIS.
JE TE LE PROMETS.
JE DONNAI MA PAROLE MAIS J'ÉTAIS TROP JEUNE POUR LA TENIR. CET AMOUR CHASTE ME FRUSTRAIT PLUS QU'IL NE M'ÉPANOUISSAIT. JE VOULAIS AIMER ET ÊTRE AIMÉE POUR DE VRAI.

LOVE STORY

JE PERDIS ENRIQUE DE VUE MAIS SES AMIS ANARCHISTES M'ADOPTÈRENT. MA VIE ÉTAIT PARTAGÉE ENTRE EUX, MON LYCÉE ET LA MAISON DE FRAU DOKTOR HELLER.
LYCÉE FRANÇAIS DE VIENNE
LA VIE COMMUNAUTAIRE ALLAIT DE PAIR AVEC L'USAGE DE TOUTE SORTE DE STUPÉFIANTS: HERBE, SHIT, ...
JE ME FAISAIS DES TRIPS LES WEEK-ENDS ET ÇA SE VOYAIT SUR MON VISAGE.
MON PROFESSEUR DE PHYSIQUE, YONNEL ARROUAS, S'INQUIÉTAIT POUR MOI.
MARJANE, ÇA VA BIEN? TU PEUX ME PARLER SI TU VEUX.
...
CHEZ MOI, C'EST LA GUERRE. J'AI PEUR POUR MES PARENTS. JE SUIS SEULE ET JE CULPABILISE. JE N'AI PAS BEAUCOUP DE SOUS. MON ONCLE A ÉTÉ ASSASSINÉ. J'AI VU MA COPINE MOURIR DANS UN BOMBARDEMENT, ...
JE SENTAIS QU'IL NE ME CROYAIT PAS. IL DEVAIT PENSER QUE J'EXAGÉRAIS.
JE PERSISTAI QUAND MÊME. J'AVAIS TANT BESOIN DE PARLER.
SINON JE VIS CHEZ UNE FOLLE, MON COPAIN ...
BON, ÇA VA, J'AI COMPRIS. ÇA TE DIT DE VENIR DÉJEUNER CHEZ NOUS CE SAMEDI? MA MÈRE SERA LÀ AUSSI.
J'ACCEPTAI.
CHEZ LUI, JE JOUAI AVEC SES DEUX JUMELLES, JOHANNA ET CAROLINE.
mariane! mariane! mariane! mariane!
Cucu!
JE PARLAI LONGUEMENT AVEC MADAME ARROUAS, LA MÈRE DE MON PROF, UNE FRANÇAISE D'ORIGINE JUIVE MAROCAINE.
JE VOUS COMPRENDS, C'EST DUR. VOUS DEVEZ FAIRE TROIS FOIS PLUS D'EFFORTS QUE N'IMPORTE QUI POUR RÉUSSIR! C'EST ÇA LES IMMIGRÉS!! J'AI CONNU ÇA MOI AUSSI, QUAND JE SUIS ARRIVÉE EN FRANCE.
SOYEZ FORTE. TOUT IRA BIEN POUR VOUS. J'ESPÈRE QU'ON SE REVERRA.
MAIS ON NE S'EST PLUS JAMAIS REVUS. LA FEMME DE YONNEL NE M'AIMAIT PAS. ELLE DEVAIT PENSER QUE JE RACONTAIS DES HISTOIRES. ALORS JE NE FUS PLUS JAMAIS INVITÉE CHEZ EUX.

APRÈS MA DÉCEPTION AMOUREUSE AVEC ENRIQUE, JE COMPRENAIS MIEUX JULIE QUAND ELLE PARLAIT DES EFFETS NÉFASTES D'UN AMOUR PLATONIQUE SUR SA MÈRE. J'AVAIS SAISI LA NÉCESSITÉ D'UNE RELATION CHARNELLE. MAIS APRÈS CET INCIDENT COMMENT FAIRE?
JE ME SENTAIS ENCORE PLUS VILAINE ET AVAIS ENCORE MOINS CONFIANCE EN MOI.
ET VOILÀ QU'UN JOUR UN NOUVEL ÉLÈVE EST ARRIVÉ DANS MA CLASSE. IL S'APPELAIT JEAN-PAUL. IL ME PLAISAIT BIEN.
MARJANE, ÇA TE DIT DE PRENDRE UN POT CE WEEK END?
TOI ET MOI?
QUI D'AUTRE?
QUAND ÇA?
BEN, CE WEEK-END. SAMEDI PAR EXEMPLE.
ON S'EST DONNÉ RENDEZ-VOUS AU CAFÉ DE L'EUROPE À 18 H.
J'AI MIS MES PLUS BEAUX VÊTEMENTS. J'ÉTAIS TELLEMENT EXCITÉE QUE JE SUIS ARRIVÉE UNE HEURE EN AVANCE.
LUI, UNE DEMI-HEURE EN RETARD.
ENFIN LE VOILÀ!
SALUT! QU'EST-CE QUE TU LIS?
AH C'EST TOI? JE NE T'AVAIS PAS REMARQUÉ.
ÇA FAIT LONGTEMPS QUE TU ES LÀ?
NON, JE VIENS JUSTE D'ARRIVER.
...
...

IL ME PLAISAIT VRAIMENT BIEN.
ALORS, ÇA VA?
OUI, OUI, TRÈS BIEN. ET TOI?
MOI, ÇA VA. C'EST QUE...
...TU SAIS, J'AI UN TRÈS GRAND MANQUE D'AFFECTION.
?
J'ESPÉRAIS L'ÉMOUVOIR AFIN QU'IL PRENNE MA MAIN OSTENSIBLEMENT POSÉE SUR LA TABLE, EN ME DISANT: "NE T'EN FAIS PAS, JE COMBLERAI TOUS TES MANQUES".
À LA PLACE, IL ME DIT:
TOUT ARRIVE À POINT À QUI SAIT ATTENDRE.
?
JE NE COMPRENAIS PAS BIEN CE QU'IL ESSAYAIT DE ME DIRE.
... J'AI DONC ATTENDU...
ET APRÈS UN QUART D'HEURE D'ATTENTE,
TIENS, JE N'AI PAS TRÈS BIEN SAISI LE DERNIER COURS DE MATH SUR LES LOGARITHMES. J'AI QUELQUES QUESTIONS À TE POSER.
??!!!
IL FALLAIT RESTER DIGNE. JE LUI AI TOUT EXPLIQUÉ AVEC BEAUCOUP DE NATUREL.
PAR EXEMPLE LE LOGARITHME DE 100 ÉGAL 2 CAR 10^2 ÉGAL 100, ...
NOUS SOMMES RESTÉS ENSEMBLE JUSQU'À 9 H DU SOIR À PARLER DES FONCTIONS ET DE LA TRIGONOMÉTRIE.
C'ÉTAIT VRAIMENT TRÈS SYMPA. MERCI ET À BIENTÔT.
MAIS QU'EST-CE QUE TU AS PENSÉ PAUVRE CONNE? TU CROIS QU'UN MEC COMME LUI PEUT S'INTÉRESSER À UNE FILLE COMME TOI??
QUELLE IMBÉCILE! COMMENT AVAIS-JE PU ME FAIRE AUTANT D'ILLUSIONS?

LE WEEK-END SUIVANT, JE ME RETROUVAIS DANS LA COMMUNAUTÉ.
OÙ TU ÉTAIS PASSÉE CES DEUX DERNIÈRES SEMAINES ? POURQUOI TU N'ES PAS VENUE NOUS VOIR ?
J'ÉTAIS INVITÉE UNE FOIS CHEZ UN DE MES PROFS ET LA SEMAINE DERNIÈRE J'AI VU UN COPAIN.
INGRID, MON ENNEMIE DE JADIS, ÉTAIT DEVENUE MAINTENANT UNE GRANDE AMIE. ELLE M'APPRIT LA MÉDITATION TRANSCENDANTALE. AVEC ELLE, JE PASSAIS MON TEMPS SOIT À MÉDITER,
SOIT À DÉLIRER.
ÇA NE ME PLAISAIT PAS TOUJOURS, MAIS JE PRÉFÉRAIS DE LOIN M'ENNUYER AVEC ELLE PLUTÔT QUE DE SUPPORTER MA SOLITUDE ET MES DÉCEPTIONS.

PEU À PEU, JE DEVINS LE PORTRAIT DE DORIAN GRAY. PLUS LE TEMPS PASSAIT ET PLUS J'ÉTAIS MARQUÉE.
MAIS CETTE DÉCADENCE PLAISAIT À CERTAINS. C'EST AINSI QUE J'AI RENCONTRÉ LE PREMIER GRAND AMOUR DE MA VIE.
HÉ ! MARJANE !
IL S'APPELAIT MARKUS. IL ÉTAIT EN TERMINALE LITTÉRAIRE. AU MOINS J'ÉTAIS SÛRE QU'IL NE VOULAIT PAS ME VOIR POUR SES PROBLÈMES EN MATHÉMATIQUES.
QU'EST-CE QUE TU FAIS SAMEDI ?
JE VAIS VOIR MES AMIS À LA CAMPAGNE. POURQUOI ?
TU VEUX QU'ON AILLE EN BOÎTE ?
OUAIS, POURQUOI PAS.
CETTE FOIS JE N'AI FAIT AUCUN EFFORT : JE NE ME SUIS PAS MIS MES BEAUX VÊTEMENTS ET JE SUIS ARRIVÉE AVEC UNE HEURE DE RETARD.
J'Y CROYAIS PLUS. JE PENSAIS QUE TU NE VIENDRAIS PAS. JE SUIS HEUREUX QUE TU SOIS LÀ. TU VEUX DANSER ?
NON, JE N'AIME PAS ÇA. D'AILLEURS JE N'AIME PAS LES BOÎTES.
NOUS DANSÂMES QUAND MÊME.
QU'EST-CE TU ES BELLE CE SOIR !
QUEL MENTEUR
À PART LE FAIT D'ÊTRE TOUS LES DEUX DES ENFANTS UNIQUES, NOUS N'AVIONS RIEN EN COMMUN. J'ÉTAIS MAL À L'AISE.
HEUREUSEMENT CETTE SITUATION PATHÉTIQUE NE DURA PAS LONGTEMPS. LA BOÎTE FERMAIT À 2H30 DU MATIN
SI TU VEUX, JE T'ACCOMPAGNE CHEZ TOI MAIS AVANT IL FAUT QUE JE FASSE LE PLEIN. ON FAIT MOITIÉ-MOITIÉ?
D'ACCORD
PLUS RIEN NE M'ÉTONNAIT. MÊME PAYER L'ESSENCE POUR QUE MON CHER CAVALIER ME CONDUISE CHEZ MOI ME PARAISSAIT TOUT À FAIT NORMAL.
CE QUE J'ADORE EN TOI, C'EST TON CÔTÉ REBELLE ET TA NONCHALANCE NATURELLE.
MERCI
ET LÀ...
LES CHOSES ARRIVENT TOUJOURS QUAND ON S'Y ATTEND LE MOINS. C'ÉTAIT LE BONHEUR.

J'AVAIS ENFIN UN AUTHENTIQUE PETIT AMI. J'ÉTAIS ÉPANOUIE. UN SOIR CHEZ MARKUS,
JE VAIS ÉCRIRE UNE PIÈCE DE THÉÂTRE.
OH OUI, J'AIMERAIS Y PARTICIPER.
QUAND SOUDAIN,
WAS MACHT SIE HIER? SIE MUß RAUS GEHEN!
C'ÉTAIT SA MÈRE. MARKUS N'AVAIT PAS DE PÈRE. ELLE PENSAIT QUE JE NE COMPRENAIS PAS L'ALLEMAND. ELLE DISAIT QUE JE DEVAIS ALLER "RAUS", DEHORS.
ON M'AVAIT DÉJÀ CRIÉ CE MOT MENAÇANT DANS LE MÉTRO.
DU SCHEIß AUSLÄNDERIN, GEH RAUS!
C'ÉTAIT UN VIEUX QUI M'AVAIT DIT: "SALE ÉTRANGÈRE, SORS!". JE L'AVAIS ENTENDU À UNE AUTRE OCCASION DANS LA RUE. MAIS J'ESSAYAIS DE M'EN MOQUER. JE PENSAIS QUE C'ÉTAIT UNE RÉACTION DE PAUVRE TYPE.
MAIS LÀ, C'ÉTAIT DIFFÉRENT. CE N'ÉTAIT NI UN VIEUX DÉTRUIT PAR LA GUERRE, NI UN JEUNE IDIOT. C'ÉTAIT LA MÈRE DE MON COPAIN QUI M'AGRESSAIT. ELLE DISAIT QUE J'ABUSAIS DE MARKUS ET DE SA SITUATION POUR OBTENIR UN PASSEPORT AUTRICHIEN. QUE J'ÉTAIS UNE SORCIÈRE.
JE CROIS QU'ELLE NE S'ÉTAIT JAMAIS REGARDÉE DANS UNE GLACE.
LAß UNS IN RUHE!
ELLE M'ORDONNA DE LES LAISSER TRANQUILLES, ELLE ET SON FILS.
RAUS! ICH SAGE RAUS!!
PUIS ME MIT À LA PORTE.
ALLEZ, RENTRE. JE VIENS TE VOIR DEMAIN CHEZ TOI.
MARKUS DEVAIT SOUFFRIR BEAUCOUP PLUS QUE MOI. LUI DEVAIT SACRIFIER SA RELATION AVEC SA MÈRE POUR CONTINUER À ME VOIR. JE NE VOULAIS PAS EN RAJOUTER. ALORS JE ME TUS.

* JE VENAIS DE LIRE LES TROIS ESSAIS SUR LA THÉORIE DE LA SEXUALITÉ.

MARKUS ET MOI NE SAVIONS PAS OÙ ALLER. NOUS NOUS RETROUVIONS SOUVENT DANS SA VOITURE, OÙ NOUS FUMIONS DES PÉTARDS POUR NOUS DISTRAIRE.
TIENS, ON M'A DIT QUE DANS CE CAFÉ ON POUVAIT ACHETER DU SHIT PAS CHER. TU NE VEUX PAS ALLER VOIR? JE NE TROUVE PAS OÙ ME GARER.
BIEN SÛR!
PRENDS CES 200 SCHILLINGS
NON, ÇA VA. J'AI DE L'ARGENT.
JE SUIS DESCENDUE. J'AVAIS TRÈS TRÈS PEUR. C'ÉTAIT LA PREMIÈRE FOIS QUE JE METTAIS LES PIEDS DANS UN ENDROIT AUSSI SORDIDE.
CAFÉ CAMERA
MAIS CE N'ÉTAIT PAS GRAVE. APRÈS TOUT, JE LE FAISAIS POUR MON AMOUR.
EXCUSEZ-MOI, JE VEUX DU MATOS POUR 200 BALLES.
SUIS-MOI
TIENS
MERCI
MARKUS ÉTAIT FIER DE MOI. SI FIER, QU'IL RACONTA À TOUT LE LYCÉE QUE SA COPINE AVAIT DES CONTACTS AU CAFÉ CAMERA.
VOILÀ COMMENT PAR AMOUR, JE DÉBUTAI MA CARRIÈRE DE REVENDEUR DE DROGUE. N'AVAIS-JE PAS SUIVI LES CONSEILS DE MA MÈRE? DONNER LE MEILLEUR DE MOI-MÊME? JE N'ÉTAIS PLUS UNE SIMPLE JUNKIE, MAIS LE DEALER ATTITRÉ DE MON LYCÉE.

LE CROISSANT

PUIS VINT L'ÉTÉ. À VRAI DIRE, JE NE GAGNAIS RIEN EN DEALANT PUISQUE JE LE FAISAIS SURTOUT POUR RENDRE SERVICE. JE ME SUIS DONC MISE À CHERCHER DES PETITS BOULOTS.
C'ÉTAIT PARFOIS ENNUYEUX,
30 ÖS
JETZT
SHÖPS
PARFOIS AMUSANT.
UN JOUR J'AI VU UNE ANNONCE DANS UN JOURNAL: "CAFÉ SOLE CHERCHE SERVEUSE, TROIS LANGUES EUROPÉENNES EXIGÉES."
TU PARLES ALLEMAND, ANGLAIS ET FRANÇAIS. C'EST BIEN. TU AS DÉJÀ TRAVAILLÉ DANS UN BAR?
OUI*
BON! TU COMMENCES DEMAIN. MAIS ATTENTION! LE CLIENT A TOUJOURS RAISON!!
* J'AI MENTI
LE CAFÉ SOLE SE TROUVAIT DANS LE MEILLEUR QUARTIER DE VIENNE, J'ÉTAIS CORRECTEMENT PAYÉE, MAIS CE N'ÉTAIT PAS TOUJOURS FACILE AVEC LES CLIENTS. DES FOIS, J'AVAIS VRAIMENT ENVIE DE LES GIFLER.
"LE CLIENT A TOUJOURS RAISON", "LE CLIENT A TOUJOURS RAISON"...
J'AVAIS QUAND MÊME UNE ALLIÉE. C'ÉTAIT SVETLANA, LA CUISINIÈRE YOUGOSLAVE.
QU'EST-CE QU'IL Y A PETITE?
UN CON M'A PINCÉ LES FESSES.
DIS-MOI, QU'EST-CE QU'IL A COMMANDÉ CE FILS DE PUTE?
UN WIENER SCHNITZEL*
* ESCALOPE VIENNOISE
PARDONNEZ-MOI MON SEIGNEUR!
RAAK
PTOUH!
VOILÀ! JUSTICE EST FAITE
ELLE ME FAISAIT BIEN RIRE. GRÂCE À ELLE, J'AI PU CONTINUER À TRAVAILLER LÀ-BAS SANS AVOIR À BLESSER CERTAINS HOMMES DANS LEUR VIRILITÉ.

J'ÉTAIS TELLEMENT OCCUPÉE QUE JE N'AI PAS VU LA RENTRÉE ARRIVER.
MARJANE SATRAPI ! TU ES CONVOQUÉE CHEZ LE PROVISEUR.
J'AI VU QUE VOUS AVIEZ EU LE MEILLEUR RÉSULTAT AU BAC FRANÇAIS. TOUTES MES FÉLICITATIONS.
MERCI MONSIEUR.
PRENEZ PLACE.
VOYEZ-VOUS, L'USAGE DE CERTAINES SUBSTANCES N'A PAS LES MÊMES EFFETS SUR TOUTES LES PERSONNES. CHEZ CERTAINS INDIVIDUS, CELA PEUT ENTRAÎNER DES CONSÉQUENCES DÉPLORABLES.
JE M'EXPLIQUE. NOUS AVONS UN RÉEL PROLÈME AVEC LA CONSOMMATION DE CANNABIS DANS CE LYCÉE.
CELUI OU CELLE QUI EN PROCURE AUX ÉLÈVES DE CET ÉTABLISSEMENT PEUT ÊTRE SÉVÈREMENT PUNI.
VOUS ÊTES INTELLIGENTE ET JE COMPTE SUR VOUS POUR NE PAS M'OBLIGER À VOUS LE SIGNIFIER UNE SECONDE FOIS.
NON, VOUS NE SEREZ PAS OBLIGÉ.
RAPPELEZ-VOUS SATRAPI, JE COMPTE SUR VOUS !
OUI, OUI.
J'EUS TRÈS PEUR. CE FUT LA FIN DE MA CARRIÈRE.

CERTES, JE NE VENDAIS PLUS DE DROGUE MAIS JE ME SUIS MISE À EN CONSOMMER DE PLUS EN PLUS. AU DÉBUT, MARKUS FUT TRÈS IMPRESSIONNÉ,
ENCORE UN?? TU ES TROP FORTE !
PUIS IL ME FIT LA MORALE,
NOM DE DIEU ! MAIS REGARDE CE QUE TU DEVIENS.
ET FINALEMENT IL PRIT DE LA DISTANCE.
CE CÔTÉ DÉCADENT QUI LUI AVAIT TANT PLU AUPARAVANT, FINIT PAR L'AGACER PROFONDÉMENT.
IL FAUT DIRE QUE JE FUMAIS TROP DE PÉTARDS. J'AVAIS CONSTAMMENT SOMMEIL ET JE M'ENDORMAIS SOUVENT.
L'INTÉGRALE DÉFINIE D'UNE FONCTION F SUR...
MARJANE, ÇA VA ?
QUOI ?
VOUS ALLEZ BIEN ?
QU'EST-CE QUE VOUS VOULEZ QUE JE VOUS DISE MONSIEUR ? QUE JE SUIS LE LÉGUME QUE JE REFUSAIS DE DEVENIR ?
QUE JE ME DÉÇOIS TELLEMENT QUE JE N'ARRIVE PLUS À ME REGARDER DANS UNE GLACE ? QUE JE ME HAIS ?...
TOUT VA BIEN MONSIEUR. JE SUIS UN PEU MALADE, JE ME SENS TRÈS FATIGUÉE.
JE SUIS RESTÉE DANS CET ÉTAT LE RESTE DE L'ANNÉE SCOLAIRE, MAIS GRÂCE AUX PLIS RECOMMANDÉS, ENVOYÉS TOUS LES JOURS À DIEU PAR MA MÈRE, J'OBTINS TANT BIEN QUE MAL MON BAC. J'ÉTAIS RASSURÉE.

NOUS ÉTIONS EN 1988. MARKUS AVAIT COMMENCÉ DES ÉTUDES DE THÉÂTRE. MOI, JE M'ÉTAIS INSCRITE À LA FACULTÉ DE TECHNOLOGIE, MAIS JE N'Y ALLAIS JAMAIS.
TU NE VEUX PAS QU'ON SORTE ?
JE N'AI PAS LE TEMPS, J'AI MES EXAMENS DANS UNE SEMAINE.
CETTE MÊME ANNÉE, JE PRIS CONSCIENCE QUE LE PRÉSIDENT DE L'AUTRICHE S'APPELAIT KURT WALDHEIM.
PAR MARKUS J'AVAIS CONNU D'AUTRES ÉTUDIANTS. NOUS NOUS RETROUVIONS SOUVENT AU CAFÉ HAWELKA, OÙ NOUS DISCUTIONS POLITIQUE.
C'EST LE RETOUR DU NAZISME, C'EST GRAVE.
IL NE FAUT PAS EXAGÉRER. WALDHEIM EST ÉLU DEPUIS UN AN ET DEMI. S'IL Y AVAIT EU DES CHANGEMENTS RADICAUX, ON L'AURAIT SU.
COMMENT TU PEUX DIRE ÇA ? NOUS SOMMES PASSÉS DU SOCIALISME AU NAZISME.
PERSONNELLEMENT, JE NE CONSTATAIS PAS CETTE DIFFÉRENCE. LA PREMIÈRE FOIS QUE J'AI VU DES SKINHEADS, C'ÉTAIT EN 1984. À L'ÉPOQUE, JE NE SAVAIS MÊME PAS CE QUE C'ÉTAIT. DE PLUS, JE PARLAIS TRÈS PEU L'ALLEMAND. JE N'AI DONC PAS COMPRIS CE QU'ILS ME VOULAIENT. JE LES SENTAIS HOSTILES, MAIS APRÈS AVOIR GRANDI PRÈS DES GARDIENS DE LA RÉVOLUTION, JE SAVAIS ME DÉBROUILLER DANS CE GENRE DE SITUATION...
J'AI FAIT PROFIL BAS.
DEPUIS LORS, JE N'AVAIS PAS REMARQUÉ LEUR NOMBRE S'ACCROÎTRE.
DES CONS, IL Y EN A PARTOUT. VOUS CROYEZ QUE CHEZ MOI IL N'Y EN A PAS ? ILS SONT DIX FOIS PLUS FÉROCES QUE LES VÔTRES. EN IRAN, ON TUE LES GENS QUI NE PENSENT PAS COMME LES DIRIGEANTS !
C'EST INTÉRESSANT D'AVOIR UN AVIS EXTÉRIEUR.
OUI, C'EST VRAI...

PENDANT CETTE PÉRIODE, LES ÉTUDIANTS EN QUESTION, COMME LA PLUPART DES JEUNES VIENNOIS ÉTAIENT TRÈS POLITISÉS. ILS MANIFESTAIENT DE TEMPS À AUTRE CONTRE LE GOUVERNEMENT AU POUVOIR. PARFOIS, JE LES REJOIGNAIS.
ILS DISAIENT QUE LES VIEUX NAZIS ENSEIGNAIENT "MEIN KAMPF" CHEZ EUX AUX NÉONAZIS DEPUIS LE DÉBUT DES ANNÉES 80, QUE BIENTÔT IL Y AURAIT UNE MONTÉE DE L'EXTRÊME DROITE DANS TOUTE L'EUROPE.
C'EST FOU COMME LES GENS SONT TOUS DES LÂCHES. ET ENCORE NOUS SOMMES À VIENNE. VOUS VOUS IMAGINEZ COMMENT ÇA DOIT ÊTRE AU TYROL!!
MAIS MOI, JE SUIS DÉJÀ ALLÉE AU TYROL, JE LES AI TROUVÉS TRÈS SYMPAS.
LE PÈRE DE MA COPINE M'A MÊME FABRIQUÉ UN CADRE...
C'EST PARCE QUE TU ES UNE FILLE. SI TU ÉTAIS UN GARÇON FRISÉ ET UN PEU PLUS BASANÉ, ÇA NE SE PASSERAIT PAS COMME ÇA.
JE ME DEMANDAIS S'ILS AURAIENT ÉTÉ ASSIS À MES CÔTÉS SI J'AVAIS ÉTÉ UN GARÇON FRISÉ ET BASANÉ?

MARKUS, LUI, NE PARTICIPAIT JAMAIS À RIEN. IL ÉCRIVAIT SA PIÈCE DE THÉÂTRE.
TU NE VIENS PAS AVEC NOUS?
EUH, NON! JE TRAVAILLE, JE N'AI PAS LE TEMPS.
EN PLUS, ÇA NE SERT À RIEN. WALDHEIM A ÉTÉ ÉLU DÉMOCRATIQUEMENT. C'EST LA VOLONTÉ DU PEUPLE.
TCHRRI TCHRRI
ET TA CONSCIENCE? QU'EST-CE QUE T'EN FAIS DE TA CONSCIENCE?
J'ÉCRIS. LA CULTURE ET L'ÉDUCATION SONT LES ARMES FATALES CONTRE TOUTES LES SORTES D'INTÉGRISMES. IL FAUT ÉDUQUER LES GENS POUR QU'ILS NE VOTENT PLUS POUR LES NAZIS.
OUAIS, LES INTELLECTUELS SONT TROP PRÉCIEUX POUR PERDRE LEUR TEMPS À CRIER!
N'IMPORTE QUOI...
DE TOUTE FAÇON C'EST LA LÂCHETÉ DES GENS COMME TOI QUI OFFRE LA POSSIBILITÉ AUX DICTATEURS DE S'INSTALLER!
LES DISPUTES SOULIGNAIENT LE DÉBUT DE LA FIN DE NOTRE HISTOIRE.

POURTANT LUI COMME MOI ESSAYIONS DE SAUVER NOTRE RELATION. CELA FAISAIT PRESQUE DEUX ANS QU'ON ÉTAIT ENSEMBLE. LA VEILLE DE MON ANNIVERSAIRE,
JE SUIS INVITÉE À GRAZ PAR UNE COPINE.
C'EST BIEN.
ÇA NE TE DÉRANGE PAS QUE JE NE FÊTE PAS MON ANNIVERSAIRE AVEC TOI ?
NON, PAS DU TOUT.
ÇA TE CHANGERA LES IDÉES.
APRÈS TOUT ÇA TOMBAIT BIEN. PEUT-ÊTRE CE SÉJOUR ALLAIT-IL SAUVER NOTRE COUPLE.
JE VAIS TE MANQUER, TU VAS VOIR ...
BON, JE VAIS DORMIR CHEZ TOI CE SOIR. DEMAIN J'AI MON TRAIN À 7H30
ATTENDS, TU ES PLUS PROCHE DE LA GARE QUE MOI. SI TU VIENS, TU VAS RATER TON TRAIN.
OUI, TU AS RAISON !
À TON RETOUR, ON FÊTERA ÇA ENSEMBLE.

J'AI DONC DORMI CHEZ MOI ET LE LENDEMAIN MATIN...
7.15
...J'AI RATÉ MON TRAIN.
ÇA DOIT ÊTRE UN SIGNE DU DESTIN POUR QUE JE CÉLÈBRE MES DIX-HUIT ANS AVEC LUI.
J'EUS UNE IDÉE INGÉNIEUSE : "JE VAIS LUI FAIRE UNE SURPRISE EN LUI APPORTANT DES CROISSANTS CHAUDS."
OH OUAIS, JE SUIS TROP COOL COMME FILLE !
ANKER
JE TOURNAI DÉLICATEMENT LA CLEF DANS LA SERRURE, POUR NE PAS LE RÉVEILLER, AFIN DE LE SURPRENDRE.

COUCOU !
ANKER
C'ÉTAIT COMME DANS UN MAUVAIS FILM AMÉRICAIN. UN DE CES FILMS OÙ L'HOMME SURPRIS S'ENVELOPPE DANS SON DRAP PAR PUDEUR ET DIT:
ATTENDS, JE VAIS TOUT T'EXPLIQUER !
... CE N'EST PAS CE QUE TU PENSES ...
... JE T'AIME MARJANE, IL FAUT ME CROIRE, JE T'AIME ...
CONNARD DÉGUEULASSE MERDEUX
SI C'EST COMME ÇA CASSE-TOI ! ALLEZ, DÉGAGE !!
AINSI SOUS L'ORDRE DU CRAPULEUX MARKUS, JE DÉGAGEAI. JE NE L'AI PLUS JAMAIS REVU.

LE FOULARD

MA RUPTURE AVEC MARKUS REPRÉSENTAIT PLUS QU'UNE SIMPLE SÉPARATION. JE VENAIS DE PERDRE MON UNIQUE SOUTIEN AFFECTIF, LA SEULE PERSONNE QUI TENAIT À MOI, À LAQUELLE J'ÉTAIS AUSSI PLEINEMENT ATTACHÉE.
MOI QUI N'AVAIS NI FAMILLE, NI AMIS. MOI QUI AVAIS TOUT MISÉ SUR CETTE RELATION. LE MONDE VENAIT DE S'ÉCROULER DEVANT MES YEUX.
AH VOUS ÊTES LÀ ! J'AI PERDU MA BROCHE. JE SUIS SÛRE QUE C'EST VOUS QUI ME L'AVEZ PRISE.
LAISSEZ-MOI TRANQUILLE, JE VOUS EN PRIE !
ÇA NE VA PAS SE PASSER COMME ÇA.
ALLEZ AU DIABLE, PARTEZ ! JE VOUS DÉTESTE, JE VOUS HAIS !
TOUT ME RAPPELAIT MARKUS. CE COUVRE-LIT, C'ÉTAIT SON CADEAU POUR MON ANNIVERSAIRE.
CETTE AFFICHE, IL ME L'AVAIT ACHETÉE LORS DE L'EXPO PICASSO AU MUSÉE DES ARTS MODERNES.
SON T-SHIRT OH SON T-SHIRT !
À PART LUI, QUI D'AUTRE S'ÉTAIT SINCÈREMENT INTÉRESSÉ À MOI PENDANT LES QUATRE ANNÉES PASSÉES À VIENNE ?
OÙ ÉTAIT MA MÈRE POUR ME CARESSER LES CHEVEUX ?
OÙ ÉTAIT MA MAMIE POUR ME DIRE QUE LES AMOUREUX, J'EN AURAI PAR PAQUETS DE DOUZE ?
OÙ ÉTAIT MON PÈRE POUR CHÂTIER CE GARÇON QUI AVAIT OSÉ FAIRE DU MAL À SA FILLE ? OÙ ?

DANS CETTE CHAMBRE TOUT M'ÉVOQUAIT MARKUS. JE NE LA SUPPORTAIS PLUS.
JE ME SUIS DONC HABILLÉE,
J'AI PRIS MON SAC,
MON PASSEPORT, LE BILLET D'AVION QUE MES PARENTS M'AVAIENT OFFERT POUR LEUR RENDRE VISITE À NOËL ET UN PEU D'ARGENT.
OÙ EST-CE QUE VOUS ALLEZ COMME ÇA ?
ADIEU !
VOUS N'ALLEZ PAS VOUS EN TIRER SI FACILEMENT !
ALLEZ VOUS FAIRE FOUTRE.
VOLEUSE ! JE VAIS APPELER LA POLICE ! JE VAIS FAIRE CECI ET CELA, ...
CLAC

C'ÉTAIT LE 22 NOVEMBRE. LE JOUR DE MON ANNIVERSAIRE. IL FAISAIT UN FROID DE CANARD. JE SUIS RESTÉE SUR UN BANC, IMMOBILE... JE REGARDAIS LES GENS PARTIR AU TRAVAIL...
NEW MAN
...PUIS RENTRER...
ET LE SOIR...
"LA NUIT PORTE CONSEIL", ME DISAIT TOUJOURS MA GRAND-MÈRE.

EN EFFET, ELLE M'ÉCLAIRCIT SUR BEAUCOUP DE POINTS. SOUDAIN, J'EUS UNE RÉVÉLATION.
MARKUS EST UN SALOPARD.
TOUTES CES FOIS OÙ, SOUS PRÉTEXTE DE NE PAS TROUVER OÙ SE GARER, IL ME FAISAIT DESCENDRE AU CAFÉ CAMÉRA...
... IL SAVAIT QUE LES FLICS Y PASSAIENT DE TEMPS EN TEMPS FAIRE DES RAFLES.
ÇA NE L'AURAIT PAS DÉRANGÉ QUE JE ME FASSE ARRÊTER.
ET LA FOIS OÙ SA MÈRE M'A MÉCHAMMENT ENGUEULÉE...
... IL AURAIT PU PRENDRE MA DÉFENSE AU LIEU DE ME RENVOYER CHEZ MOI!...
... SANS PARLER DE LA PREMIÈRE FOIS OÙ NOUS SOMMES SORTIS ENSEMBLE EN BOÎTE, QUAND IL M'A DEMANDÉ DE LUI PAYER SON ESSENCE ET UNE FOIS L'ESSENCE PAYÉE IL M'A DIT :
CE QUE J'ADORE EN TOI, C'EST TON CÔTÉ REBELLE ET TA NONCHALANCE NATURELLE.
SOUMIS COMME IL ÉTAIT, IL DEVAIT S'IDENTIFIER À MON ASPECT REBELLE.
COMMENT J'AI PU M'AVEUGLER À CE POINT? QUELLE RELATION? QUEL AMOUR? QUEL SOUTIEN?
QUEL CONNARD!!!

IL ME DISAIT QUE SA MÈRE LUI AVAIT COUPÉ LES VIVRES.
JE NE SAIS VRAIMENT PAS COMMENT FAIRE. JE COMMENCE LA FAC DANS UN MOIS, SI JE ME METS À BOSSER EN MÊME TEMPS, ÇA VA ME PRENDRE DIX ANS AVANT QUE JE FINISSE MES ÉTUDES.
NE T'EN FAIS PAS, J'AI UN PEU D'ÉCONOMIES.
DE CETTE FAÇON, TOUT L'ARGENT QUE M'AVAIENT ENVOYÉ MES PARENTS, AVEC LEQUEL J'ÉTAIS SUPPOSÉE VIVRE PENDANT UN AN, FUT DÉPENSÉ EN TROIS MOIS.
L'ADDITION ?
C'EST POUR MOI
CE N'EST PAS POSSIBLE. SA MÈRE L'AIMAIT TROP POUR LUI COUPER LES VIVRES. JE SUIS SÛRE QU'ELLE LUI DONNAIT DES SOUS. IL A DÛ TOUT CLAQUER POUR ELLE.
CETTE SALOPE
JE DEVENAIS COMPLÈTEMENT FOLLE.
AUJOURD'HUI AVEC LE RECUL JE NE L'ACCABLE PLUS. MARKUS AVAIT UNE HISTOIRE, UNE FAMILLE, DES AMIS. MOI, JE N'AVAIS QUE LUI. JE VOULAIS QU'IL SOIT À LA FOIS MON COPAIN, MON PÈRE, MA MÈRE, LE DOUBLE DE MOI-MÊME.
J'AVAIS TOUT PROJETÉ SUR LUI. CE N'ÉTAIT CERTAINEMENT PAS FACILE POUR UN GARÇON DE DIX-NEUF ANS.
QUELLE MISÈRE
JE PASSAI MA PREMIÈRE NUIT DANS LA RUE. IL Y EN A EU TANT D'AUTRES...

AU MATIN, J'AI PRIS LE TRAM.
À L'INTÉRIEUR, IL Y AVAIT DEUX PLACES BIEN AU CHAUD CAR ELLES SE TROUVAIENT AU-DESSUS DU MOTEUR. JE ME SUIS ENDORMIE SUR L'UN DE CES SIÈGES. C'ÉTAIT REPOSANT.
PENDANT PRESQUE UN MOIS, J'AI VÉCU À CE RYTHME : LA NUIT PROSTRÉE ET LA JOURNÉE À ME LAISSER PORTER À TRAVERS VIENNE PAR LE SOMMEIL ET LE TRAMWAY.

TRÈS VITE MES ÉCONOMIES S'ENVOLÈRENT. JE N'AVAIS PLUS UN ROND.
C'EST INCROYABLE COMME ON PEUT RAPIDEMENT PERDRE SA DIGNITÉ. JE ME SUIS RETROUVÉE À FUMER DES MÉGOTS,
À CHERCHER DE LA NOURRITURE DANS LES POUBELLES,
MOI QUI AUPARAVANT N'ARRIVAIS MÊME PAS À GOÛTER LE PLAT DES AUTRES.
BIENTÔT JE FUS RECONNUE ET VIRÉE DE TOUS LES TRAMS.
J'AI DONC DÛ TROUVER UN ENDROIT BIEN CACHÉ POUR DORMIR LE SOIR. LES NUITS DANS LA RUE POUVAIENT TOURNER TRÈS MAL POUR LA JEUNE FILLE QUE J'ÉTAIS.
JE N'AVAIS PERSONNE. TOUTE MON EXISTENCE ÉTAIT PLANIFIÉE AUTOUR DE MARKUS. C'EST SÛREMENT POUR CETTE RAISON QUE JE ME RETROUVAIS À ERRER AINSI.
IL ÉTAIT IMPENSABLE QUE JE RETOURNE VOIR ZOZO.
JE M'EN FICHE. NOTRE APPARTEMENT EST TROP PETIT.
NI INGRID.
TU NOUS AS TOUS LAISSÉS TOMBER POUR UN MEC QUI N'EN VALAIT MÊME PAS LA PEINE.
QUANT À FRAU DOKTOR HELLER, N'EN PARLONS PAS. ELLE REPRÉSENTAIT LE MAL ABSOLU À MES YEUX.

JE SUIS RESTÉE PLUS DE DEUX MOIS DANS LA RUE EN PLEIN HIVER.
KOUMF KOUMF
IL FAISAIT TRÈS FROID.
ROUFH KOF KOF
JE SUIS TOMBÉE MALADE.
KEUH KEUH
J'AI COMMENCÉ À TOUSSER UN PEU,
RRRM KREUH KOF
PUIS UN PEU PLUS,
MPF KKOF KOF
PUIS UN PEU PLUS FORT,
KROUMPF KROUF
MA TOUX DEVINT CONTINUE,
KRA KRA
JUSQU'À CRACHER DU SANG,
KOF REUH
ET POUR FINIR...

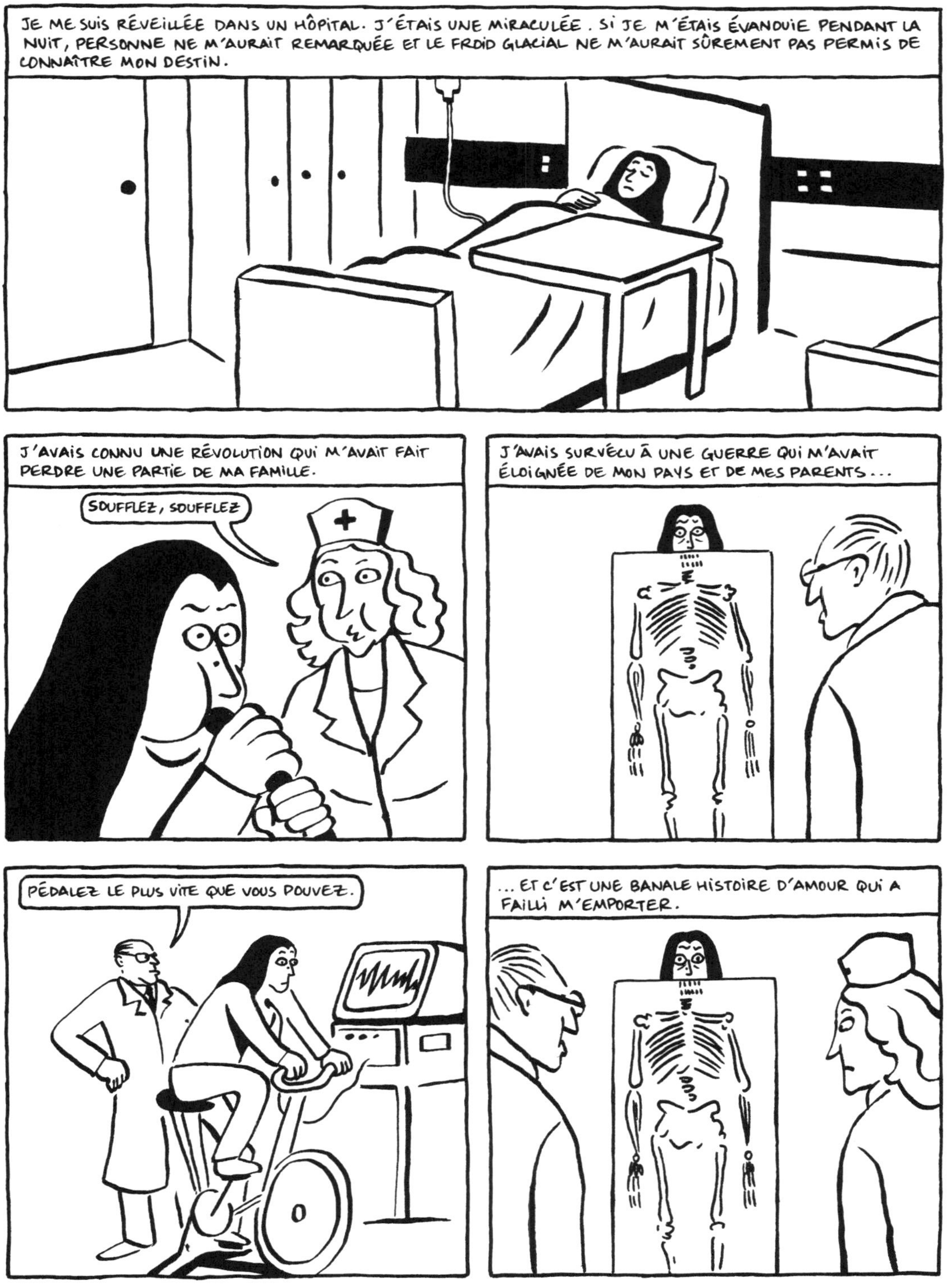
JE ME SUIS RÉVEILLÉE DANS UN HÔPITAL. J'ÉTAIS UNE MIRACULÉE. SI JE M'ÉTAIS ÉVANOUIE PENDANT LA NUIT, PERSONNE NE M'AURAIT REMARQUÉE ET LE FROID GLACIAL NE M'AURAIT SÛREMENT PAS PERMIS DE CONNAÎTRE MON DESTIN.
J'AVAIS CONNU UNE RÉVOLUTION QUI M'AVAIT FAIT PERDRE UNE PARTIE DE MA FAMILLE.
SOUFFLEZ, SOUFFLEZ
J'AVAIS SURVÉCU À UNE GUERRE QUI M'AVAIT ÉLOIGNÉE DE MON PAYS ET DE MES PARENTS...
PÉDALEZ LE PLUS VITE QUE VOUS POUVEZ.
... ET C'EST UNE BANALE HISTOIRE D'AMOUR QUI A FAILLI M'EMPORTER.

VOTRE BILAN DE SANTÉ EST SATISFAISANT. NOUS AVONS EFFECTUÉ UN CHECK-UP COMPLET.
VOILÀ, VOUS AVEZ FAIT PLUSIEURS BRONCHITES SANS VOUS SOIGNER. JE VOUS INTERDIT DE FUMER. UNE SEULE CIGARETTE ET VOUS VOUS METTEZ SÉRIEUSEMENT EN DANGER.
VOUS HABITEZ OÙ?
EN IRAN
EN IRAN?
OUI ENFIN, JE N'AI PAS VRAIMENT D'ADRESSE À VIENNE.
PRENEZ SOIN DE VOUS.
JE PEUX PASSER UN COUP DE FIL?
JE M'ÉTAIS SOUDAIN RAPPELÉE DE CETTE CONVERSATION AVEC MA MÈRE.
TU SAIS, ZOZO ME DOIT TROIS MILLE SCHILLINGS. À L'OCCASION, SI TU EN AS LE COURAGE TU PEUX ALLER LES LUI RÉCLAMER.
JE VERRAI.
MÊME SI ÇA ME COÛTAIT D'APPELER ZOZO, JE N'AVAIS PAS LE CHOIX. IL NE ME RESTAIT MÊME PAS UN GROSCHEN.
D'ACCORD, JE VIENS CET APRÈS-MIDI.

L'HÔPITAL M'AVAIT DONNÉ DES VÊTEMENTS PROPRES. J'ÉTAIS PRÉSENTABLE.
BONJOUR
BONJOUR
DIS-DONC, TU AS GRANDI. OÙ TU ÉTAIS PASSÉE? TON ONCLE MASSOUD EST VENU D'ALLEMAGNE POUR TE CHERCHER.
MON ONCLE?
OUI, TON ONCLE! IL A REMUÉ CIEL ET TERRE POUR TE TROUVER.
TES PARENTS AUSSI. ILS M'ONT DÉJÀ APPELÉE DIX FOIS.
MES PARENTS?
BEN, QU'EST-CE QUE TU CROIS? QUE TU PEUX DISPARAÎTRE PENDANT TROIS MOIS SANS QU'ILS S'EN SOUCIENT?
S'ILS NE DEVAIENT PAS ATTENDRE QUATRE MOIS AVANT D'AVOIR UN VISA, ILS SERAIENT DÉJÀ LÀ.
DRING! DRING!
TIENS, VOILÀ LES TROIS MILLE SCHILLINGS, JE VAIS RÉPONDRE AU TÉLÉPHONE.
C'EST POUR TOI, C'EST TES PARENTS.
MES PARENTS?
UN AUTRE MIRACLE VENAIT DE SE PRODUIRE.
LA VOIX DE MON PÈRE ÉTAIT DOUCE ET REPOSANTE.
- PAPA C'EST TOI?
- MA CHÉRIE, NOUS T'AVONS CHERCHÉE PARTOUT.
- JE PEUX RENTRER?
- BIEN SÛR, MAIS QUELLE QUESTION!
- PAPA, PROMETS-MOI DE NE JAMAIS RIEN ME DEMANDER SUR CES TROIS MOIS.
- JE TE LE PROMETS... JE TE PASSE TA MÈRE.
LA VOIX DE MA MÈRE ÉTAIT TENDRE AUSSI.
- JE SUIS TRÈS HEUREUSE...
- MAMAN, JE T'EN PRIE, NE PLEURE PAS.
- CE SONT DES LARMES DE JOIE.
- MAMAN...
- ALLEZ RENTRE À LA MAISON MA CHÉRIE, NOUS T'ATTENDONS...
- MAMAN...
- PERSONNE NE TE POSERA AUCUNE QUESTION. C'EST PROMIS!

AVANT MON DÉPART, JE PASSAI CHEZ FRAU DOKTOR HELLER.
JE SUIS VENUE RÉCUPÉRER MES AFFAIRES.
LES VOILÀ !
OÙ EST LE RESTE?
IL N'Y A PAS DE RESTE. LE RESTE DÉDOMAGERA LA BROCHE QUE VOUS M'AVEZ VOLÉE.
JE N'AI RIEN RÉPONDU. DE TOUTE FAÇON, JE NE POUVAIS PAS RAMENER AVEC MOI QUATRE ANS DE MA VIE.
J'AI TROUVÉ UN HÔTEL PAS CHER. J'AVAIS CINQ JOURS DEVANT MOI AVANT LE PROCHAIN VOL POUR TÉHÉRAN.
HOTEL TU IP
JE RETROUVAI ENFIN UN LIEU PRIVÉ, UNE INTIMITÉ.
MALGRÉ L'ORDRE DU MÉDECIN, JE M'ACHETAI QUELQUES CARTOUCHES DE CIGARETTES.
VOUS VOUS METTEZ SÉRIEUSEMENT EN DANGER...
JE PENSE QUE JE PRÉFÉRAIS ME METTRE SÉRIEUSEMENT EN DANGER PLUTÔT QUE D'AFFRONTER MA HONTE. LA HONTE DE NE PAS ÊTRE DEVENUE QUELQU'UN, LA HONTE DE NE PAS AVOIR RENDU MES PARENTS FIERS APRÈS TOUS LES SACRIFICES QU'ILS AVAIENT FAITS POUR MOI. LA HONTE D'ÊTRE DEVENUE UNE NIHILISTE MÉDIOCRE.

LES CINQS JOURS PASSÈRENT COMME DU VENT ET LES CIGARETTES N'EURENT PAS RAISON DE MOI. JE M'HABILLAI,
JE REPRIS MES AFFAIRES...
... JE REMIS MON FOULARD...
... ET TANT PIS POUR MES LIBERTÉS INDIVIDUELLES ET SOCIALES...
... J'AVAIS TELLEMENT BESOIN DE RENTRER CHEZ MOI.

4

LE RETOUR
APRÈS QUATRE ANNÉES DE VIE À VIENNE, ME REVOILÀ À TÉHÉRAN. DÈS MON ARRIVÉE À L'AÉROPORT DE MEHRABAD ET À LA VUE DU PREMIER DOUANIER, JE SENTIS IMMÉDIATEMENT L'AIR RÉPRESSIF DE MON PAYS.
TU N'AS RIEN D'INTERDIT? JOURNAUX DE MODE, CASSETTES, ALCOOL, PORC,...
NON MONSIEUR!
REMETS BIEN TON VOILE MA SOEUR!
OUI MON FRÈRE.
AU SUIVANT! ALLEZ, PLUS VITE!
FRÈRE ET SOEUR SONT DES TERMES UTILISÉS EN IRAN PAR LES REPRÉSENTANTS DE LA LOI POUR DONNER DES ORDRES AUX GENS, SANS LES OFFENSER.
IL Y AVAIT UN MONDE FOU. CHAQUE PASSAGER ÉTAIT ATTENDU PAR UNE DIZAINE DE PERSONNES. SOUDAIN PARMI CETTE FOULE, JE REMARQUAI MES PARENTS...
!?
...MAIS CE N'ÉTAIT PAS RÉCIPROQUE. QUOI DE PLUS NORMAL? ON CHANGE PLUS ENTRE QUATORZE ET DIX-HUIT ANS, QU'ENTRE TRENTE ET QUARANTE.
PAPA!
EBI! REGARDE!! C'EST MARJI!
MARJ...?
MA CHÉRIE, MA FILLE, OH LÀ LÀ! JE NE T'AVAIS PAS RECONNUE!
JE SAVAIS QUE J'AVAIS GRANDI MAIS C'EST SEULEMENT UNE FOIS DANS LES BRAS DE MON PÈRE QUE JE L'AI VRAIMENT COMPRIS. LUI QUI M'AVAIT TOUJOURS PARU SI IMPOSANT AUPARAVANT, FAISAIT PRESQUE LA MÊME TAILLE QUE MOI.

JE N'EN CROIS PAS MES YEUX ! DIS, TU N'AS PAS FAIM ?
PAPA, TU SAIS BIEN COMMENT ÇA SE PASSE SUR IRAN AIR. ON TE SERT CINQUANTE FOIS À MANGER.
ENSUITE NOUS MONTÂMES DANS LA VOITURE.
MON PÈRE N'AVAIT PLUS SA CADILLAC MAIS UNE RENAULT 5. CETTE MÊME CADILLAC DANS LAQUELLE J'AVAIS HONTE DE M'ASSEOIR CAR IL ÉTAIT SI DIFFICILE D'ASSUMER D'ÊTRE PLUS AISÉE QUE LES AUTRES. MAINTENANT QUE J'AVAIS CONNU MOI-MÊME LA DÉTRESSE, JE NE ME POSAIS PLUS CE GENRE DE QUESTION. J'AURAIS MÊME PRÉFÉRÉ QU'IL VIENNE ME CHERCHER AVEC UNE MEILLEURE VOITURE, HISTOIRE DE ME REMÉMORER LES JOURS PLUS GLORIEUX.
JE N'AVAIS PAS ENVIE DE PARLER. JE FIS SEMBLANT DE REGARDER LA VILLE ALORS QU'IL FAISAIT TROP SOMBRE POUR VOIR QUOI QUE CE SOIT.
BIENVENUE CHEZ TOI !
C'ÉTAIT LA PHRASE LA PLUS RÉCONFORTANTE QUE J'AVAIS ENTENDUE DEPUIS LONGTEMPS.
JE ME SUIS DIRECTEMENT RENDUE DANS LE SALON. IL Y AVAIT TOUJOURS CE CANAPÉ SUR LEQUEL MES PARENTS M'ANNONCÈRENT AUTREFOIS QU'ILS M'ENVOYAIENT EN AUTRICHE.
ENTAMER UNE CONVERSATION À CE SUJET M'EFFRAYAIT TELLEMENT QUE JE ME SUIS DIRIGÉE VERS MA CHAMBRE COMME UNE MALOTRUE SANS DIRE BONSOIR NI AU REVOIR
MA CHAMBRE... MA CHAMBRE !!
JE JOUISSAIS ENFIN D'UN ENDROIT À MOI ET CELA ME RASSURAIT.
JE N'AI PAS VOULU ALLUMER LA LUMIÈRE. JE NE POUVAIS PAS TOUT REVOIR AUSSI VITE.
JE PASSAI UNE BONNE PARTIE DE LA NUIT DANS LE VIDE, JUSTE CONTENTE D'ÊTRE LÀ.

ET LE LENDEMAIN MATIN
OUAIS! IL A NEIGÉ!
À VIENNE, JE DÉTESTAIS LA NEIGE. SURTOUT QUAND JE ME SUIS RETROUVÉE À LA RUE. ON APPRÉCIE BEAUCOUP MIEUX LA NEIGE QUAND ON LA REGARDE DE LA FENÊTRE D'UNE CHAMBRE BIEN CHAUFFÉE.
JE FIS L'ÉTAT DES LIEUX.
PUNK
AVANT DE QUITTER L'IRAN, JE VÉNÉRAIS LES PUNKS AU POINT D'EN AVOIR DESSINÉ UNE SUR MON MUR.
PFFF! QUELLE MERDE!
UNK
ENSUITE JE FIS LE TOUR DE MA PROPRIÉTÉ. JE POSSÉDAIS UNE ARMOIRE VIDE,...
... UN BUREAU TROP PETIT, ...
... UN LIT, UN TAPIS ET UNE RADIOCASSETTE.
JE ME PASSERAIS BIEN UN PEU DE KIM WILDE.
JE REGARDAI DANS LE TIROIR, OÙ JE RANGEAIS MES CASSETTES HABITUELLEMENT.
JE N'EN AI PAS TROUVÉ.

J'ALLAI DONC VOIR MA MÈRE. ELLE SAVAIT CERTAINEMENT OÙ ELLES ÉTAIENT. PEUT-ÊTRE MÊME LES ÉCOUTAIT-ELLE EN MON SOUVENIR.
BONJOUR MAMAN !
BONJOUR ! DÉJÀ HABILLÉE !
TU VEUX UN THÉ ? UNE OMELETTE, DES TARTINES, ... ?
JE N'AI PAS FAIM. UN THÉ SUFFIRA.
TU TE SOUVIENS DU THÉ DÉGUEULASSE DE FRAU DOKTOR KELLER ?
ELLE S'APPELAIT HELLER ! BIEN SÛR ! COMMENT VEUX-TU QUE J'OUBLIE CE PIPI DE CHEVAL ?
AH, QU'EST-CE QUE C'EST BON LE THÉ IRANIEN !
OH OUI, SURTOUT AVEC UNE CIGARETTE. T'EN VEUX UNE ?
MAMAN !!
BEN QUOI ? TU CONNAIS CE PROVERBE : "DEUX CHOSES FONT LA PROSPÉRITÉ. UN THÉ APRÈS LE REPAS, UNE CIGARETTE APRÈS LE THÉ !"
C'ÉTAIT LA PREMIÈRE FOIS QUE MA MÈRE ME PARLAIT SUR CE TON : MAINTENANT À SES YEUX, J'ÉTAIS DEVENUE ADULTE.
MAMAN, JE NE RETROUVE PLUS MES CASSETTES. JE LES AI CHERCHÉES PARTOUT ! TU SAIS OÙ ELLES SONT ?
C'EST-À-DIRE QUE ... COMME JE NE PENSAIS PAS QUE ... QUE TU REVIENDRAIS UN JOUR, JE LES AI ... JE LES AI DONNÉES À HOMA.
HOMA ÉTAIT LA FILLE D'UNE DE SES AMIES. ELLE AVAIT CINQ ANS DE MOINS QUE MOI. UNE GAMINE !
APRÈS TOUT MAMAN N'AVAIT PAS EU TORT. DE TOUTE FAÇON, JE N'AIMAIS PLUS LES IDOLES DE MON ADOLESCENCE.
TU AS RAISON ! JE VAIS M'EN ACHETER DES NOUVELLES !
TU ME DONNES UNE ÉPONGE ?
UNE ÉPONGE ? BIEN SÛR MA CHÉRIE !
JE DÉCIDAI DE PRENDRE CE PETIT TRACAS POUR UN SIGNE : IL FALLAIT EN FINIR AVEC LE PASSÉ...
... ET REGARDER VERS L'AVENIR.

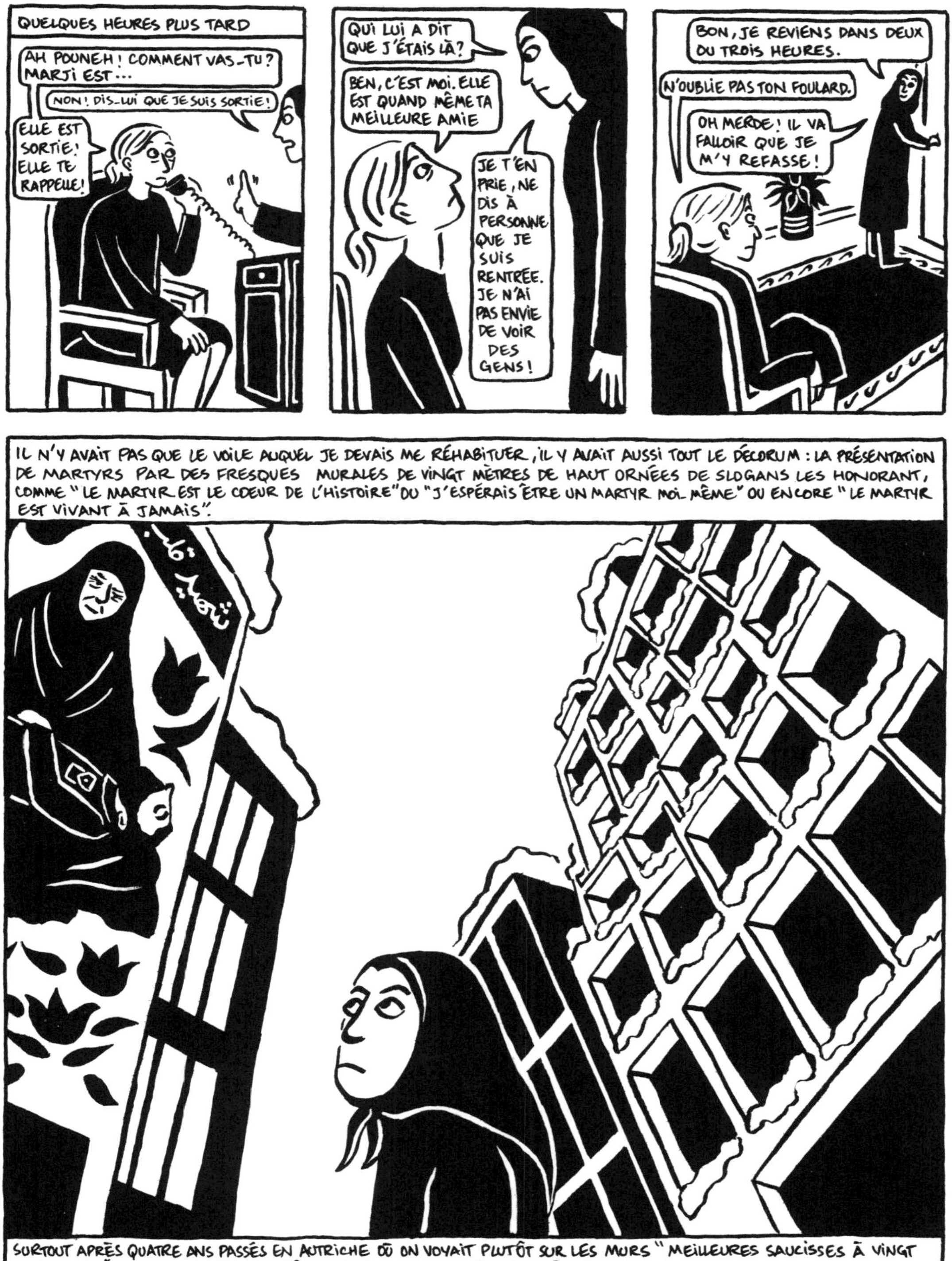
QUELQUES HEURES PLUS TARD
AH POUNEH ! COMMENT VAS-TU ? MARJI EST...
NON ! DIS-LUI QUE JE SUIS SORTIE !
ELLE EST SORTIE ! ELLE TE RAPPELLE !
QUI LUI A DIT QUE J'ÉTAIS LÀ ?
BEN, C'EST MOI. ELLE EST QUAND MÊME TA MEILLEURE AMIE
JE T'EN PRIE, NE DIS À PERSONNE QUE JE SUIS RENTRÉE. JE N'AI PAS ENVIE DE VOIR DES GENS !
BON, JE REVIENS DANS DEUX OU TROIS HEURES.
N'OUBLIE PAS TON FOULARD.
OH MERDE ! IL VA FALLOIR QUE JE M'Y REFASSE !
IL N'Y AVAIT PAS QUE LE VOILE AUQUEL JE DEVAIS ME RÉHABITUER, IL Y AVAIT AUSSI TOUT LE DÉCORUM : LA PRÉSENTATION DE MARTYRS PAR DES FRESQUES MURALES DE VINGT MÈTRES DE HAUT ORNÉES DE SLOGANS LES HONORANT, COMME "LE MARTYR EST LE COEUR DE L'HISTOIRE" OU "J'ESPÉRAIS ÊTRE UN MARTYR MOI-MÊME" OU ENCORE "LE MARTYR EST VIVANT À JAMAIS".
SURTOUT APRÈS QUATRE ANS PASSÉS EN AUTRICHE OÙ ON VOYAIT PLUTÔT SUR LES MURS "MEILLEURES SAUCISSES À VINGT SCHILLINGS", LE CHEMIN VERS LA RÉADAPTATION ME PARAISSAIT TRÈS LONG.

IL Y AVAIT AUSSI LES RUES...
علی یارت
...BEAUCOUP AVAIENT CHANGÉ DE NOM. ELLES S'APPELAIENT DÉSORMAIS AVENUE DU MARTYR MACHIN OU LA RUE DU MARTYR TRUC.
C'ÉTAIT TRÈS DÉSTABILISANT.
J'AVAIS L'IMPRESSION DE MARCHER DANS UN CIMETIÈRE.
... ENTOURÉE DE VICTIMES D'UNE GUERRE QUE J'AVAIS FUIE.
C'ÉTAIT INSUPPORTABLE. JE ME SUIS PRESSÉE DE RENTRER CHEZ MOI.

CE SOIR-LÀ
SALUT ! JE SUIS LÀ !
TU RENTRES TOUJOURS AUSSI TARD ?
EH OUI, J'AI BEAUCOUP DE TRAVAIL EN CE MOMENT.
DEPUIS QUE LA GUERRE ÉTAIT FINIE, MON PÈRE, INGÉNIEUR, NE SAVAIT OÙ DONNER DE LA TÊTE.
MAINTENANT IL FAUT TOUT RECONSTRUIRE.
EN ATTENDANT LA PROCHAINE GUERRE QUI DÉTRUIRA TOUT DE NOUVEAU.
QUELLE PROCHAINE GUERRE ?
IL FAUT ÊTRE RÉALISTE. DEPUIS PLUS D'UN SIÈCLE NOTRE RÉGION EST INSTABLE. UN JOUR ON NATIONALISE LE PÉTROLE, UN AUTRE JOUR ON MET EN PLACE UN DICTATEUR...
...ENSUITE C'EST LA GUERRE DES SIX JOURS, PUIS C'EST LE TOUR DE L'AFGHANISTAN ET LE RETOUR DU CONFLIT ISRAÉLO-PALESTINIEN... ON VERRA CE QUI SUIVRA.
JE N'AURAIS JAMAIS PENSÉ ENTENDRE UN JOUR MA MÈRE TENIR UN DISCOURS AUSSI DÉSABUSÉ.
IL Y EUT UN GRAND FROID. MAMAN ELLE-MÊME ÉTAIT MAL À L'AISE.
HEUREUSEMENT MON PÈRE INTERVINT.
ALORS TU T'ES BIEN REPOSÉE ? TU AS VU COMME IL A NEIGÉ ? J'AI DÛ METTRE DES CHAÎNES À MES PNEUS POUR POUVOIR ROULER. INCROYABLE ! QUARANTE CENTIMÈTRES DE NEIGE !!
JE SAIS, C'EST MAGNIFIQUE.
TU T'ES UN PEU PROMENÉE ? COMMENT TU TROUVES TÉHÉRAN ?
SORDIDE
JE SUIS CHOQUÉE. AU MOINS UNE RUE SUR TROIS PORTE LE NOM D'UN MARTYR.

ET ENCORE, LÀ, ON EST DANS LE NORD DE LA VILLE. SI TU VAS DANS LES QUARTIERS PAUVRES DU SUD DE TÉHÉRAN, PRESQUE TOUTES LES RUES S'APPELLENT MARTYR UNTEL.
LES GENS NE SAVENT PLUS POURQUOI ILS ONT FAIT HUIT ANS DE GUERRE. POURQUOI LEURS ENFANTS ONT PÉRI...
TOUTE CETTE GUERRE N'ÉTAIT QU'UNE GRANDE MACHINATION POUR DÉTRUIRE LES DEUX ARMÉES IRANIENNE ET IRAKIENNE. LA PREMIÈRE ÉTAIT LA PLUS PUISSANTE DU MOYEN-ORIENT EN 1980 ET LA SECONDE REPRÉSENTAIT UN VRAI DANGER POUR ISRAËL.
L'OCCIDENT A VENDU DES ARMES AUX DEUX CAMPS ET NOUS, NOUS AVONS ÉTÉ ASSEZ BÊTES POUR RENTRER DANS CE JEU CYNIQUE... HUIT ANS DE GUERRE POUR RIEN!
ALORS MAINTENANT L'ÉTAT DONNE DES NOMS DE MARTYRS AUX RUES POUR FLATTER LES FAMILLES DES VICTIMES. ILS TROUVENT PEUT-ÊTRE AINSI UN SENS À TOUTE CETTE ABSURDITÉ.
OUI, MAIS IL Y A ENCORE AUTRE CHOSE. CET APRÈS-MIDI, J'AI VU À LA TÉLÉ DES MÈRES QUI SE DISAIENT RÉJOUIES ET COMBLÉES PAR LA MORT DE LEURS ENFANTS. JE N'ARRIVE PAS À SAVOIR SI C'EST DE LA FOI OU DE LA CONNERIE...
C'EST UN PEU DES DEUX... ÇA FAIT DIX ANS QU'ON LEUR FAIT CROIRE QUE LES MARTYRS HABITENT DES 4 ÉTOILES AU PARADIS!
EN ATTENDANT, LA GUERRE RESSEMBLE PLUTÔT À L'ENFER! SI TU SAVAIS... LES QUELQUES MOIS QUI ONT PRÉCÉDÉ LE CESSEZ-LE-FEU FURENT PARTICULIÈREMENT ATROCES.
RACONTE PAPA, JE T'ÉCOUTE.

* LE TERME "MOUDJAHIDIN" N'EST PAS SPÉCIFIQUE À L'AFGHANISTAN. IL SIGNIFIE COMBATTANT.

TU ES CERTAIN QUE C'EST LE BON MOMENT POUR RACONTER TOUT ÇA?
...
MAMAN, LAISSE-LE! ÇA M'INTÉRESSE.
... VOILÀ, LES MOUDJAHIDIN SAVAIENT AUSSI QUE LA MAJEURE PARTIE DES IRANIENS ÉTAIT CONTRE LE RÉGIME ET ILS COMPTAIENT DONC SUR LE SOUTIEN POPULAIRE. SEULEMENT, IL Y AVAIT UNE CHOSE QU'ILS N'AVAIENT PAS CALCULÉE: ILS ÉTAIENT ENTRÉS PAR "L'IRAK". CE MÊME IRAK QUI NOUS AVAIT ATTAQUÉS ET CONTRE LEQUEL NOUS NOUS SOMMES BATTUS HUIT ANNÉES DURANT.
EN CONCLUSION, QUAND ILS SONT ARRIVÉS EN IRAN, PERSONNE NE LES A ACCUEILLIS. ILS ONT ÉTÉ POUR LA PLUPART TUÉS PAR LES GARDIENS DE LA RÉVOLUTION ET L'ARMÉE.
JE VAIS ME COUCHER
MAIS LE RÉGIME A PRIS PEUR CAR SI LES OPPOSANTS ÉTAIENT ENTRÉS DANS TÉHÉRAN, ILS AURAIENT LIBÉRÉ CEUX QUI REPRÉSENTAIENT UNE VRAIE MENACE POUR LE GOUVERNEMENT...
BONNE NUIT
... C'EST-À-DIRE LES PRISONNIERS POLITIQUES QUI ÉTAIENT LES LÉGITIMES HÉRITIERS DE LA RÉVOLUTION ET QUI CONSTITUAIENT L'INTELLIGENTSIA DU PAYS...
... AUSSI L'ÉTAT A DÉCIDÉ D'EN FINIR AVEC LE PROBLÈME. IL A PROPOSÉ AUX DÉTENUS LE CHOIX SUIVANT: SOIT ILS ABJURAIENT LEURS IDÉAUX RÉVOLUTIONNAIRES ET PROMETTAIENT FIDÉLITÉ ET LOYAUTÉ À LA RÉPUBLIQUE ISLAMIQUE, AUQUEL CAS ILS FINISSAIENT DE PURGER LEUR PEINE...

... SOIT, ILS ÉTAIENT EXÉCUTÉS.
EH BIEN, ILS ONT ÉTÉ POUR LA PLUPART EXÉCUTÉS.

ET ILS EN ONT DESCENDUS COMBIEN ?
PERSONNE NE LE SAIT EXACTEMENT. PLUSIEURS MILLIERS, VOIRE PLUSIEURS DIZAINES DE MILLIERS DE PERSONNES.
ET LES VICTIMES DE LA GUERRE ?
ENTRE 500 000 ET 1 000 000.
SANS COMPTER LES MUTILÉS DE GUERRE, LES POPULATIONS RAVAGÉES PAR LES BOMBES CHIMIQUES...
... CEUX QUI SONT DEVENUS DINGUES PAR LES EXPLOSIONS...
... LES ORPHELINS, LES VEUVES, LES RÉFUGIÉS, LES DÉGÂTS MATÉRIELS...
MAIS BON, TOUT ÇA EST DERRIÈRE NOUS. MAINTENANT, IL FAUT ALLER DE L'AVANT ! IL FAUT TOUT RECONSTRUIRE !
MALGRÉ L'AIR MOTIVÉ QUE SE DONNAIT MON PÈRE, JE NE RESSENTAIS AUCUNE CONVICTION DANS SA VOIX. IL ME SEMBLAIT AUSSI BLASÉ QUE MA MÈRE.
ALLONS NOUS COUCHER. DEMAIN J'AI UNE LONGUE JOURNÉE DE TRAVAIL. TU AS DES PROJETS, TOI ?
NON, PAS ENCORE.
À CÔTÉ DU CONSTAT AFFLIGEANT DE MON PÈRE, MES MÉSAVENTURES VIENNOISES PARAISSAIENT COMME DES PETITES ANECDOTES SANS IMPORTANCE.
J'AI ALORS DÉCIDÉ DE NE JAMAIS RIEN LEUR DIRE SUR MA VIE AUTRICHIENNE. ILS AVAIENT ASSEZ SOUFFERT COMME ÇA.

LA BLAGUE

ÇA FAISAIT DIX JOURS QUE J'ÉTAIS À TÉHÉRAN. MALGRÉ MES RÉTICENCES, TOUTE MA FAMILLE A FINI PAR VENIR ME RENDRE VISITE. J'IGNORAIS S'ILS ÉTAIENT AU COURANT DE MON ÉCHEC EUROPÉEN. J'AVAIS PEUR QU'ILS SOIENT DÉÇUS.
TU DOIS TRÈS BIEN PARLER ALLEMAND MAINTENANT.
MOI, JE SAIS DIRE "ICH LIEBE DICH" HI HI HI!
OUI, JE LE PARLE UN PEU.
MERCI POUR LES FLEURS
LUI, C'EST TONTON ARDESHIR, L'ONCLE DE MA MÈRE. IL EST RETRAITÉ DE L'ÉDUCATION NATIONALE.
QUAND JE PENSE À VIENNE, JE PENSE TOUT DE SUITE À SISSI L'IMPÉRATRICE. TU AS CERTAINEMENT VU LE FILM AVEC ROMY!
OUI
ELLE, C'EST MINA, MA COUSINE GERMAINE. C'EST UNE IMBÉCILE. ELLE PARLE DE ROMY SCHNEIDER COMME SI C'ÉTAIT SA MEILLEURE AMIE.
MARJANE, LES ÉTOILES BRILLENT DANS LE CIEL ET TOI DANS MON COEUR...
EUX, C'EST NOS VOISINS. À EUX SEULS, ILS INCARNENT LA FAMILLE PARFAITE.
MÊME SI JE SAVAIS QU'ILS VENAIENT TOUS ME VOIR PAR AMITIÉ ET GENTILLESSE, J'EN EUS VITE ASSEZ DE LES RECEVOIR TOUS LES JOURS.
MAIS IL N'Y AVAIT RIEN À FAIRE, LES VISITES CONTINUAIENT.
À PART MES PARENTS, LA SEULE PERSONNE AVEC QUI J'AVAIS VRAIMENT ENVIE DE PARLER ÉTAIT MA GRAND-MÈRE. D'AILLEURS, ELLE VINT APRÈS TOUT LE MONDE.
MAMIE, MAIS OÙ T'ÉTAIS?
BEN, J'AI ATTENDU QUE LA TRIBU PASSE D'ABORD!!! OH LÀ LÀ!! COMME TU AS GRANDI! TU POURRAS BIENTÔT ATTRAPER LES COUILLES DU SEIGNEUR!
ELLE ÉTAIT TOUJOURS ÉGALE À ELLE-MÊME.

APRÈS MA FAMILLE, CE FUT LE TOUR DE MES AMIES. J'AVAIS MOINS D'APPRÉHENSION ENVERS ELLES : NOUS AVIONS LE MÊME ÂGE, CE QUI DEVAIT FACILITER LE CONTACT.
SALUT !
ÇA VA ?
EUH...
J'AVAIS TORT. ELLES RESSEMBLAIENT TOUTES À DES HÉROÏNES DE SÉRIES TÉLÉVISÉES AMÉRICAINES, PRÊTES À SE MARIER DU JOUR AU LENDEMAIN, SI L'OCCASION SE PRÉSENTAIT.
MAIS C'EST QUOI CETTE TÊTE DE BONNE SOEUR ?! ON NE DIRAIT PAS QUE TU AS VÉCU EN EUROPE.
AH, TU TROUVES ?
COMPARÉE À SON MAQUILLAGE DERNIER CRI, J'AVAIS EFFECTIVEMENT UNE ALLURE DE NONNE.
ALLEZ, PARLE UN PEU ! TU DOIS AVOIR UN MILLIARD DE TRUCS À NOUS RACONTER.
JE NE SAIS PAS...
BEN, TIENS, PAR EXEMPLE, DIS-NOUS COMMENT SONT LES BOÎTES DE NUIT À VIENNE.
C'EST QUE... JE NE LES AI PAS BEAUCOUP FRÉQUENTÉES... JE N'AIME PAS TROP ÇA.
QUOI ?
MAIS ARRÊTEZ DE JOUER LES OFFUSQUÉES ! VOUS VOUS SOUVENEZ COMMENT ELLE ÉTAIT ? TOUJOURS À DONNER DES LEÇONS !! C'EST UNE "REBELLE", ELLE !
MOI, S'IL Y AVAIT ENCORE DES BOÎTES DE NUIT À TÉHÉRAN, J'Y SERAIS TOUS LES SOIRS !
HI ! HI ! HI ! HI ! MOI AUSSI !
J'AVAIS DU MAL À ME RAPPELER LES RAISONS QUI NOUS AVAIENT RAPPROCHÉES AUTREFOIS.
QUELQUE PART, JE LES COMPRENAIS. QUAND ON INTERDIT UNE CHOSE, ELLE PREND UNE IMPORTANCE DISPROPORTIONNÉE. PLUS TARD, J'AI APPRIS QUE LE FAIT DE SE MAQUILLER ET DE VOULOIR VIVRE À L'OCCIDENTALE ÉTAIT UN ACTE DE RÉSISTANCE DE LEUR PART.
NÉANMOINS, JE ME SENTAIS TERRIBLEMENT SEULE.

QUELQUES JOURS PLUS TARD
IL Y A LALEH QUI T'AS APPELÉE.
PFFF...
AH!... MES AMIES... MES AMIES... JE LES TROUVE NIAISES, MAIS À UN POINT!
TU SAIS, CE N'EST PAS ENTIÈREMENT DE LEUR FAUTE. PERSONNE NE LEUR DEMANDE D'ÊTRE INTELLIGENTES! BIEN AU CONTRAIRE!
RÉFLÉCHIS BIEN, MA FILLE. IL Y A FORCÉMENT DES GENS QUE TU AIMERAIS CÔTOYER!
MA MAMIE AVAIT RAISON. ÇA M'AURAIT FAIT VRAIMENT PLAISIR DE REVOIR LES COPAINS AVEC LESQUELS JE JOUAIS DANS LA RUE.
J'AIMERAIS BIEN REVOIR ARASH ET KIA...
...OUI! ARASH ET KIA! SURTOUT KIA. ON RIGOLAIT TELLEMENT BIEN ENSEMBLE. EN PLUS, C'EST UN MEC. IL A D'AUTRES SOUCIS QUE LE MAQUILLAGE.
EUH...
LA RÉACTION DE MA MÈRE ME PARUT NORMALE. ELLE NE L'AVAIT JAMAIS VRAIMENT APPRÉCIÉ. ELLE TROUVAIT QU'IL ÉTAIT MAL ÉLEVÉ ET M'INCITAIT À FAIRE DES BÊTISES.
MAMAN, NE T'EN FAIS PAS. ON EST TOUS GRANDS MAINTENANT. SI JE LE RENCONTRE, ON NE VA NI CASSER DES VITRES, NI ATTAQUER LES AUTRES AVEC DES CLOUS.
C'EST-À-DIRE QUE KIA...
KIA QUOI?
EH BIEN IL A ÉTÉ APPELÉ SOUS LES DRAPEAUX MAIS IL A PRÉFÉRÉ QUITTER LE PAYS ILLÉGALEMENT.
ET IL EST PARTI OÙ?
NULLE PART... ILS L'ONT ARRÊTÉ. ENSUITE, COMME TOUT LE MONDE, IL A ÉTÉ OBLIGÉ DE FAIRE SON SERVICE MILITAIRE... ILS L'ONT ENVOYÉ AU FRONT ET...
ET ALORS QUOI? IL EST MORT?
PRESQUE
PRESQUE MORT???
OUI, ENFIN COMMENT DIRE... IL EST MUTILÉ.

JE DÉCIDAI D'ALLER LE VOIR. J'APPRIS QU'ILS AVAIENT DÉMÉNAGÉ. MA MÈRE FIT UNE ENQUÊTE DANS LE VOISINAGE ET TROUVA ENFIN LEUR NUMÉRO DE TÉLÉPHONE.
ALLÔ? POURRAIS-JE PARLER À KIA S'IL VOUS PLAÎT?
JE VOUS LE PASSE... KIA!! TÉLÉPHONE!
KIA! SALUT TU TE RAPPELLES DE MOI?
EUH... NON!
ET MASSACRER RAMINE AVEC DES CLOUS! ÇA NE TE DIT RIEN?
MARJI! C'EST TOI?
NON, JE SUIS SA MÈRE!
HA! HA! HA!
AH ÇA ME FAIT PLAISIR DE T'ENTENDRE!! QUAND EST-CE QU'ON PEUT SE VOIR?
DEMAIN SI TU VEUX. TU AS NOTRE ADRESSE?
J'ÉTAIS RASSURÉE. IL NE M'AVAIT PAS DU TOUT L'AIR "PRESQUE MORT".
LE LENDEMAIN, JE ME SUIS MISE SUR MON TRENTE ET UN. IL AVAIT À NOUVEAU NEIGÉ. J'AI PASSÉ DEUX HEURES DANS LES EMBOUTEILLAGES, LE TEMPS DE ME POSER TOUTES SORTES DE QUESTIONS : "ET S'IL ÉTAIT BORGNE?", "ET S'IL AVAIT PERDU UNE JAMBE?", "ET S'IL ÉTAIT ATROCEMENT DÉFIGURÉ?", ...
QUAND J'ARRIVAI ENFIN CHEZ LUI, JE N'ÉTAIS PLUS DU TOUT SÛRE DE VOULOIR Y ALLER.
MADEMOISELLE, IL FAUT DESCENDRE C'EST ICI.
QU'IMPORTAIT SON ÉTAT, JE ME SUIS CONVAINCUE DE LA JUSTESSE DE MA DÉMARCHE.
VOUS ALLEZ À QUEL ÉTAGE?
AU TROISIÈME. JE VIENS VISITER MON AMI D'ENFANCE, KIA ABADI.
AH! TRÈS BIEN!
LE "TRÈS BIEN" DU VOISIN ME CALMA DAVANTAGE. S'IL S'ÉTAIT PASSÉ QUELQUE CHOSE DE GRAVE, IL NE M'AURAIT CERTAINEMENT PAS DIT CELA.
J'ÉTAIS CONFIANTE.
DING DONG

OH KIA!...
...BONJOUR
...C'EST DINGUE COMME TU AS CHANGÉ!... ...ALLEZ, JE T'EN PRIE, ENTRE!
EH BEN, DIS-DONC! TU ES DEVENUE UNE VRAIE FEMME!
EH OUI! ON FINIT TOUJOURS PAR S'ACCEPTER!
OUI!... ÇA, JE LE SAIS MIEUX QUE N'IMPORTE QUI D'AUTRE!
QUELLE CONNE! MAIS QUELLE CONNE JE SUIS!
JE CHANGEAI VITE DE SUJET.
TU TE SOUVIENS DE NOTRE AMI RAMINE?
JE ME RAPPELLE SURTOUT DE NOUS ET DE NOS POINGS AMÉRICAINS! LE PAUVRE! IL A DÛ SE CHIER DESSUS!
BLA BLA BLA BLA BLA BLA BLA
OUI, BLA BLA BLA BLA BLA BLA
TU VEUX BOIRE QUELQUE CHOSE?
NON, ÇA IRA, MERCI!
MOI, J'AI SOIF, JE VAIS ME CHERCHER UN COCA!
DANS CE CAS, J'EN PRENDS UN AUSSI.
JE N'OSAIS PAS LE REGARDER AILLEURS QUE DANS LES YEUX.
CE N'EST QU'UNE FOIS QU'IL S'EST DIRIGÉ VERS LA CUISINE QUE JE ME SUIS APERÇUE QU'IL N'AVAIT L'USAGE QUE DE SON BRAS DROIT.
TIENS, TU PEUX M'AIDER S'IL TE PLAÎT?
BIEN SÛR! DONNE-MOI ÇA!

GLOU, GLOU
GLOU
MERDE
CETTE FOIS, C'EST LUI QUI SAUVA LA SITUATION.
ALORS COMME ÇA, TU ES RENTRÉE D'AUTRICHE. C'ÉTAIT BIEN LÀ-BAS ?
OUI ÇA ALLAIT. MAIS RACONTE PLUTÔT TOI ! COMMENT VAS-TU ?
MOI, JE VAIS COMME JE PEUX ... JE VEUX PARTIR AUX ÉTATS-UNIS. J'AI UN ONCLE QUI EST MÉDECIN À BOSTON. ILS VONT ME FAIRE DEUX JOLIES PROTHÈSES, UNE À LA JAMBE ET UNE AU BRAS, MAIS IL FAUT VOIR SI LES AMÉRICAINS ME DONNENT UN VISA OU PAS.
...
...
IL Y A UN DE MES POTES QUI M'A RACONTÉ UNE SUPER HISTOIRE. TU VEUX L'ENTENDRE ?
OUI, VAS-Y.
VOILÀ ! C'EST L'HISTOIRE D'UN MEC QUI SE TROUVE PENDANT LA GUERRE SUR LE FRONT. UNE GRENADE LUI TOMBE DIRECTEMENT SUR LA TÊTE...
...IL ÉCLATE EN MILLE MORCEAUX...
... LES BRANCARDIERS ARRIVENT, RAMASSENT LES BOUTS, LES METTENT DANS UN GRAND SAC...
... ET LE RAMÈNENT À TOUTE VITESSE À TÉHÉRAN.
آمبولانس هلال احمر
AMBULANCE

* EN IRAN, C'EST LE MARI QUI DOIT OFFRIR LA DOT À SA FEMME.

ET QU'EST-CE QUI VIENT APRÈS LE MARIAGE ?
EUH... JE NE SAIS PAS...
APRÈS LE MARIAGE VIENT "LA NUIT DE NOCES" !
MON CHÉRI, JE N'EN PEUX PLUS DE T'ATTENDRE !
J'ARRIVE MA BICHE, J'ARRIVE.
AH, TA MÈRE A RAISON DE DIRE QUE TU ES EXCEPTIONNEL, TU ES SI...
NOM DE DIEU ! QU'EST-CE QUE C'EST QUE ÇA ?
POURQUOI ELLE N'EST PAS À SA PLACE ?
EH BEN, CE N'EST PAS GRAVE ! ELLE FONCTIONNE QUAND MÊME !
COMMENT ÇA, CE N'EST PAS GRAVE ??!!
TON TRUC EST SUR TA HANCHE, AU LIEU D'ÊTRE ENTRE TES JAMBES ET TU OSES ME DIRE QUE "CE N'EST PAS GRAVE" ???!!!
OUI, MAIS ELLE MARCHE...
...REGARDE !
JE NE VEUX RIEN VOIR ! ON M'A TROMPÉE SUR LA MARCHANDISE !!
JE DEMANDE LE DIVORCE DÈS DEMAIN !!!

ALORS LÀ ! HA! HA! HA! HA! LÀ, LE MEC ! HA! HA! LE MEC EN A TELLEMENT MARRE ! HA! HA! HA! QU'IL LUI DIT :
?
"LÈCHE-MOI LE CUL !!!" HA ! HA ! HA !
HA ! HA ! HA !
AH
HA ! HA ! HA !
HA ! HA !
HA ! HA ! HA !
OUPS ! ATTENTION !!!
NOUS PASSÂMES TOUT L'APRÈS-MIDI À DISCUTER ET À RIGOLER...
... tu te souviens comment c'était à l'époque. Eh bien il y avait la même histoire.... ... ...
tout à fait... je me dis que ...
TU REVIENDRAS ME VOIR ?
BIEN SÛR, JE T'APPELERAI.
JE LE REVIS TROIS OU QUATRE FOIS, ENSUITE IL PARTIT AUX ÉTATS-UNIS. NOUS NOUS SOMMES UN PEU ÉCRIT, JUSQU'À CE QUE LE TEMPS FASSE SON TRAVAIL ET QU'ON SE PERDE DE VUE.
CE JOUR-LÀ, J'APPRIS UNE CHOSE FONDAMENTALE : ON NE PEUT S'APITOYER SUR SOI QUE QUAND NOS MALHEURS SONT ENCORE SOUTENABLES...
... UNE FOIS CETTE LIMITE FRANCHIE, LE SEUL MOYEN DE SUPPORTER L'INSUPPORTABLE, C'EST D'EN RIRE.

LE SKI

JE N'ARRIVAIS PAS À PRENDRE DU RECUL, MÊME SI JE SAVAIS QUE C'ÉTAIT L'UNIQUE FAÇON DE M'EN SORTIR.
APRÈS QUELQUES SEMAINES, MA FAMILLE ET MES PROCHES SE DIRENT QU'IL ÉTAIT TEMPS DE ME FAIRE PROFITER DE LEURS BONS CONSEILS :
TU DEVRAIS FAIRE DE LA GYM. JE CONNAIS UN BON CLUB.
TU DEVRAIS TE TROUVER UN BON MARI
TU DEVRAIS T'INSCRIRE AUX COURS PRÉPARATOIRES. IL FAUT QUE TU FASSES DES ÉTUDES UNIVERSITAIRES
TU DEVRAIS...
MAIS JE NE VOULAIS NI FAIRE DU SPORT, NI ME MARIER, NI ÉTUDIER...
...JE VOULAIS JUSTE QU'ILS SACHENT QUE MOI AUSSI, J'AVAIS SOUFFERT...
MA VIE À VIENNE ÉTAIT LOIN D'ÊTRE ROSE.
J'AI VÉCU DANS LA RUE.
J'AI CRACHÉ DU SANG.
J'ÉTAIS SEULE.
PERSONNE NE M'AIMAIT.
OH!
OH!
OH! LA PAUVRE!
...QU'ILS AIENT UN PEU DE COMPASSION POUR MOI...
OH MA CHÉRIE, TU AS ENDURÉ TROP DE PEINE... BOIS CETTE TISANE.
C'EST DE L'ORANGE PRESSÉE. JE L'AI FAITE MOI-MÊME.
TU VEUX QUE JE TE FASSE UNE PETITE DANSE ?
...QU'ILS ME COMPRENNENT.
JE TE COMPRENDS
CERTES, ILS AVAIENT CONNU LA GUERRE PLUS QUE MOI MAIS EUX ÉTAIENT ENTOURÉS DES LEURS, EUX N'AVAIENT JAMAIS CONNU LE DÉSARROI D'ÊTRE TIERS-MONDISTE, EUX AVAIENT TOUJOURS EU UN CHEZ EUX !
EN MÊME TEMPS, COMMENT POUVAIENT-ILS ME PLAINDRE ? J'ÉTAIS SI IMPERMÉABLE.
JE ME RÉPÉTAIS QU'IL NE FALLAIT PAS CRAQUER.

JE PENSAIS QU'EN RENTRANT EN IRAN, TOUT IRAIT BIEN,
QUE J'OUBLIERAIS LES TEMPS ANCIENS,
MAIS MON PASSÉ ME RATTRAPAIT.
MES SECRETS ME PESAIENT TROP.
JE DEVINS DÉPRESSIVE.
MARJI, JE VAIS FAIRE DES COURSES. TU AS BESOIN DE QUELQUE CHOSE?
DES CIGARETTES, S'IL TE PLAIT.
J'AI LOUÉ "LA DOLCE VITA". TU NE VEUX PAS QU'ON LE REGARDE ENSEMBLE?
NON...
MÊME MA MAMIE N'ARRIVAIT PLUS À ME FAIRE RIRE.
...IL A PÉTÉ! ÇA SENTAIT LE RAT MORT...
J'ÉTAIS TOUT LE TEMPS DEVANT LA TÉLÉ. IL Y AVAIT UNE SÉRIE JAPONAISE, NOMMÉE "OSHIN", QUE JE REGARDAIS FRÉQUEMMENT. C'ÉTAIT L'HISTOIRE D'UNE PAUVRE FILLE QUI VENAIT TRAVAILLER À TOKYO.
AU DÉBUT, ELLE FAISAIT DES MÉNAGES, ENSUITE ELLE DEVENAIT COIFFEUSE ET RENCONTRAIT UN TYPE DONT LA MÈRE ÉTAIT OPPOSÉE À LEUR MARIAGE.
TU N'ES QU'UNE COIFFEUSE, TU ES INDIGNE DE MON FILS! VA T'EN, POURRIE!!!
NON! JE L'AIME!
JE NE COMPRENAIS PAS POURQUOI LA BELLE-MÈRE DÉTESTAIT AUTANT LES COIFFEUSES.
BEAUCOUP PLUS TARD, J'AI CONNU UNE FILLE QUI ÉTAIT DOUBLEUSE À LA TÉLÉVISION. ELLE M'A DIT QU'OSHIN ÉTAIT EN FAIT UNE GEISHA ET COMME SON MÉTIER NE CONVENAIT PAS À LA MORALE ISLAMIQUE, LE DIRECTEUR DE LA CHAÎNE AVAIT DÉCIDÉ QU'ELLE SERAIT COIFFEUSE.
C'ÉTAIT CRÉDIBLE CAR OSHIN ET SES AMIES COURTISANES PASSAIENT LEUR TEMPS À SE FAIRE DES CHIGNONS.

* STATION DE SKI À UNE CINQUANTAINE DE KILOMÈTRES DE TÉHÉRAN

LE SOIR
AH LÀ LÀ ! JE SUIS CREVÉE !
MOI, J'AI VU PLEINS DE BEAUX MECS, GRANDS, MUSCLÉS, ...
OH OUI !!! HI ! HI ! HI
DIS, TU AS DÉJÀ COUCHÉ ?
BEN, BIEN SÛR, J'AI DIX-NEUF ANS !
ALORS RACONTE, C'EST COMMENT ?
APPAREMMENT ÇA FAIT TERRIBLEMENT MAL LA PREMIÈRE FOIS.
ÇA DOIT ÊTRE BIEN ...
ÇA DÉPEND AVEC QUI. CE N'EST PAS TOUJOURS LE BONHEUR.
COMMENT ÇA ? PARCE QUE TU AS FAIT LA CHOSE AVEC PLUSIEURS PERSONNES ?
OUI, ENFIN ... J'AI EU QUELQUES EXPÉRIENCES.
ALORS, C'EST QUOI LA DIFFÉRENCE ENTRE TOI ET UNE PUTE ???
DERRIÈRE LEUR APPARENCE DE FEMMES MODERNES, MES AMIES ÉTAIENT DE VRAIES TRADITIONALISTES.
ELLES ÉTAIENT SATURÉES D'HORMONES ET DE FRUSTRATIONS, D'OÙ LEUR AGRESSIVITÉ À MON ÉGARD. POUR ELLES, J'ÉTAIS DEVENUE UNE OCCIDENTALE DÉCADENTE.

JE RENTRAI ENCORE PLUS DÉPRIMÉE.
OH ! QUE TU ES BRONZÉE ! ÇA TE VA TRÈS TRÈS BIEN !
MENTEUSE !
MARJI, PARLE-MOI, QU'EST-CE QUI NE VA PAS ? EST-CE QUE JE PEUX FAIRE QUELQUE CHOSE ?
NON MAMAN !
PEUT-ÊTRE QUE TU DEVRAIS VOIR QUELQU'UN... UN PSY PAR EXEMPLE.
JE SUIVIS LES CONSEILS DE MA MÈRE. JE VIS D'ABORD UN PREMIER PSYCHOTHÉRAPEUTE...
J'AI HONTE DE N'AVOIR RIEN FAIT DE MA VIE... HEUREUSEMENT, PERSONNE N'EST AU COURANT DES DÉTAILS ET POUR CAUSE ! JE NE LEUR RACONTE RIEN... J'AI L'IMPRESSION DE PORTER UN MASQUE EN PERMANENCE.
VOTRE HISTOIRE EST AUSSI CONFUSE QUE VOUS.
... PUIS UN DEUXIÈME...
QUAND J'ÉTAIS À VIENNE, MA VIE NE COMPTAIT POUR PERSONNE ET CELA A ÉVIDEMMENT DÉTEINT SUR MA PROPRE ESTIME. J'ÉTAIS RÉDUITE À NÉANT. JE PENSAIS QU'EN RENTRANT EN IRAN, CELA CHANGERAIT.
...
... ET ENCORE UN AUTRE ET UN SUIVANT...
DOCTEUR, JE NE VAIS PAS BIEN. JE N'AI AUCUNE ENVIE. RIEN NE ME FAIT PLAISIR.
VOTRE PROBLÈME RELÈVE DU DOMAINE DE LA PSYCHIATRIE. VOUS DEVEZ PRENDRE DES MÉDICAMENTS.
MERCI DOCTEUR ! MERCI !
ENFIN QUELQU'UN TROUVAIT UN REMÈDE À MON MAL-ÊTRE.
LES CACHETS QU'IL M'AVAIT PRESCRITS ÉTAIENT EFFICACES...
... JE ME SENTAIS "BIEN".

J'ÉTAIS SOUVENT DANS UN ÉTAT SECOND.
marjane, tu veux venir
la mer caspienne
oui
MAIS DÈS QUE L'EFFET DES COMPRIMÉS DISPARAISSAIT, JE REPRENAIS CONSCIENCE DE MA DÉTRESSE. MA CALAMITÉ SE RÉSUMAIT EN UNE PHRASE : JE N'ÉTAIS RIEN.
J'ÉTAIS UNE OCCIDENTALE EN IRAN, UNE IRANIENNE EN OCCIDENT. JE N'AVAIS AUCUNE IDENTITÉ. JE NE VOYAIS MÊME PLUS POURQUOI JE VIVAIS.
JE ME SUIS DONC DÉTERMINÉE À MOURIR. QUELQUES SEMAINES APRÈS MA RÉSOLUTION...
TU NOUS AVAIS DIT QUE TU VIENDRAIS AVEC NOUS, VOIR LA MER CASPIENNE... SI TU VEUX, ON PEUT ANNULER LE VOYAGE. ON NE VEUT PAS TE LAISSER...
MAIS ENFIN PAPA ! COMMENT JE FAISAIS À VIENNE ? NON, ÇA VA, PARTEZ ! DE TOUTE FAÇON, J'AI BESOIN D'ÊTRE SEULE.
ET ILS S'EN ALLÈRENT PENDANT DIX JOURS.
LE LENDEMAIN DE LEUR DÉPART, JE PRIS MES DISPOSITIONS. J'AVAIS VU AU CINÉMA UNE FEMME QUI BUVAIT DU VIN AVANT DE S'OUVRIR LES VEINES. À DÉFAUT DE VIN, J'AI BU UNE DEMI-BOUTEILLE DE VODKA.
BEURK
JE N'ARRIVAIS PAS À ME RÉSOUDRE À ENFONCER LA LAME DANS MA CHAIR. J'AI TOUJOURS EU TRÈS PEUR DU SANG. CEPENDANT, COMME J'ÉTAIS SOÛLE, J'AI RÉUSSI À M'ÉGRATIGNER.
POUR LE RESTE, J'AI FAIT COMME DANS LE FILM. JE ME SUIS ALLONGÉE DANS UN BAIN CHAUD, EN ATTENDANT DE ME VIDER DE MON SANG. MAIS IL COAGULA AUSSITÔT.
IL FAUT DIRE QU'IL EST UN PEU DIFFICILE DE SE TUER AVEC UN COUTEAU À FRUITS. LES ARMES BLANCHES N'ÉTANT FINALEMENT PAS FAITES POUR MOI, IL A FALLU TROUVER AUTRE CHOSE.

J'ATTENDIS ALORS QUE MON POIGNET CICATRISE POUR AVALER TOUS MES ANTI-DÉPRESSEURS.
JE ME DIS QUE C'ÉTAIT LA DERNIÈRE FOIS QUE JE VOYAIS LE SOLEIL. J'EUS AUSSI UNE PENSÉE POUR MES PARENTS.
C'ÉTAIT LA FIN...
...TROIS JOURS PLUS TARD...
C'EST MA MAIN! MERDE! JE SUIS TOUJOURS VIVANTE!
À MON RÉVEIL, LES MÉDICAMENTS QUE J'AVAIS PRIS ME DONNÈRENT DES HALLUCINATIONS PENDANT QUELQUES HEURES.
J'ALLAI DONC VOIR MON THÉRAPEUTE.
VOUS AVEZ TOUT AVALÉ, EN ÊTES-VOUS SÛRE?
OUI...
CETTE DOSE AURAIT SUFFI POUR ACHEVER UN ÉLÉPHANT!... MÊME SI JE NE SUIS PAS CROYANT, À PART L'INTERVENTION DIVINE, JE NE TROUVE AUCUNE EXPLICATION À VOTRE SURVIE...
J'EN DÉDUISIS QUE JE N'ÉTAIS PAS FAITE POUR MOURIR.
À PARTIR DE MAINTENANT JE ME PRENDS EN MAIN.

LES POILS ÉTANT L'OBSESSION DE LA FEMME ORIENTALE, JE COMMENÇAI PAR M'ÉPILER
MOI AVANT
MOI APRÈS
PUIS, JE ME DÉBARRASSAI DE MES FRUSQUES
ET ME FIS FAIRE DE NOUVEAUX VÊTEMENTS
UNE GARDE-ROBE MODERNE
DES CHAUSSURES ORIGINALES
UNE COUPE À LA MODE
UNE PERMANENTE
JE DEVINS UNE FEMME DANS LE VENT...
LES BOUTIQUES
LE MAQUILLAGE

ET COMME UN ESPRIT SAIN SE TROUVE DANS UN CORPS SAIN, JE ME SUIS MISE À FAIRE DU SPORT,
DE PLUS EN PLUS,
ET DE PLUS EN PLUS,
JUSQU'À EN DEVENIR PROFESSEUR D'AÉROBIC.
ET CINQ ET SIX... ET UN ET DEUX...
EYE OF THE TIGER
AINSI FORTE ET INVINCIBLE, J'ALLAI À LA RENCONTRE DE MA NOUVELLE DESTINÉE.

* NOM DU LYCÉE FRANÇAIS DE TÉHÉRAN

TOI ALORS! SOIT TU PARLES, SOIT TU FUMES! ALLEZ, VIENS DANSER UN PEU!
C'EST QUI CE TYPE?
RÉZA? C'EST UN DE NOS VOISINS. FAIS GAFFE! C'EST UN HOMME À FEMMES...
...UN SÉDUCTEUR SANS PITIÉ!
AH BON? IL M'A PLUTÔT L'AIR SYMPATHIQUE
EH OUI. IL CACHE BIEN SON JEU!
BEN, IL EST OÙ?
OUF!
ROXANA AVAIT TORT.
ON PEUT SE TUTOYER?
BIEN SÛR!
DESOLÉ DE T'AVOIR LAISSÉE MAIS ÇA FAISAIT UN MOMENT QUE JE N'AVAIS PAS VU HAMID.
C'EST QUI HAMID?
LE TYPE AVEC QUI JE PARLAIS. NOUS ÉTIONS AU FRONT ENSEMBLE.
TU AS FAIT LA GUERRE?
OUI, COMME TOUS LES AUTRES! D'AILLEURS TU AS ENTENDU L'HISTOIRE DU SOLDAT QUI SE FAIT EXPLOSER EN MILLE MORCEAUX?
C'EST LE MEC QUI SE MARIE ET QUI A SON TRUC SUR SA HANCHE?
EUH... OUI!
HI, HI, HI,... HI, HI, HI,... HI, HI
C'EST VRAI QUE C'EST TRÈS DRÔLE... C'EST LA BLAGUE DES ANCIENS COMBATTANTS.

ALORS COMME ÇA, TU AS FAIT LA GUERRE CONTRE L'IRAK ?
OUI, J'ÉTAIS CANONNIER DE CHAR.
QUOI ? TU AS TUÉ DES GENS ?
BEN, JE N'EN SAIS RIEN ! QUAND TU TIRES, TU NE SAIS PAS EXACTEMENT OÙ ÇA TOMBE...
EN MÊME TEMPS, PENDANT UN COMBAT, TU N'AS PAS LE TEMPS D'AVOIR DES ÉTATS D'ÂME. TOUT EST QUESTION DE SURVIE...
... QUAND LES IRAKIENS NOUS ONT ATTAQUÉS AVEC DES BOMBES CHIMIQUES, JE SAVAIS QU'IL FALLAIT ESCALADER LA MONTAGNE, LE PLUS VITE POSSIBLE.
LA MONTAGNE ? POURQUOI ?
EH BIEN, QUAND LA BOMBE EXPLOSE, IL Y A UN NUAGE DE PRODUITS TOXIQUES QUI SE DÉGAGE. SI TU TE TROUVES EN HAUTEUR, IL NE T'ATTEINT PAS...
IL EST TEMPS DE PASSER À TABLE !
... ALORS HAMID ET MOI, NOUS AVONS COURRU VERS LES SOMMETS DE ZAGROS*...
QUEL HOMME !
PFF...
* CHAÎNE DE L'OUEST DE L'IRAN
ENSUITE, NOUS AVONS PASSÉ UNE SEMAINE DANS LES MONTAGNES, SANS NOURRITURE. NOUS MANGIONS DE LA NEIGE POUR NE PAS MOURIR DE DÉSHYDRATATION.
QUEL HÉROS !
ÇA A DÛ ÊTRE TERRIBLEMENT DUR !
DUR... OUI, MAIS L'ÊTRE HUMAIN EST BEAUCOUP PLUS RÉSISTANT QU'ON NE LE PENSE.
JE LE SAIS
AINSI JE FIS LA CONNAISSANCE DE CELUI QUE J'ÉPOUSERAI DEUX ANNÉES PLUS TARD.
APRÈS CETTE SOIRÉE, ROXANA NE ME PARLA PLUS. APPAREMMENT, SA MEILLEURE AMIE VOULAIT SORTIR AVEC RÉZA... MALHEUREUSEMENT, ON N'A PAS TOUJOURS CE QU'ON VEUT.

TOUT NOUS OPPOSAIT
SA CHAMBRE
MA CHAMBRE
SES AMIS D'ENFANCE
MES AMIS D'ENFANCE
SON ACTIVITÉ FAVORITE
MON ACTIVITÉ FAVORITE
SON IDÉAL DE VIE
MON IDÉAL DE VIE
SA RELATION AVEC SA MÈRE
OUI MAMAN, JE RENTRE À UNE HEURE ET DEMIE. NE T'INQUIÈTE PAS !
?
MA RELATION AVEC MA MÈRE
TU NE VEUX PAS PRÉVENIR TES PARENTS ?
NON, POURQUOI ?
SA VIE SOCIALE
MA VIE SOCIALE
L'IMAGE QUE JE ME FAISAIS DE LUI.
L'IMAGE QU'IL SE FAISAIT DE MOI
LUI RECHERCHAIT EN MOI LA LÉGÈRETÉ PERDUE,
MOI, JE RECHERCHAIS EN LUI UNE GUERRE À LAQUELLE J'AVAIS ÉCHAPPÉ.
BREF NOUS ÉTIONS COMPLÉMENTAIRES

* EN IRAN, ON NE PEUT ENTRER À LA FAC QU'APRÈS AVOIR RÉUSSI LE CONCOURS NATIONAL

* ON RACONTE QUE LES TULIPES ROUGES POUSSENT DU SANG DES MARTYRS

...IL A FALLU ATTENDRE QUELQUES SEMAINES AVANT D'AVOIR LES RÉSULTATS DANS LE ETELAAT* QUI NE SORTAIT QU'À 15 HEURES. NOUS ÉTIONS DEVANT LES KIOSQUES À 13 HEURES.
REGARDE ! IL Y A MON NOM !
TEL
* NOM D'UN JOURNAL
PUTAIN ! IL Y A LE TIEN AUSSI !
SACHANT QUE 40% DES PLACES EN FACULTÉ ÉTAIENT RÉSERVÉES AUX ENFANTS DES MARTYRS ET DES MUTILÉS DE GUERRE, LES SIÈGES ÉTAIENT COMPTÉS. C'ÉTAIT UNE CHANCE INESPÉRÉE DE RÉUSSIR LE CONCOURS ENSEMBLE.
FAUTE D'ÊTRE MARIÉS, NOUS NE POUVIONS PAS NOUS EMBRASSER EN PUBLIC, NI MÊME NOUS SERRER FRATERNELLEMENT DANS LES BRAS AFIN D'EXPRIMER NOTRE EXTRÊME JOIE. NOUS RISQUIONS EMPRISONNEMENT ET COUPS DE FOUET. NOUS MONTÂMES ALORS VITE DANS LA VOITURE...
...OÙ IL POSA SA MAIN SUR LA MIENNE.
C'ÉTAIT EXTRAORDINAIRE.

APRÈS AVOIR DÉPOSÉ RÉZA CHEZ LUI, JE RENTRAI À LA MAISON.
MAMAN ! PAPA ! ÇA Y EST ! JE SUIS ADMISE EN ARTS GRAPHIQUES !
BRAVO ! ON LE SAIT. ON A VU TON NOM ET CELUI DE RÉZA DANS LE JOURNAL.
MON PAPA ! C'EST GÉNIAL !
OUI, OUI, C'EST MAGNIFIQUE !
MAINTENANT, IL NE RESTE QUE LE TEST IDÉOLOGIQUE, MAIS ÇA, C'EST UN DÉTAIL.
MERDE !
MA CHÉRIE, CE N'EST MALHEUREUSEMENT PAS UN DÉTAIL !
AH BON ?
OUI, LA FILLE DE MON COUSIN BAHMAN A ÉTÉ REFUSÉE À L'UNIVERSITÉ CAR SA MÈRE FAISAIT PARTIE DES OPPOSANTS AU RÉGIME ET AVAIT FAIT DEUX ANS DE PRISON.
?
IL FAUT QUE TU APRENNES LA PRIÈRE EN ARABE, LE NOM DE TOUS LES IMAMS, LEUR HISTOIRE, LA PHILOSOPHIE DU CHIISME, ETC, ETC,... SI TU VEUX, JE T'AIDERAI.
NON, ÇA IRA...
J'ESSAYAI D'APPRENDRE TOUT PAR COEUR. J'Y MIS DE LA BONNE VOLONTÉ...
... MAIS LES PROPOS ÉTAIENT SI OBSCURS QUE JE N'ARRIVAIS À RIEN RETENIR...
APRÈS PLUSIEURS JOURS D'ÉTUDES RELIGIEUSES, JE FINIS PAR ÊTRE CONVAINCUE QUE LA SEULE FAÇON DE FRANCHIR CETTE DERNIÈRE ÉTAPE ÉTAIT DE PRIER.
Dieu, Aidez-moi !

LE JOUR DE L'EXAMEN IDÉOLOGIQUE
SUIVANTE !
C'EST DIFFICILE ?
PFFF...
MADEMOISELLE SATRAPI, JE VOIS SUR VOTRE DOSSIER QUE VOUS AVEZ VÉCU EN AUTRICHE... PORTIEZ-VOUS LE VOILE LÀ-BAS ?
NON, J'AI TOUJOURS PENSÉ QUE SI LES CHEVEUX DES FEMMES POSAIENT AUTANT DE PROBLÈMES, DIEU NOUS AURAIT CERTAINEMENT CRÉÉES CHAUVES.
SAVEZ-VOUS FAIRE LA PRIÈRE ?
NON
ET POURRAIS-JE SAVOIR POURQUOI ?
COMME TOUS LES IRANIENS, JE NE COMPRENDS PAS L'ARABE. SI PRIER C'EST PARLER À DIEU, JE PRÉFÈRE LE FAIRE DANS UNE LANGUE QUE JE CONNAIS. JE CROIS EN DIEU MAIS JE M'ADRESSE À LUI EN PERSAN.
LE PROPHÈTE MAHOMET A DIT : "DIEU EST PLUS PROCHE DE NOUS QUE NOS VEINES JUGULAIRES." DIEU EST TOUJOURS AVEC NOUS, IL EST EN NOUS ! N'EST-CE PAS ?
MERCI MADEMOISELLE SATRAPI, VOUS POUVEZ DISPOSER
J'AURAI DÛ FERMER MA GUEULE, J'AURAI DÛ ÉTUDIER PLUS, J'AURAI DÛ..., TOUT EST FOUTU...
REGARDE OÙ TU MARCHES, IDIOTE !
DEUX SEMAINES PLUS TARD
VOILÀ TA LETTRE D'ADMISSION !
C'EST PAS VRAI !
SI MA CHÉRIE ! MAINTENANT, TU ES ÉTUDIANTE !
QUELQUES MOIS APRÈS, J'APPRIS PAR LA DIRECTRICE DU DÉPARTEMENT DES ARTS QUE LE MOLLAH QUI M'AVAIT INTERROGÉE AVAIT BEAUCOUP APPRÉCIÉ MON HONNÊTETÉ. APPAREMMENT IL AVAIT MÊME DIT QUE J'ÉTAIS LA SEULE À NE PAS AVOIR MENTI. J'AVAIS DE LA CHANCE. J'ÉTAIS TOMBÉE SUR UN VRAI RELIGIEUX.

LE MAQUILLAGE

VENEZ AVEC MOI !
OUI FRÈRE !
IL PARAÎT QUE TU AS DIT DES OBSCÉNITÉS À LA DEMOISELLE !!
QUI ? MOI
QUI D'AUTRE ? TU N'AS PAS HONTE ? TU N'AS PAS DE MÈRE ? TU N'AS PAS DE SOEUR ? T'AIMERAIS QUE QUELQU'UN LES INSULTE ?
MADEMOISELLE, S'IL VOUS PLAÎT, DITES-LEUR QUE JE N'AI RIEN DIT !
VOUS OSEZ ME REGARDER DANS LES YEUX ET MENTIR !
RÉZA ARRIVA EN PLEIN MILIEU DE CE CHAOS.
VA-T'EN !
OK !
JE LE JURE SUR LA TÊTE DE MA MÈRE, SUR LE CORAN, LE PROPHÈTE, LES IMAMS JE N'AI RIEN FAIT !!
MADEMOISELLE, JE VOUS EN PRIE, FAITES QUELQUE CHOSE ! DITES-LEUR QUE JE SUIS INNOCENT !

OUFFF!!
J'ÉTAIS SAUVÉE...
RESTAIT À RETROUVER RÉZA.
IL N'ÉTAIT PAS LOIN.
POURQUOI TU SORS AVEC CE ROUGE À LÈVRES ÉLECTRIQUE QUI NE TE VA MÊME PAS!?
ÇA NE ME VA PAS?
NON!
C'EST QUI LE GROS QU'ILS ONT EMBARQUÉ?
JE NE SAIS PAS. UN PAUVRE MEC QUI ÉTAIT LÀ PAR HASARD. QUAND JE LES AI VUS DÉBARQUER, JE ME SUIS DIT QUE LA SEULE FAÇON DE M'EN SORTIR ÉTAIT DE JOUER "LA PAUVRE FEMME QUI A BESOIN DE PROTECTION". ALORS JE LEUR AI RACONTÉ QUE LE TYPE M'AVAIT TENU DES PROPOS INDÉCENTS ET ILS L'ONT ARRÊTÉ.
TU AS FAIT ÇA??!!
HA! HA! HA! HA! C'EST TROP COOL! QUEL INSTINCT DE SURVIE!
TU TROUVES?
ABSOLUMENT! HA! HA! HA!
VIENS, ON VA AILLEURS! ICI, C'EST DANGEREUX!
MAIS ILS SONT PARTIS!
QUAND ILS FONT DES RAFLES, IL N'Y A JAMAIS QU'UNE SEULE PATROUILLE. IL VA Y EN AVOIR D'AUTRES.

* COMMISSARIAT DES GARDIENS DE LA RÉVOLUTION ** SALAIRE D'UN FONCTIONNAIRE DE L'ÉPOQUE

NOUS AVONS LA CHANCE D'AVOIR DES PARENTS QUI ACCEPTENT NOTRE RELATION. NOUS NE SOMMES PAS OBLIGÉS DE NOUS VOIR DANS LA RUE COMME LES AUTRES ! LA PLUPART DES FAMILLES SONT TRADITIONALISTES. ILS SONT AUSSI TYRANNIQUES QUE L'ÉTAT.
DE TOUTE FAÇON, SI ON NOUS ARRÊTE, ON N'A QU'À DIRE QU'ON EST FIANCÉS. PEU IMPORTE. AU PIRE, ON PAIE ET C'EST BON !
SAUF QU'IL NE FAUT PAS DONNER UN ROND À CES SALOPARDS !
QUELLE INGRATITUDE ! CES SALOPARDS VIENNENT DE TE PROTÉGER D'UN PERVERS.
ARRÊTE... EN FAIT, QU'EST-CE QU'ILS VONT LUI FAIRE ?
À QUI ?
AU PAUVRE TYPE QU'ILS VIENNENT D'ARRÊTER À MA PLACE !
RIEN ! IL AURA QUELQUES BAFFES ! C'EST TOUT !
REMARQUE, ILS SONT TELLEMENT TARÉS QUE SI ÇA SE TROUVE ILS LE PENDRONT... TU TE SOUVIENS DE MES AMIS DARIUSH ET NADER ?
OUI ET ALORS ?
EH BIEN, ILS RENTRAIENT D'UNE FÊTE, TARD LE SOIR, QUAND LES GARDIENS DE LA RÉVOLUTION LES ONT ARRÊTÉS...
... AU DÉBUT, ILS PENSAIENT QUE C'ÉTAIT UN SIMPLE CONTRÔLE DE ROUTINE, MAIS APRÈS AVOIR INSPECTÉ LEURS PAPIERS, LE BARBU LEUR A DEMANDÉ :
QUELLE EST VOTRE RELATION AVEC MONSIEUR ?
C'EST MON COPAIN
... ILS ONT VOULU FAIRE LES MALINS
QU'ENTENDEZ-VOUS PAR "COPAIN" ?
BEN, ON SORT ENSEMBLE, QUOI !
SALE PÉDÉ !

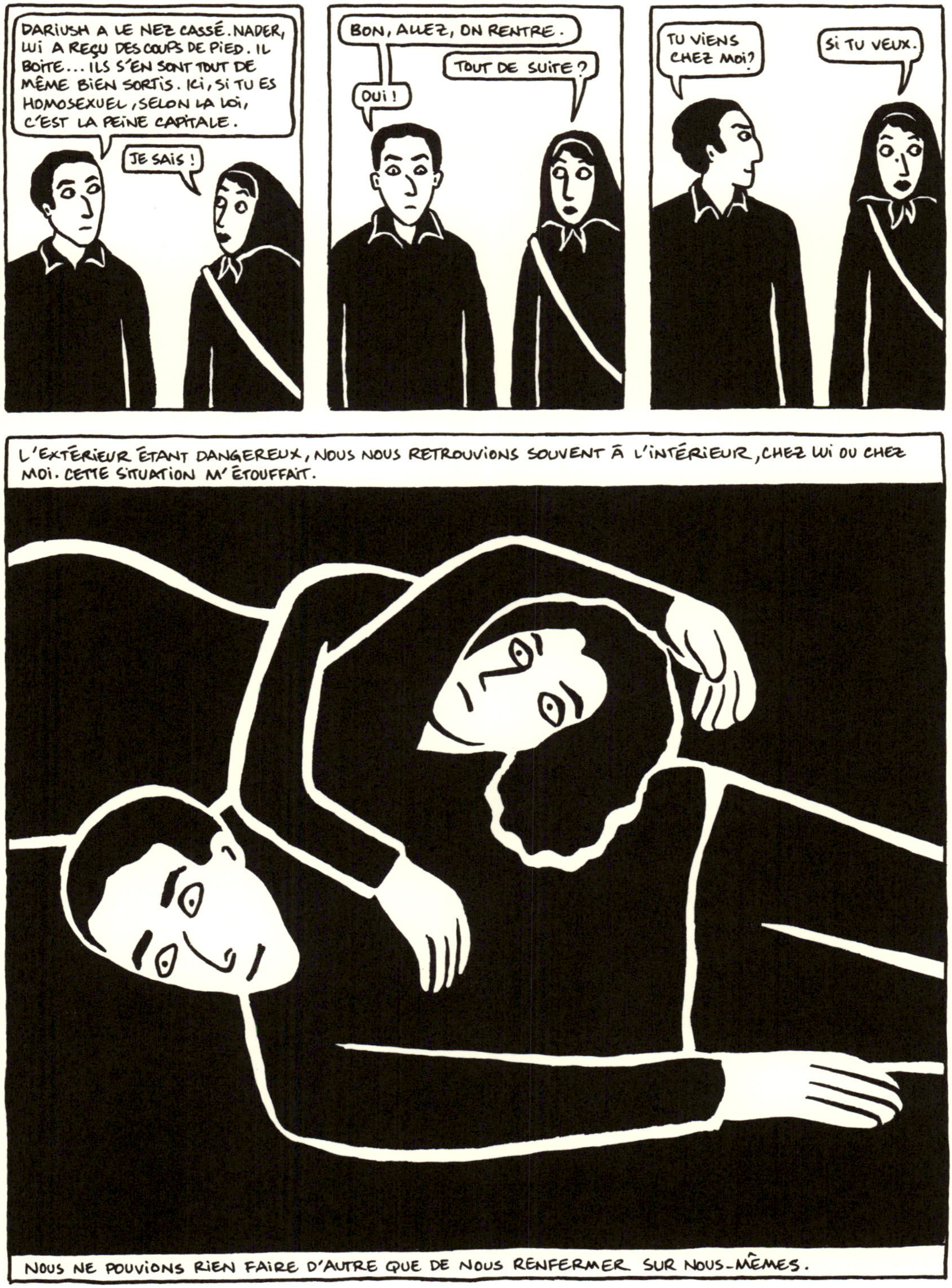
DARIUSH A LE NEZ CASSÉ. NADER, LUI A REÇU DES COUPS DE PIED. IL BOITE... ILS S'EN SONT TOUT DE MÊME BIEN SORTIS. ICI, SI TU ES HOMOSEXUEL, SELON LA LOI, C'EST LA PEINE CAPITALE.
JE SAIS !
BON, ALLEZ, ON RENTRE.
OUI !
TOUT DE SUITE ?
TU VIENS CHEZ MOI ?
SI TU VEUX.
L'EXTÉRIEUR ÉTANT DANGEREUX, NOUS NOUS RETROUVIONS SOUVENT À L'INTÉRIEUR, CHEZ LUI OU CHEZ MOI. CETTE SITUATION M'ÉTOUFFAIT.
NOUS NE POUVIONS RIEN FAIRE D'AUTRE QUE DE NOUS RENFERMER SUR NOUS-MÊMES.

JE RENTRAI ASSEZ TÔT À LA MAISON.
MAMIE ! QUELLE BONNE SURPRISE ! OÙ SONT PAPA ET MAMAN ?
ILS SONT AU CINÉMA. JE SUIS RESTÉE POUR TE VOIR.
IL FAUT QUE JE TE RACONTE QUELQUE CHOSE !
... ALORS, J'AI REGARDÉ AUTOUR DE MOI ET J'AI TROUVÉ UN MEC QUI AVAIT UN PEU UNE SALE GUEULE. JE SUIS ALLÉE VOIR LES BARBUS ...
... ILS L'ONT ARRÊTÉ ! HA ! HA ! HA ! ... ILS ONT EMBARQUÉ LE TYPE ! HA ! HA ! HA !
HA ! HA ! HA ! HA ! HA !
ET TU TROUVES ÇA DRÔLE ?
PAS TOI ?
NON ! MOI JE TROUVE QUE TU ES UNE SACRÉE SALOPE ! VOILÀ CE QUE JE TROUVE !!!
TU AS OUBLIÉ QUI ÉTAIT TON GRAND-PÈRE ? IL A PASSÉ LE TIERS DE SA VIE EN PRISON POUR AVOIR DÉFENDU DES INNOCENTS ! ET TON ONCLE ANOUCHE ? TU L'AS OUBLIÉ AUSSI ???! À DONNER SA VIE POUR SES IDÉES ! QU'EST-CE QUE JE T'AI APPRIS !! HEIN ??? "L'INTÉGRITÉ", OUI MADEMOISELLE, "L'INTÉGRITÉ" !!! CE MOT TE DIT QUELQUE CHOSE ?
JE M'EN VAIS. PRENDS LE TEMPS DE RÉFLÉCHIR ! C'EST LE SANG DE TON PAPI ET DE TON ONCLE QUI COULE DANS TES VEINES ! HONTE À TOI !
MA MAMIE M'AVAIT CRIÉ DESSUS POUR LA PREMIÈRE FOIS DE MA VIE.
JE DÉCIDAI QUE CE SERAIT AUSSI LA DERNIÈRE.

LA CONVOCATION
SEPTEMBRE 1989. J'ÉTAIS ENFIN ÉTUDIANTE.
LE PETIT DÉJEUNER QUE MA MÈRE M'AVAIT PRÉPARÉ COMME JADIS, L'ATMOSPHÈRE MÉLANCOLIQUE DU DÉBUT DE L'AUTOMNE, MON UNIFORME, ..., ENFIN TOUT ME RAPPELAIT LA RENTRÉE SCOLAIRE.
JE SUIS TRÈS EXCITÉE !
RÉZA ME RETROUVA SUR LE CHEMIN.
TUUUUT! TUUUTUUUUT!
TU CROIS QU'ON PEUT DIRE AUX GENS QU'ON EST ENSEMBLE ?
TU ES FOLLE ! JAMAIS DE LA VIE. SI LA DIRECTION DÉCOUVRE NOTRE RELATION, NOUS SERONS RENVOYÉS ! POUR EUX, NOUS SOMMES DES HORS-LA-LOI !
IL EXAGÉRAIT UN PEU. DÈS L'ARRIVÉE DANS LA COUR DE L'UNIVERSITÉ, CERTES LES GARÇONS ET LES FILLES NE SE MÉLANGEAIENT PAS, MAIS ÇA NE LES EMPÊCHAIT POINT DE SE LANCER DES REGARDS COQUINS.
NORMAL ! APRÈS TOUT LOI OU PAS LOI, C'ÉTAIENT DES ÊTRES HUMAINS.

BEAUCOUP D'ÉTUDIANTS SE CONNAISSAIENT DÉJÀ. EN LES ÉCOUTANT, JE COMPRIS QU'ILS AVAIENT SUIVI DES COURS PRÉPARATOIRES ENSEMBLE. NOTRE PREMIÈRE LEÇON FUT "HISTOIRE DE L'ART".
CE QU'ON APPELLE COMMUNÉMENT L'ART ET L'ARCHITECTURE ARABES, DEVRAIT EN FAIT S'APPELER L'ART DE L'EMPIRE MUSULMAN, QUI S'ÉTENDAIT DE LA CHINE À L'ESPAGNE. CET ART EST UN CROISEMENT ENTRE L'ART INDIEN, PERSAN ET MÉSOPOTAMIEN. CEUX QU'ON NOMME, COMME AVICENNE, "SAVANTS ARABES" SONT DE FAIT POUR LA PLUPART TOUT SAUF DES ARABES. MÊME LE PREMIER LIVRE DE GRAMMAIRE ARABE A ÉTÉ ÉCRIT PAR UN IRANIEN.
C'ÉTAIT AMUSANT DE VOIR À QUEL POINT, LA RÉPUBLIQUE ISLAMIQUE N'AVAIT PAS SU METTRE FIN À NOTRE CHAUVINISME. AU CONTRAIRE! LES GENS COMPARAIENT SOUVENT L'OBSCURANTISME DU NOUVEAU RÉGIME À L'INVASION ARABE. SELON CETTE LOGIQUE "ÊTRE PERSE" VOULAIT DIRE "NE PAS ÊTRE FANATIQUE". LÀ OÙ CE PARALLÈLE TOUCHAIT SES LIMITES C'ÉTAIT QUE NOTRE GOUVERNEMENT N'ÉTAIT PAS COMPOSÉ D'ENVAHISSEURS ARABES MAIS D'INTÉGRISTES PERSES.
À L'HEURE DU DÉJEUNER
LE PROF EST TRÈS INTÉRESSANT, MAIS OH LÀ LÀ! QU'EST-CE QU'IL PUE DE LA GUEULE. MÊME À DIX MÈTRES DE DISTANCE ON SENT SON HALEINE DE CHACAL!
PARMI LES MECS, IL Y EN A QUI ONT DES COUPES DE CHEVEUX!!! NOM DE DIEU!
HA! HA! HA!
MALGRÉ LEUR ASPECT COINCÉ, LES FILLES DE MA PROMOTION M'AVAIENT L'AIR PLUTÔT RIGOLOTES.
HÉ! REGARDE, CELUI EN CHEMISE BLEUE... IL N'EST PAS MAL, HEIN!
ELLES PARLAIENT DE RÉZA. JE LES AI SOUDAIN TROUVÉES BEAUCOUP MOINS DRÔLES.
SALUT, MOI C'EST CHOUKA.
ET MOI, C'EST NIOUCHA.
ENCHANTÉE, JE SUIS MARJANE.
NIOUCHA AVAIT LES YEUX TRÈS VERTS, CE QUI FIT D'ELLE LA FILLE LA PLUS DÉSIRÉE DE TOUTE LA FACULTÉ (LA MAJORITÉ DES IRANIENS ONT DES YEUX NOIRS).
TU AS VÉCU À L'ÉTRANGER?
COMMENT TU SAIS?
BEN, À CAUSE DE TON MAGHNAEH*. TU LE PORTES COMME UNE DÉBUTANTE.
CHOUKA ÉTAIT TRÈS AMUSANTE. MALHEUREUSEMENT QUAND ELLE SE MARIA DEUX ANNÉES PLUS TARD, SON ÉPOUX LUI INTERDIT DE ME CÔTOYER. POUR LUI, J'ÉTAIS UNE PERSONNE AMORALE.
IL EST VRAI QUE LE PORT DU VOILE ÉTAIT TOUTE UNE SCIENCE. IL FALLAIT FAIRE UN PLI SPÉCIAL DE LA FAÇON SUIVANTE:
ON N'APERÇOIT AUCUNE MÈCHE DE PROFIL
MAIS ON VOIT LA HOUPPE DE FACE
NÉANMOINS LES CHOSES ÉVOLUAIENT... D'ANNÉE EN ANNÉE, LES FEMMES GAGNÈRENT UN CENTIMÈTRE DE CHEVEUX ET PERDIRENT UN CENTIMÈTRE DE VOILE.
* CAGOULE

AVEC L'HABITUDE, BIEN QU'ELLES SOIENT COUVERTES DE LA TÊTE AUX PIEDS, ON ARRIVAIT À DEVINER COMMENT ELLES ÉTAIENT FAITES, LA MANIÈRE DONT ELLES ÉTAIENT COIFFÉES ET MÊME LEUR AVIS POLITIQUE. ÉVIDEMMENT, PLUS UNE FEMME SE MONTRAIT ET PLUS ELLE ÉTAIT PROGRESSISTE ET MODERNE.
LE SOIR EN RENTRANT
SALUT TOUT LE MONDE !
SALUT
ALORS, C'ÉTAIT COMMENT CETTE PREMIÈRE JOURNÉE ?
REGARDE CE QUE MAMIE T'A RAMENÉ ?
MAMIE ?
DEPUIS MON ACTE DE LÂCHETÉ, MA MAMIE NE ME PARLAIT PLUS.
C'EST QUOI ÇA ?
UNE CAGOULE EN VOILE DE COTTON !
COMME ÇA TA TÊTE PEUT RESPIRER. SINON, TU SERAS CHAUVE, D'ICI PEU.
ELLE M'AVAIT OFFERT UN CADEAU, ELLE AVAIT PENSÉ À MES CHEVEUX, ELLE ME PARLAIT...
...OUF ! ELLE M'AVAIT PARDONNÉE
AH MAMIE ! MERCI !
BON, BON, ÇA VA !
J'AVAIS OUBLIÉ SON EXTRÊME INTRANSIGEANCE.

UNE SEMAINE APRÈS
LE TYPE RASÉ DE PRÈS LÀ, COMMENT IL S'APPELLE... ? RÉZA. OUI RÉZA. TU LE CONNAIS ?
NON, POURQUOI ?
EH BIEN, IL N'ARRÊTE PAS DE TE MATER, HI! HI! HI! HI!
NON, NON, JE NE L'AI MÊME PAS REMARQUÉ!
TU AS RAISON! IL N'EST PAS TERRIBLE!
OH, IL N'EST PAS SI MAL!
TU VOIS QUE TU LE CONNAIS!
FACE À LA PERSPICACITÉ DE MES COPINES, JE N'AI PU QU'AVOUER LA VÉRITÉ.
LES ÉTUDIANTES, LES ÉTUDIANTS
QUEL DISCERNEMENT!
JE CONFESSE! JE L'AI VU HIER SOIR DANS TA VOITURE.
SALE MENTEUSE! TU M'AS BIEN EUE!
CHUUUT! ÉCOUTEZ CE QUE DIT LA DIRECTRICE!
VOUS DEVEZ TOUS VOUS PRÉSENTER À 15 HEURES À L'UNIVERSITÉ CENTRALE! TOUS CEUX QUI S'ABSENTERONT SERONT PRIVÉS DE COURS PENDANT DEUX SEMAINES!
C'EST À L'UNIVERSITÉ CENTRALE QU'ÉTAIENT ENSEIGNÉES LES MATIÈRES COMMUNES À TOUTES LES SECTIONS. CET ENDROIT ÉTAIT BEAUCOUP PLUS RÉPRESSIF QUE NOTRE FACULTÉ. EN TANT QU'ARTISTES, NOUS BÉNÉFICIIONS D'UN PEU PLUS DE LIBERTÉ. PAR EXEMPLE, DANS CE LIEU, LES FILLES ET LES GARÇONS DEVAIENT PRENDRE DIFFÉRENTES CAGES D'ESCALIERS, ALORS QUE CHEZ NOUS C'ÉTAIT LA MÊME POUR TOUT LE MONDE.
JE NE COMPRENAIS PAS CETTE HISTOIRE D'ESCALIER, CAR DE TOUTE FAÇON, NOUS NOUS RETROUVIONS ENSEMBLE À L'ÉTAGE MAIS CHOUKA DISAIT QUE C'ÉTAIT POUR EMPÊCHER LES GARÇONS DE REGARDER NOS FESSES EN MONTANT.
JE CROIS QU'ELLE AVAIT RAISON.

UNE FOIS DANS L'AMPHITHÉÂTRE, NOUS DÉCOUVRÎMES LA RAISON DE NOTRE CONVOCATION : LA DIRECTION AVAIT ORGANISÉ UNE CONFÉRENCE AVEC COMME THÈME "LA CONDUITE MORALE ET RELIGIEUSE", AFIN DE NOUS MONTRER LE DROIT CHEMIN.
NOUS NE POUVONS PAS NOUS PERMETTRE DE NOUS COMPORTER N'IMPORTE COMMENT! C'EST DU SANG DE NOS MARTYRS QU'ONT POUSSÉ LES FLEURS DE NOTRE RÉPUBLIQUE. SE PERMETTRE UNE CONDUITE INDÉCENTE, C'EST PIÉTINER LE SANG DE CEUX QUI ONT DONNÉ LEUR VIE POUR NOTRE LIBERTÉ. AUSSI, JE DEMANDE AUX DEMOISELLES ICI PRÉSENTES DE PORTER DES PANTALONS MOINS LARGES ET DES CAGOULES PLUS LONGUES. QU'ELLES COUVRENT BIEN LEURS CHEVEUX, QU'ELLES NE SE MAQUILLENT PAS, QU'ELLES...

QUELQU'UN A UNE QUESTION ? SINON LA SÉANCE EST LEVÉE.
MOI MONSIEUR, J'AI UNE QUESTION !
VOUS DITES QUE NOS CAGOULES SONT COURTES, QUE NOS PANTALONS SONT INDÉCENTS, QUE NOUS NOUS MAQUILLONS, ETC, ...
EN TANT QU'ÉTUDIANTE EN ART, UNE BONNE PARTIE DE MON TEMPS SE PASSE À L'ATELIER. J'AI BESOIN DE LIBERTÉ DE GESTES AFIN DE POUVOIR DESSINER. UNE CAGOULE PLUS LONGUE REND LA TÂCHE ENCORE PLUS DIFFICILE.
EN CE QUI CONCERNE NOS PANTALONS, VOUS LEUR REPROCHEZ D'ÊTRE TROP LARGES ALORS QU'ILS CACHENT EFFICACEMENT NOS FORMES. SACHANT QUE CES PANTALONS SONT ACTUELLEMENT EN VOGUE, JE POSE LA QUESTION : LA RELIGION DÉFEND-ELLE NOTRE INTÉGRITÉ PHYSIQUE OU S'OPPOSE-T-ELLE SIMPLEMENT À LA MODE ?
VOUS N'HÉSITEZ PAS À NOUS FAIRE DES REMARQUES, OR, LES FRÈRES ICI PRÉSENTS ONT TOUTES SORTES ET FORMES DE COIFFURES ET D'HABILLEMENTS. PARFOIS, ILS METTENT DES VÊTEMENTS TELLEMENT SERRÉS QU'ON ARRIVE MÊME À VOIR LEURS DESSOUS.
COMMENT SE FAIT-IL QUE MOI, EN TANT QUE FEMME, JE NE PUISSE RIEN ÉPROUVER EN REGARDANT CES MESSIEURS MOULÉS DE PARTOUT MAIS QU'EUX, EN TANT QU'HOMMES PUISSENT S'EXCITER SUR MES CINQ CENTIMÈTRES DE CAGOULE EN MOINS ?
OHHHH !!

À LA SORTIE DE LA CONFÉRENCE.
TU ES VRAIMENT COURAGEUSE.
NON ! BRAVO ! QUEL FRANC-PARLER !
MERCI
SATRAPI !
TU ES CONVOQUÉE PAR LA COMMISSION ISLAMIQUE... BON COURAGE !
C'EST GRAVE ?
JE N'EN SAIS RIEN !
LA DIRECTRICE DE NOTRE FACULTÉ AVAIT FAIT SES ÉTUDES AUX ÉTATS-UNIS ET RESTAIT ASSEZ LAÏQUE.
QU'EST-CE QU'IL Y A ?
JE SUIS CONVOQUÉE À LA COMMISSION ISLAMIQUE !
MERDE ALORS !
SOUHAITEZ-MOI BONNE CHANCE !
C'ÉTAIT COMME SI J'ALLAIS À LA RENCONTRE DE MON BOURREAU...
...MAIS À MA GRANDE SURPRISE, MON EXÉCUTEUR S'AVÉRA ÊTRE "LE VRAI RELIGIEUX", CELUI QUI M'AVAIT ACCEPTÉE AU TEST IDÉOLOGIQUE.
ALORS MADEMOISELLE SATRAPI... TOUJOURS À DIRE CE QUE VOUS PENSEZ... C'EST BIEN ! VOUS ÊTES HONNÊTE, MAIS VOUS ÊTES ÉGARÉE.
OUI
LISEZ LE TEXTE SACRÉ. VOUS VERREZ QUE PORTER LE VOILE EST SYNONYME D'ÉMANCIPATION. UNE FEMME VOILÉE EST UNE FEMME LIBRE !
SI VOUS LE DITES
CE N'EST PAS MOI QUI LE DIS, C'EST DIEU... JE VAIS VOUS DONNER UNE SECONDE CHANCE. POUR CETTE FOIS, VOUS N'ÊTES PAS RENVOYÉE. EN ÉCHANGE, JE VOUS DEMANDE D'IMAGINER L'UNIFORME ADAPTÉ AUX BESOINS DES ÉTUDIANTES DE VOTRE SECTION. RIEN D'EXTRAVAGANT BIEN ENTENDU !
BIEN ENTENDU
JE M'APPLIQUAI. CE N'ÉTAIT PAS ÉVIDENT DE DESSINER "LE MODÈLE" QUI PLAIRAIT À LA FOIS À LA DIRECTION ET AUX PRINCIPALES INTÉRESSÉES. JE FIS DES DIZAINES DE CROQUIS.
VOILÀ, CECI FUT LE RÉSULTAT DE MES RECHERCHES.
CAGOULE COURTE
PANTALONS LARGES
MÊME SUBTILES, CES DIFFÉRENCES REPRÉSENTAIENT BEAUCOUP POUR NOUS.
CETTE PETITE RÉBELLION RÉCONCILIA MA GRAND-MÈRE AVEC MOI.
C'EST LA PEUR QUI NOUS FAIT PERDRE NOTRE CONSCIENCE. C'EST AUSSI ELLE QUI NOUS TRANSFORME EN LÂCHES. TU AS EU DU CRAN ! JE SUIS FIÈRE DE TOI !
AINSI, JE RETROUVAI MON AMOUR-PROPRE ET MA DIGNITÉ. POUR LA PREMIÈRE FOIS DEPUIS LONGTEMPS, J'ÉTAIS CONTENTE DE MOI-MÊME.

LES CHAUSSETTES

APRÈS QUELQUES SEMAINES, NOTRE PROFESSEUR ET NOUS-MÊMES EN DÉDUISÎMES QU'IL ÉTAIT PRÉFÉRABLE DE FAIRE VENIR UN MODÈLE DONT ON POUVAIT AU MOINS DISTINGUER LES MEMBRES. NOTRE DIRECTRICE APPROUVA.
UN SOIR, AVANT LA FERMETURE DE LA FAC, UN DES SURVEILLANTS ME RENDIT UNE PETITE VISITE.
QU'EST-CE QUE TU FAIS LÀ SI TARD?
JE DESSINE.
POURQUOI TU REGARDES CET HOMME?
EH BIEN, PARCE QUE JE LE DESSINE!
OUI, MAIS TU N'AS PAS LE DROIT DE LE REGARDER. C'EST CONTRE LA MORALE.
QUE VOULEZ-VOUS QUE JE FASSE? QUE JE DESSINE CE MONSIEUR EN REGARDANT LA PORTE???!!
OUI

CES SITUATIONS ABSURDES ÉTAIENT ASSEZ FRÉQUENTES. UN JOUR PAR EXEMPLE, JE DEVAIS ALLER VOIR MON DENTISTE, MAIS LES COURS FINIRENT PLUS TARD QUE PRÉVU.
SOUDAIN J'ENTENDIS UNE VOIX DANS UN HAUT-PARLEUR :
LA DAME AU MANTEAU BLEU ! NE COUREZ PAS !!
?
LA DAME AU MANTEAU BLEU !!! CESSEZ DE COURIR !
??
HÉ LE MANTEAU BLEU ! ARRÊTE DE COURIR !
???
MOI ?
MADAME, POURQUOI VOUS COURIEZ ?
JE SUIS TRÈS EN RETARD ! JE COURAIS POUR AVOIR MON BUS.
OUI... MAIS... QUAND VOUS COUREZ, VOTRE DERRIÈRE FAIT DES MOUVEMENTS... COMMENT DIRE... ... IMPUDIQUES !
EH BIEN VOUS N'AVEZ QU'À PAS REGARDER MON CUL !
J'AI CRIÉ SI FORT QU'ILS NE M'ARRÊTÈRENT MÊME PAS.

NOUS AFFRONTIONS LE RÉGIME COMME NOUS POUVIONS.
EN 1990, L'ÉPOQUE DES GRANDS IDÉAUX RÉVOLUTIONNAIRES ET DES MANIFESTATIONS ÉTAIT TERMINÉE. ENTRE 1980 ET 1983, LE GOUVERNEMENT AVAIT EMPRISONNÉ ET EXÉCUTÉ TELLEMENT DE LYCÉENS ET D'ÉTUDIANTS QUE NOUS N'OSIONS PLUS PARLER POLITIQUE.
NOTRE LUTTE ÉTAIT PLUS DISCRÈTE.
ELLE PORTAIT SUR LES PETITS DÉTAILS. POUR NOS DIRIGEANTS, LA MOINDRE CHOSE POUVAIT ÊTRE UN SUJET DE SUBVERSION.
MONTRER SON POIGNET,
RIRE FORT,
AVOIR UN WALKMAN,
BREF... TOUT ÉTAIT PRÉTEXTE À NOUS ARRÊTER.
JE ME SOUVIENS MÊME AVOIR PASSÉ UNE JOURNÉE ENTIÈRE AU COMITÉ À CAUSE D'UNE HISTOIRE DE CHAUSSETTES ROUGES.
LE RÉGIME AVAIT COMPRIS QU'UNE PERSONNE QUI SORTAIT DE CHEZ ELLE EN SE DEMANDANT:
EST-CE QUE MON PANTALON EST ASSEZ LONG?
EST-CE QUE MON FOULARD EST À SA PLACE?
EST-CE QUE MON MAQUILLAGE SE VOIT?
EST-CE QU'ILS VONT ME FOUETTER?
NE SE DEMANDAIT PLUS:
OÙ EST MA LIBERTÉ DE PENSÉE?
OÙ EST MA LIBERTÉ DE PAROLE?
MA VIE, EST-ELLE VIVABLE?
QUE SE PASSE-T-IL DANS LES PRISONS POLITIQUES?
NORMAL! QUAND ON A PEUR, ON PERD LA NOTION D'ANALYSE ET DE RÉFLEXION. NOTRE EFFROI NOUS PARALYSE. D'AILLEURS, LA PEUR A TOUJOURS ÉTÉ LE MOTEUR DE RÉPRESSION DE TOUTES LES DICTATURES.
MONTRER SES CHEVEUX OU SE MAQUILLER DEVINRENT LOGIQUEMENT DES ACTES DE RÉBELLION.

MALHEUREUSEMENT BEAUCOUP D'ENTRE NOUS N'ÉTAIENT REBELLES QU'EN APPARENCE. UN JOUR, EN CLASSE...
MARJANE ! TA TROUSSE !
MERCI DORNA, MERCI !
JE T'EN PRIE.
TU PRENDS LA PILULE ?
OUI !
MOI AUSSI ! JE SUIS DÉRÉGLÉE. TOI AUSSI, TU ES DÉRÉGLÉE ?
NON, PAS DU TOUT. JE LA PRENDS CAR JE COUCHE AVEC MON COPAIN !
OOOOH !!!!
UN PEU DE DÉCENCE, S'IL TE PLAÎT !
TU PEUX M'EXPLIQUER EN QUOI C'EST INDÉCENT DE FAIRE L'AMOUR AVEC SON AMI ?
TAIS-TOI !
TAIS-TOI TOI-MÊME ! MON CORPS EST À MOI ! JE LE DONNE À QUI JE VEUX !! ÇA NE REGARDE PERSONNE !
JE NE LUI DIS PAS TOUT CE QUE J'AURAIS PU : QU'ELLE ÉTAIT FRUSTRÉE CAR ELLE ÉTAIT ENCORE VIERGE À VINGT-SEPT ANS ! QU'ELLE M'INTERDISAIT CE QUI LUI ÉTAIT INTERDIT ! QUE SE MARIER AVEC QUELQU'UN QU'ON NE CONNAÎT PAS, POUR SON ARGENT ÉTAIT DE LA PROSTITUTION. QUE MALGRÉ SES MÈCHES ET SON ROUGE À LÈVRES, ELLE AGISSAIT COMME L'ÉTAT. QUE... ETC... CE JOUR-LÀ, JE ME MIS LA MOITIÉ DE LA CLASSE À DOS.

HEUREUSEMENT, IL RESTAIT L'AUTRE MOITIÉ. PETIT À PETIT JE CONNUS LES ÉTUDIANTS QUI PENSAIENT COMME MOI.
NOUS NOUS RETROUVIONS LES UNS CHEZ LES AUTRES, OÙ NOUS POSIONS LES UNS POUR LES AUTRES... NOUS AVIONS ENFIN TROUVÉ UN ESPACE DE LIBERTÉ.
AU DÉBUT NOUS N'ÉTIONS QUE CINQ,
PUIS ...
ET FINALEMENT...
NOUS ÉTIONS BEAUCOUP PLUS NOMBREUX QUE JE NE LE CROYAIS.
NOTRE PROFESSEUR ÉTAIT SI CONTENT DE VOIR NOS CROQUIS FAITS MAISON.
BRAVO! UN ARTISTE DOIT DÉFIER LA LOI! JE VOUS FÉLICITE!
PLUS LE TEMPS PASSAIT ET PLUS JE PRENAIS CONSCIENCE DU CONTRASTE ENTRE LA REPRÉSENTATION OFFICIELLE DE MON PAYS ET LA VIE RÉELLE DES GENS, CELLE QUI SE PASSAIT DERRIÈRE LES MURS.

NOTRE COMPORTEMENT PUBLIC ET NOTRE COMPORTEMENT PRIVÉ ÉTAIENT AUX ANTIPODES.

...CETTE DISPARITÉ NOUS RENDAIT SCHIZOPHRÈNES.

POUR TROUVER UN SEMBLANT D'ÉQUILIBRE, NOUS FAISIONS LA FÊTE PRESQUE TOUS LES SOIRS...
... MAIS MÊME CHEZ NOUS, ILS NE NOUS LAISSAIENT PAS TRANQUILLES.
J'AI VU UNE PATROUILLE DES GARDIENS DE LA RÉVOLUTION PAR LA FENÊTRE. JE CROIS QU'ILS VIENNENT NOUS ARRÊTER!
VIENS LÀ MON PETIT SALAUD! COMME ÇA, TU ORGANISES DES FÊTES! JE VAIS TE FAIRE PASSER LE GOÛT DE LA JOUISSANCE!!
ILS EMBARQUAIENT TOUT LE MONDE EN PRISON. ÉVIDEMMENT, NOUS EÛMES TRÈS PEUR LA PREMIÈRE FOIS.
... MAIS CELA DEVINT VITE UNE HABITUDE. NOUS ARRIVIONS MÊME À EN RIRE.
LE BARBU, TA BARBE PUE...
ENSUITE VENAIT L'ÉTERNEL BARATIN...
... CONTRE LA MORALE ... LE SANG DES MARTYRS ..., ... VINGT MILLE TOUMANS ...
... NOS PARENTS PAYAIENT ET ON NOUS LÂCHAIT...
... JUSQU'À LA FOIS SUIVANTE. POUR FAIRE LA FÊTE, IL FALLAIT AVOIR LES MOYENS.

ET PUIS UN SOIR

VOTRE POTE EST ALLÉ EN ENFER !
ALLEZ, METTEZ VOS VOILES !
EMBARQUEZ-MOI CES PUTES !!

PAPA, FARZAD EST...
JE SAIS. J'AI EU PEUR... TU DEVRAIS PEUT-ÊTRE...
MAIS IL NE FINIT PAS SA PHRASE. MALGRÉ LE DANGER, MON PÈRE ME LAISSA TOUJOURS VIVRE COMME JE L'ENTENDAIS.
LE LENDEMAIN, NOUS NOUS RETROUVÂMES CHEZ MOI.
PAUVRE FARZAD. IL ÉTAIT SI BEAU. JE N'ARRIVE PAS À CROIRE QU'IL SOIT MORT !
JE POURRAIS TUER TOUS CES BARBUS DE MES PROPRES MAINS !
JE NE VIENDRAI PLUS AUX SOIRÉES. ÇA CRAINT TROP !
TU AS TORT. C'EST TRÈS EXACTEMENT CE QU'ILS VEULENT ! NOUS EMPÊCHER DE VIVRE ! RIEN NE LES EMMERDE PLUS QUE DE NOUS VOIR HEUREUX !
ALI A RAISON !
LE SOIR MÊME, ALI FIT UNE GRANDE FÊTE CHEZ LUI.
JAMAIS JE NE BUS AUTANT DE MA VIE.

LE MARIAGE

EN 1991, J'ÉTAIS EN DEUXIÈME ANNÉE D'ARTS GRAPHIQUES.
TOUT ALLAIT BIEN : MES ÉTUDES M'INTÉRESSAIENT, J'AIMAIS MON COPAIN, J'ÉTAIS BIEN ENTOURÉE.
MES AMIS ET MOI AVIONS ÉVOLUÉ. J'AVAIS TEMPÉRÉ MA VISION OCCIDENTALE DE LA VIE, ET DE LEUR CÔTÉ ILS S'ÉTAIENT ÉLOIGNÉS DES TRADITIONS. DÉSORMAIS, BEAUCOUP DE COUPLES NON-MARIÉS S'ÉTAIENT FORMÉS.
IL FAUT DIRE QU'IL ÉTAIT DIFFICILE DE S'UNIR EN DEHORS DE LA CONJUGALITÉ. SI ON PARTAIT EN VOYAGE :
MONSIEUR, NOUS VOULONS UNE CHAMBRE POUR DEUX NUITS.
VOTRE CERTIFICAT DE MARIAGE, S'IL VOUS PLAÎT.
...SI ON VOULAIT LOUER UN APPARTEMENT :
JE SUIS AGENT IMMOBILIER. MON INTÉRÊT EST DE SIGNER UN MAXIMUM DE CONTRATS. VOTRE SITUATION DE FAMILLE M'EST ÉGALE, MAIS LE PROPRIÉTAIRE REFUSE. REMARQUEZ, IL A RAISON. IL VA AVOIR DES PROBLÈMES AVEC LES AUTORITÉS... ET PUIS D'UN POINT DE VUE MORAL, CE QUE VOUS FAITES N'EST PAS BIEN. VOUS DEVRIEZ VOUS MARIER.
DANS LE FOND, NI RÉZA, NI MOI N'ÉTIONS PRÊTS À NOUS ENGAGER. EN DEUX ANS, NOUS NOUS ÉTIONS UNIQUEMENT VUS CHEZ LUI OU CHEZ MOI (ENFIN, JE VEUX DIRE CHEZ NOS PARENTS).
JE T'AIME. TU VEUX QU'ON SE MARIE ?
?
JE N'AI QUE VINGT ET UN ANS ! JE N'AI ENCORE RIEN VU ! MAIS JE L'AIME ! COMMENT POURRAIS-JE SAVOIR SI C'EST L'HOMME DE MA VIE SANS AVOIR VÉCU AVEC LUI, ...
ALORS ?
DONNE-MOI UN PEU DE TEMPS.
PRENDS TOUT LE TEMPS QU'IL TE FAUDRA.
J'AVAIS BESOIN D'EN PARLER AVEC MES PARENTS MAIS MA MÈRE ÉTAIT EN VOYAGE À L'ÉTRANGER.
HEUREUSEMENT MON PÈRE ÉTAIT LÀ.
PAPA ! RÉZA M'A DEMANDÉE EN MARIAGE. JE NE SAIS PAS QUOI FAIRE.
IL N'Y A QUE TOI QUI PUISSES LE SAVOIR. EN MÊME TEMPS SI TU VEUX LE CONNAÎTRE, IL FAUT QUE TU VIVES AVEC LUI ET POUR ÇA, IL FAUT SE MARIER.
AU PIRE, ON DIVORCE.
BEN OUI

QUELQUES JOURS PLUS TARD, MA DÉCISION ÉTAIT PRISE : J'ALLAIS ME MARIER. JE L'ANNONÇAI À MON PÈRE. IL NOUS INVITA, RÉZA ET MOI, AU RESTAURANT POUR EN DISCUTER.
BIENVENUE !
APRÈS LE DÎNER
EN TANT QUE TON FUTUR BEAU-PÈRE, JE ME PERMETS DE TE DEMANDER TROIS CHOSES.
PRIMO : TU ES SÛREMENT AU COURANT QUE DANS CE PAYS "LE DROIT DE DIVORCE" POUR UNE FEMME EST FACULTATIF. ELLE NE L'A QUE SI SON MARI VALIDE CETTE OPTION LORS DE LA SIGNATURE DE L'ACTE DE MARIAGE. MA FILLE DOIT BÉNÉFICIER DE CE DROIT.
SECUNDO : MON ÉPOUSE ET MOI AVONS ÉLEVÉ NOTRE FILLE DANS LA PLUS GRANDE LIBERTÉ. SI ELLE RESTE TOUTE SA VIE EN IRAN, ELLE SE FANERA. JE VOUS DEMANDE DONC À TOUS LES DEUX DE PARTIR CONTINUER VOS ÉTUDES EN EUROPE APRÈS VOTRE DIPLÔME. VOUS AUREZ MON SOUTIEN FINANCIER.
TERTIO : VIVEZ ENSEMBLE AUSSI LONGTEMPS QUE VOUS VOUS SENTIREZ VRAIMENT HEUREUX. LA VIE EST TROP COURTE POUR ÊTRE MAL VÉCUE.
GARÇON, L'ADDITION S'IL VOUS PLAÎT !
OUI MONSIEUR
LONGTEMPS APRÈS, MON PÈRE M'AVOUA QU'IL AVAIT TOUJOURS SU QUE JE DIVORCERAIS. IL VOULAIT QUE JE ME RENDE COMPTE PAR MOI-MÊME QUE RÉZA ET MOI N'ÉTIONS PAS FAITS L'UN POUR L'AUTRE. IL A EU RAISON.

ENSUITE, J'AI APPELÉ MA MÈRE CHEZ MA TANTE À VANCOUVER.
ALLÔ MAMAN ! ÇA VA ?
DÈS QUE J'ENTENDS TA VOIX, ÇA VA BEAUCOUP MIEUX !
MAMAN, J'AI UNE TRÈS GRANDE NOUVELLE À T'ANNONCER... VOILÀ, JE ME MARIE !
TU TE MARIES ? MAIS AVEC QUI ??
BEN, À TON AVIS ? AVEC RÉZA BIEN SÛR !
MAIS TU ES TROP JEUNE ENFIN ! ÉCOUTE ! TU ATTENDS QUE JE REVIENNE. JE SERAI LÀ DANS TROIS SEMAINES. ON EN REPARLERA.
ALORS ?
EH BIEN, ELLE N'EST PAS D'ACCORD.
JE M'Y ATTENDAIS UN PEU... CE N'EST PAS GRAVE. JE VAIS DISCUTER AVEC ELLE. NE T'EN FAIS PAS.
JE N'AI JAMAIS SU CE QU'ILS SE SONT DITS, NÉANMOINS QUAND MA MÈRE RENTRA À TÉHÉRAN...
AH MA CHÉRIE, JE M'OCCUPE DE TOUT. IL FAUT QUE CETTE CÉRÉMONIE SOIT À TA HAUTEUR.

DÈS LE LENDEMAIN
QU'EST-CE QUE T'EN PENSES ?
EUH... LA ROBE EST BELLE, MAIS JE NE PEUX PAS PORTER UN TRUC PAREIL.
ENSUITE, ELLE M'EMMENA DANS UN ENDROIT RÉPUTÉ POUR SES "COIFFURES DE MARIÉES", AFIN DE FAIRE DES ESSAIS.
ÇA TE PLAÎT, PETITE ?
...
JE FUS SUJETTE À DES DIZAINES D'EXPÉRIMENTATIONS EN TOUS GENRES : MAQUILLAGE, BOUQUET DE FLEURS À LA MAIN, CHAUSSURES, ...
JE SAIS QUE VOUS VOULEZ FAIRE DE VOTRE MIEUX SAUF QUE JE DÉTESTE LES ROBES DE MARIÉES, LES COIFFURES À LA MODE ET TOUT LE RESTE... ON NE POURRAIT PAS FAIRE JUSTE UNE TOUTE PETITE FÊTE...
ÉCOUTE. NOUS N'AVONS QU'UN SEUL ENFANT : TOI ! IL SE PEUT QUE CE SOIT TON SEUL ET UNIQUE MARIAGE. TU T'HABILLES ET TE COIFFES COMME TU VEUX, MAIS LAISSE-NOUS AU MOINS FÊTER CET ÉVÉNEMENT À NOTRE FAÇON.
JE CÉDAI ET MES PARENTS EN PROFITÈRENT POUR INVITER QUATRE CENTS PERSONNES, DEUX ORCHESTRES, TOURNAGE VIDÉO, FLEURS, ...
LA MARIÉE EST LÀ !
MA CHÉRIE !

NOUS PASSÂMES D'ABORD DEVANT LE MOLLAH.
MONSIEUR RÉZA... VOULEZ-VOUS PRENDRE MADEMOISELLE MARJANE... MADEMOISELLE MARJANE... VOULEZ-VOUS PRENDRE MONSIEUR RÉZA...
OUI !
OUI !
PUIS, CE FUT LE TOUR DU FOLKLORE. LA TRADITION VEUT QU'UNE FEMME COMBLÉE DANS SON MÉNAGE FROTTE DEUX PAINS DE SUCRE AU-DESSUS DE NOS TÊTES POUR NOUS TRANSMETTRE SA JOIE ET SA PROSPÉRITÉ.
LA TRADITION VEUT AUSSI QUE NOUS PLONGIONS NOS DOIGTS DANS DU MIEL...
... ET QUE NOUS NOUS LES SUCIONS MUTUELLEMENT POUR COMMENCER NOTRE VIE DE COUPLE SUR UNE NOTE SUCRÉE.
ENSUITE VIENNENT LES CADEAUX.
TENEZ, C'EST POUR VOUS !
MAMAN !
ALORS, C'EST POUR QUAND LES ENFANTS ?
BIENTÔT
TU ES RADIEUSE !
JE VOUS REMERCIE !
C'EST VOUS LA MARIÉE ?
HI ! HI ! HI ! NON ! C'EST ELLE !
?

MAMAN, TU ES LÀ ?
NON !
TU AS PLEURÉ ?
NON
IL A SUFFI QUE JE LUI POSE MA MAIN SUR L'ÉPAULE, POUR QU'ELLE RECOMMENCE.
J'AI TOUJOURS VOULU QUE TU DEVIENNES INDÉPENDANTE, ÉDUQUÉE, CULTIVÉE... ET VOILÀ QUE TU TE MARIES À VINGT-ET-UN ANS. JE VEUX QUE TU PARTES D'IRAN, QUE TU SOIS LIBRE ET ÉMANCIPÉE...
MA PETITE MAMAN ! FAIS-MOI CONFIANCE. JE SAIS CE QUE JE FAIS.
LE RESTE DE LA SOIRÉE SE DÉROULA ENTRE LARMES ET RIRES MAIS SURTOUT BEAUCOUP DE LASSITUDE. ENFIN À 2 HEURES DU MATIN.
AU REVOIR !
SOYEZ HEUREUX !
BONNE CHANCE !
NOUS RENTRÂMES CHEZ NOUS...
... QUAND LA PORTE DE L'APPARTEMENT SE REFERMA, J'EUS UNE SENSATION BIZARRE.
... JE REGRETTAIS DÉJÀ ! J'ÉTAIS SOUDAIN DEVENUE "UNE FEMME MARIÉE". J'AVAIS SUIVI LE SCHÉMA SOCIAL ALORS QUE J'AVAIS TOUJOURS VOULU RESTER EN MARGE. DANS MA TÊTE "UNE FEMME MARIÉE" N'ÉTAIT PAS COMME MOI. CELA DEMANDAIT TROP DE COMPROMIS. JE NE POUVAIS PAS L'ACCEPTER, MAIS C'ÉTAIT TROP TARD.

MALGRÉ TOUT J'ESSAYAIS MAIS MA CRISE EXISTENTIALISTE ET IDENTITAIRE N'ÉTAIT QU'UNE PARTIE DU PROBLÈME. L'AUTRE PARTIE ÉTAIT RÉZA.
J'AIMERAIS QU'ON ACCROCHE LE TABLEAU LÀ !
NON, JE PRÉFÈRE ICI !
JE VAIS DÉJEUNER CHEZ MES PARENTS. TU NE VIENS PAS ?
NON, JE N'AI PAS ENVIE.
TU NE VEUX PAS VENIR À L'ANNIVERSAIRE DE KIANA ?
NON
JE RENTRERAI TARD.
COMME TU VOUDRAS.
AVEC LE RECUL JE M'APERÇOIS QUE J'AI TOUJOURS SU QU'ENTRE NOUS, ÇA NE MARCHERAIT PAS. MAIS APRÈS MA PITEUSE HISTOIRE D'AMOUR À VIENNE, J'AVAIS BESOIN DE CROIRE DE NOUVEAU EN QUELQU'UN...
...TELLEMENT BESOIN QUE JE LUI MENTAIS SANS CESSE.
J'ADORE LES FILLES EN TAILLEUR.
C'EST TOUT À FAIT MON STYLE !
JE N'AIME PAS LES FILLES GROSSIÈRES
AH ! MOI JE LES DÉTESTE !
J'AIME LES YEUX CLAIRS.
... ET JE M'ACHETAIS DES LENTILLES BLEUES.
BLA BLA BLA BLA BLA BLA BLA BLA BLA BLA BLA BLA
JE SUIS D'ACCORD AVEC TOUT CE QUE TU DIS !
LUI S'ÉTAIT MARIÉ AVEC
Elle
ET S'ÉTAIT RETROUVÉ AVEC
ELLE

AU BOUT D'UN MOIS DE MARIAGE, NOUS FÎMES CHAMBRE À PART.
LUI AVAIT SA VIE...
ELLE EST OÙ TA FEMME ?
EN VACANCES, AVEC SA COUSINE.
... MOI, LA MIENNE.
IL VA BIEN RÉZA ?
OUAIS, IL EST AVEC SON FRÈRE.
NOUS ÉTIONS CONSIDÉRÉS COMME LE COUPLE MODÈLE DEPUIS SI LONGTEMPS ET PAR TELLEMENT DE MONDE QUE NOUS N'ARRIVIONS PAS À ASSUMER NOTRE ÉCHEC...
... NOUS GARDIONS LA FACE EN PUBLIC.
ELLE VA FERMER SA GRANDE GUEULE ?
QU'IL EST CON !
MAIS DÈS QU'ON SE RETROUVAIT SEULS
TU NE VEUX JAMAIS SORTIR ! SI JE DOIS ALLER PARTOUT, TOUTE SEULE, À QUOI ÇA SERT DE VIVRE ENSEMBLE ?
MOI, JE TE LAISSE FAIRE TOUT CE QUE TU VEUX ! JE NE SUIS PAS COMME CES MACHOS À TE DEMANDER DES COMPTES ! ALORS TU ME FOUS LA PAIX !
EN L'ESPACE DE DEUX MOIS, NOUS PASSÂMES DES ENGUEULADES HEBDOMADAIRES AUX INJURES QUOTIDIENNES.

LA PARABOLE
EN 1991, L'ANNÉE DE MON MARIAGE, L'IRAK ATTAQUA LE KOWEÏT.
BIEN FAIT POUR EUX ! ILS ONT SOUTENU CE SALOPARD DE SADDAM PENDANT HUIT ANS CONTRE NOUS ! QU'ILS RÉCOLTENT CE QU'ILS ONT SEMÉ !
SADDAM EST SURARMÉ ET LES KOWEÏTIENS CONTINUENT DE DÉPASSER LEUR QUOTA DE PRODUCTION PÉTROLIÈRE ! QU'ILS S'EXTERMINENT ENTRE EUX !
MAINTENANT QUE L'IRAN S'EST DÉCLARÉ NEUTRE DANS CETTE AFFAIRE, LES KOWEÏTIENS S'EXCUSENT D'AVOIR SOUTENU NOTRE ENNEMI ! BIENTÔT ILS VIENDRONT MÊME S'EXILER CHEZ NOUS !
C'EST CE QU'ILS FIRENT.
LES ÉMIGRÉS KOWEÏTIENS ÉTAIENT FACILES À REPÉRER. ILS AVAIENT DES VOITURES TRÈS MODERNES, CONTRAIREMENT AUX IRANIENS, ÉCONOMIQUEMENT DÉTRUITS APRÈS DE LONGUES ANNÉES DE GUERRE. MON SEUL CONTACT AVEC EUX FUT UN JOUR D'ÉTÉ DANS LA RUE.
HOW MUCH ? HOW MUCH ?
FUCK YOU! SON OF A BITCH!!
COCA
QUAND JE RACONTAI CETTE MÉSAVENTURE À UN ONCLE QUI CONNAISSAIT BIEN LE KOWEÏT, IL ME DIT: "LÀ-BAS, COMME DANS TOUS LES PAYS DE L'ARABIE, LES FEMMES SONT SI DÉPOURVUES DE DROITS QUE POUR UN KOWEÏTIEN, UNE FILLE QUI MARCHE DEHORS EN BUVANT UN COCA NE PEUT ÊTRE QU'UNE PROSTITUÉE."

À PART CES PETITES DÉCONVENUES, NOUS NE NOUS SENTIONS PAS DU TOUT CONCERNÉS PAR LES ÉVÈNEMENTS, MÊME S'ILS SE DÉROULAIENT DANS LE GOLFE PERSIQUE, C'EST-À-DIRE CHEZ NOUS !
MARJI, VIENS VOIR
CETTE GUERRE A DÉCLENCHÉ LA PANIQUE DANS LES PAYS EUROPÉENS...
LES GENS REMPLISSENT LEURS CADDIES. C'EST LA FOLIE DANS LES SUPERMARCHÉS OCCIDENTAUX...
...VOICI QUELQUES TÉMOIGNAGES
J'AI CONNU LA SECONDE GUERRE MONDIALE ! C'ÉTAIT AFFREUX !
NOUS AVONS DEUX BÉBÉS ! NOUS SOMMES OBLIGÉS DE FAIRE LE PLEIN DE LAIT EN POUDRE ET DE COUCHES.
IL VA Y AVOIR DES ATTENTATS ! ILS RIPOSTERONT ! ILS NOUS ATTAQUERONT SUR NOTRE PROPRE TERRITOIRE !!!
!
!!
HA! HA! HA!
HA! HA! HA!

C'EST DINGUE, LA GUERRE SE PASSE À 6000 KILOMÈTRES DE CHEZ EUX ET ILS ONT PEUR !! À CROIRE QU'ILS N'ONT TELLEMENT PAS DE SOUCIS, QU'ILS ANGOISSENT POUR N'IMPORTE QUOI !
POURQUOI VOUS RIGOLEZ ?
ON A VU À LA TÉLÉ DES EUROPÉENS ÉPOUVANTÉS PAR LA GUERRE DU GOLFE ET ON SE DISAIT AVEC PAPA QU'ILS ÉTAIENT SÛREMENT EN MANQUE DE PROBLÈMES.
MAIS DEPUIS QUAND VOUS VOUS FIEZ À NOS MÉDIAS ? LEUR OBJECTIF CONSISTE À FAIRE DE LA PROPAGANDE CONTRE L'OCCIDENT.
NE T'EN FAIS PAS MAMAN ! LES MÉDIAS OCCIDENTAUX S'ACHARNENT AUSSI CONTRE NOUS. C'EST DE LÀ QUE VIENT NOTRE RÉPUTATION D'INTÉGRISTES ET DE TERRORISTES !
TU AS RAISON. ENTRE LE FANATISME DES UNS ET LE MÉPRIS DES AUTRES, ON NE SAIT QUE CHOISIR.
PERSONNELLEMENT JE HAIS SADDAM ET JE N'AI AUCUNE SYMPATHIE POUR LES KOWEÏTIENS, MAIS JE DÉTESTE TOUT AUTANT LE CYNISME DES ALLIÉS QUI SE NOMMENT DES "LIBÉRATEURS", ALORS QU'ILS SONT LÀ POUR LE PÉTROLE.
TOUT À FAIT. IL N'Y A QU'À REGARDER L'AFGHANISTAN ! ILS ONT FAIT LA GUERRE PENDANT DIX ANS. IL Y A EU 900 000 MORTS ET AUJOURD'HUI LE PAYS EST TOUJOURS DANS LE CHAOS...
PERSONNE N'A BOUGÉ LE PETIT DOIGT ! CAR L'AFGHANISTAN EST PAUVRE !
LE PIRE EST QUE L'INTERVENTION AU KOWEÏT SE FAIT AU NOM DES DROITS DE L'HOMME !!!
QUELS DROITS ? QUELS HOMMES ?

À L'ÉPOQUE, CE GENRE D'ANALYSE N'ÉTAIT PAS MONNAIE COURANTE. APRÈS NOTRE PROPRE GUERRE, NOUS ÉTIONS CONTENTS QUE L'IRAK SE FASSE ATTAQUER ET RÉJOUIS QUE ÇA NE SE PASSE PAS CHEZ NOUS.
SADDAM M'A VOLÉ UNE JAMBE. J'ESPÈRE QU'ILS LE TUERONT.
IL N'Y A PLUS LA GUERRE EN IRAN. LE RESTE, JE M'EN FICHE!
MAINTENANT NOTRE ÉCONOMIE REPRENDRA DE PLUS BELLE!
MON MARI EST MARTYR DE GUERRE. J'ESPÈRE QUE SADDAM IRA EN ENFER!
JE FERAI MON SERVICE MILITAIRE EN PÉRIODE DE PAIX.
JE SUIS CARDIAQUE. HEUREUSEMENT LES BOMBES C'EST FINI!!
À BAS SADDAM!
NOUS POUVIONS ENFIN DORMIR TRANQUILLEMENT SANS LA PEUR DES MISSILES...
NOUS NE DEVIONS PLUS FAIRE LA QUEUE MUNIS DE NOS COUPONS DE RATIONS ALIMENTAIRES...
LESSIVE
HUILE
SUCRE
RIZ
...LE RESTE IMPORTAIT PEU.
ET PUIS, IL N'Y AVAIT PLUS D'OPPOSITION. LES CONTESTATAIRES AVAIENT ÉTÉ EXÉCUTÉS
OU AVAIENT FUI LE PAYS COMME ILS POUVAIENT.
LE RÉGIME AVAIT LE POUVOIR ABSOLU...
...ET LA PLUPART DES GENS, À LA RECHERCHE D'UN NUAGE DE BONHEUR, AVAIENT OUBLIÉ LEUR CONSCIENCE POLITIQUE.

* LES QUARTIERS CHICS

MES PARENTS S'EN PROCURÈRENT UNE AUSSI. JE PASSAIS DÉSORMAIS DES JOURS ET DES NUITS ENTIERS CHEZ EUX À REGARDER LA TÉLÉ.
LE PROGRAMME M'IMPORTAIT PEU. DU MOMENT QU'IL Y AVAIT DE BELLES PERSONNES, J'ÉTAIS CONTENTE. UN SOIR...
SALUT ! TU ES ENCORE LÀ ? ELLE EST OÙ TA MÈRE ?
AVEC SES COPINES.
OH LE SALAUD ! IL S'EN EST ENCORE SORTI INDEMNE !
ÉCOUTE, IL FAUT QU'ON PARLE !
ATTENDS, ATTENDS, ILS VONT L'ARRÊTER !
NON ! ON PARLE D'ABORD
MAIS... QU'EST-CE QUI TE PREND ??
CE MATIN QUAND JE SUIS PARTI AU BUREAU, TU ÉTAIS SUR CE CANAPÉ, JE RENTRE 12 HEURES PLUS TARD, TU ES TOUJOURS À LA MÊME PLACE.
QU'EST-CE QUI SE PASSE ? C'EST TON MARIAGE QUI TE REND DÉPRESSIVE ? JE NE TE RECONNAIS PLUS ! TU AS TOUJOURS ÉTÉ CURIEUSE, TU LISAIS, TU T'INTÉRESSAIS À TOUT ! TU AS TOUJOURS ÉTÉ EN AVANCE SUR TON ÂGE... MAINTENANT...
... MAINTENANT JE SUIS UNE FEMME MARIÉE. J'AI VINGT-DEUX ANS. JE SUIS UNE ADULTE !
N'IMPORTE QUI PEUT AVOIR VINGT-DEUX ANS ET ÊTRE MARIÉ. ÇA NE DEMANDE PAS UN EFFORT INTELLECTUEL HORS DU COMMUN !!... TU FERAIS MIEUX DE PENSER À TON DIPLÔME ! C'EST DANS MOINS D'UN AN !
PUISQUE C'EST COMME ÇA, JE M'EN VAIS !
EH BEN AU REVOIR.

* PREMIER MINISTRE IRANIEN. IL NATIONALISA LE PÉTROLE EN 1951.

MES NOUVEAUX CENTRES D'INTÉRÊT ME FIRENT CÔTOYER DE NOUVELLES PERSONNES, SOUVENT BEAUCOUP PLUS ÂGÉES QUE MOI. PARMI ELLES, UN CERTAIN Dr. M, CHEZ LEQUEL TOUS LES INTELLECTUELS SE RÉUNISSAIENT LES PREMIERS LUNDIS DU MOIS.
DANS UN PAYS COMME LE NÔTRE, AVEC AUTANT DE RESSOURCES IL N'EST PAS NORMAL QUE 70% DE LA POPULATION VIVE AU-DESSOUS DU SEUIL DE PAUVRETÉ !
OUI, SI MOSSADEGH AVAIT PU MENER JUSQU'AU BOUT SON PROJET DE RÉFORME, L'IRAN NE SE TROUVERAIT PAS DANS CETTE SITUATION AUJOURD'HUI.
C'EST LA FAUTE DES ANGLAIS ET DES AMÉRICAINS. C'EST EUX QUI LE DESTITUÈRENT EN ORGANISANT LE COUP D'ÉTAT DE 1953 !
PEUT-ÊTRE MAIS QU'AVONS-NOUS FAIT POUR LES EN EMPÊCHER ? LES ÉTRANGERS N'AURAIENT JAMAIS PU PARVENIR À LEURS FINS SANS L'AIDE DE CERTAINS TRAÎTRES IRANIENS ! SI ON VEUT RECONSTRUIRE CE PAYS, IL FAUDRA COMMENCER PAR ADMETTRE NOS PROPRES MÉFAITS !!
POUSSÉE PAR MES PARENTS, ENCOURAGÉE PAR Dr. M ET SES AMIS ET UN PEU GRÂCE À MOI-MÊME, JE CHANGEAI DE VIE.
UNE FOIS DE PLUS, J'ARRIVAIS À MON ÉTERNELLE CONCLUSION : IL FALLAIT S'INSTRUIRE.

LA FIN

EN JUIN 1993, À LA FIN DE NOTRE QUATRIÈME ANNÉE D'ÉTUDES, RÉZA ET MOI FÛMES CONVOQUÉS PAR LE PROFESSEUR PRINCIPAL DU DÉPARTEMENT DE LA COMMUNICATION VISUELLE.
VOUS ÊTES TOUS LES DEUX MES MEILLEURS ÉLÈVES. J'AI DONC UN PROJET DE DIPLÔME À VOUS PROPOSER. IL CONSISTE À CRÉER UN PARC D'ATTRACTION À PARTIR DES HÉROS DE NOTRE MYTHOLOGIE.
LE SUJET ÉTAIT SI EXTRAORDINAIRE QUE NOUS OUBLIÂMES NOS CONFLITS ET ACCEPTÂMES DE TRAVAILLER ENSEMBLE.
NOUS PASSÂMES TOUT L'ÉTÉ DANS LES BIBLIOTHÈQUES,...
LES MUSÉES,...
CHEZ DES SAVANTS, DES CHERCHEURS ET DES DOCTEURS EN SCIENCES HUMAINES.
DANS LA MYTHOLOGIE GRECQUE, LES HÉROS SONT PRÉDESTINÉS ALORS QUE NOTRE MYTHOLOGIE EST DÉPOURVUE DE LA NOTION DE DESTIN !
DE JUIN 1993 À JANVIER 1994, NOUS FÛMES SI OCCUPÉS QUE NOUS NE NOUS DISPUTÂMES PAS UNE SEULE FOIS.

NOUS VOULIONS CRÉER L'ÉQUIVALENT DE DISNEYLAND À TÉHÉRAN. NOUS AVIONS PENSÉ À TOUS LES DÉTAILS : RESTAURATION, HÉBERGEMENT, ANIMATIONS,...
HOTEL
RESTAURANT
... C'ÉTAIT PASSIONNANT.

NOUS TRAVAILLÂMES D'ARRACHE-PIED DURANT SEPT MOIS.
ENFIN VINT LE JOUR DE LA PRÉSENTATION DE NOTRE DIPLÔME.
AVANT L'ARRIVÉE DU JURY, NOS PROCHES EURENT LE DROIT D'APPRÉCIER NOS OEUVRES DE PRÈS.
Dr. M, MERCI D'ÊTRE LÀ. JE SUIS INFINIMENT HONORÉE.
TOUT L'HONNEUR EST POUR MOI
COMME J'ÉTAIS BIEN PLUS BAVARDE QUE RÉZA, NOUS AVIONS DÉCIDÉ QUE JE SOUTIENDRAI NOTRE MÉMOIRE.
NOTRE MYTHOLOGIE EST UNE DES MYTHOLOGIES LES PLUS COMPLEXES DE LA TERRE, OR NOUS N'AVONS JAMAIS SU L'EXPLOITER DE PEUR DE LA VULGARISER. BEAUCOUP DE CHOSES COMME LE SACRÉ GRAAL, LES CHEVALIERS DE LA TABLE RONDE, ETC ETC... VIENNENT D'IRAN. DANS NOTRE PAYS, NOUS AVONS DES PARCS D'ATTRACTIONS MAIS LES FIGURINES SONT AMÉRICAINES. DE LÀ PART NOTRE INITIATIVE.
NOUS EÛMES VINGT SUR VINGT. APRÈS LA DÉLIBÉRATION
BRAVO MES ENFANTS! C'ÉTAIT IMPECCABLE! GRÂCE AUX JEUNES COMME VOUS, J'AI ENCORE DE L'ESPOIR POUR L'AVENIR DE L'IRAN. VOUS DEVRIEZ PROPOSER VOTRE PROJET À LA MAIRIE DE TÉHÉRAN. JE CONNAIS PERSONNELLEMENT L'ADJOINT DU MAIRE. VOUS POUVEZ L'APPELER DE MA PART.

UNE SEMAINE PLUS TARD
J'AI RENDEZ-VOUS AVEC L'ADJOINT AU MAIRE
VOUS NE POUVEZ PAS ENTRER AVEC UN FOULARD. IL VOUS FAUT UNE CAGOULE.
LE LENDEMAIN
J'AI RENDEZ-VOUS AVEC L'ADJOINT AU MAIRE
VOUS NE POUVEZ PAS ENTRER. VOUS ÊTES MAQUILLÉE.
LE SURLENDEMAIN
J'AI RENDEZ-VOUS AVEC L'ADJOINT AU MAIRE
C'EST AU TROISIÈME ÉTAGE. BUREAU 314.
... ELLE, C'EST GORD AFARID, UNE GUERRIÈRE HORS PAIR. DE LA POINTE DE SON SABRE, ELLE DÉSIGNE LA DIRECTION DE L'HIPPODROME.
FAITES VOIR
MMM...
LA MOITIÉ DE VOS PERSONNAGES SONT DES FEMMES NON VOILÉES, ASSISES SUR LE DOS DE TOUTES SORTES D'ANIMAUX VRAIS OU MYTHIQUES. ON PEUT DISTINGUER LEURS FORMES ET LEURS CHEVEUX !
ON LES COUVRIRA !
UNE GORD AFARID EN TCHADOR N'EST PLUS UNE GORD AFARID. VOUS LE SAVEZ AUSSI BIEN QUE MOI !
JE VAIS ÊTRE FRANC AVEC VOUS : LE GOUVERNEMENT SE FICHE ÉPERDUMENT DE LA MYTHOLOGIE. CE QU'ILS VEULENT, CE SONT DES SYMBOLES RELIGIEUX. VOTRE PROJET EST CERTES INTÉRESSANT, MAIS IL EST IRRÉALISABLE !!!
... JE COMPRENDS...

APRÈS LA MAIRIE, J'AVAIS RENDEZ-VOUS AVEC UNE AMIE D'ENFANCE, FARNAZ.
LA SEULE CHOSE QUI AURAIT PEUT-ÊTRE PU SAUVER MON COUPLE ÉTAIT CE PROJET. MAINTENANT QUE C'EST FOUTU, JE PENSE QUE NOUS NOUS SÉPARERONS.
JE NE VOIS PAS LE RAPPORT ENTRE TON PARC D'ATTRACTION ET TON COUPLE !
BEN SI ! DEPUIS LE TEMPS QU'ON VIT À DEUX, C'EST LA PREMIÈRE FOIS QU'ON S'EST INVESTI ENSEMBLE SUR QUELQUE CHOSE. ÇA NOUS A RAPPROCHÉS.
TU L'AIMES ENCORE ?
JE NE SAIS PAS
ALORS ÉCOUTE-MOI BIEN. IL IL Y A UN AN, MA SOEUR A QUITTÉ SON MARI...
...DÈS LORS QU'ELLE EUT LE TITRE DE FEMME DIVORCÉE, DU BOUCHER
AU PÂTISSIER,
AU BOULANGER,
AU MARCHAND DE FRUITS ET LÉGUMES,
AU VENDEUR AMBULANT DE CIGARETTES,
MALBORO
JUSQU'AUX MENDIANTS DE LA RUE QUI LUI MANIFESTÈRENT L'ENVIE DE COUCHER AVEC ELLE.
DU POINT DE VUE DES HOMMES, D'UNE PART LEUR QUEUE EST IRRÉSISTIBLE ET D'AUTRE PART PUISQUE TU ES DIVORCÉE, TU N'ES PLUS VIERGE DONC TU N'AS AUCUNE RAISON DE LEUR REFUSER. ILS NE DOUTENT DE RIEN !!! REMARQUE, IL N'Y A RIEN D'ÉTONNANT ! DEPUIS LEUR NAISSANCE, LEUR MÈRE LES APPELLE "DOUDOUL TALA*".
ALORS, TANT QUE TA VIE N'EST PAS UN ENFER, RESTE AVEC TON MARI ! JE SAIS QUE TA FAMILLE EST OUVERTE D'ESPRIT MAIS TOUS LES AUTRES TE JUGERONT !

* ZIZI D'OR

CETTE CONVERSATION AVEC FARNAZ ME SECOUA MAIS JE N'ÉTAIS PAS D'ACCORD AVEC SES SUGGESTIONS. JE RÉALISAI SOUDAIN QUE JE N'AIMAIS PLUS VRAIMENT RÉZA. JE DEVAIS DIVORCER ! JE ME RUAI CHEZ MOI POUR LE LUI DIRE.
ALORS, LA MAIRIE ?
ILS NE VEULENT PAS DE NOTRE PROJET.
NE T'EN FAIS PAS ! APRÈS TOUT, CE N'EST QU'UN PROJET. ON EN AURA D'AUTRES !
JE SAIS... JE DOIS ALLER VOIR MAMIE.
TRÈS BONNE IDÉE ! ELLE SAURA TE CALMER !
VINGT MINUTES PLUS TARD
MAMIE,...
MAIS ENFIN, QU'EST-CE QUE TU AS ?!
TU NE VEUX PAS ENLEVER CETTE SALOPERIE DE CAGOULE, LÀ ?! ÇA ME REND CLAUSTROPHOBE !
MAMIE, C'EST TERRIBLE !
QU'EST-CE QUI EST SI TERRIBLE ?
JE CROIS QUE JE N'AIME PLUS RÉZA, JE PENSE QUE NOUS DEVONS NOUS SÉPARER.
C'EST ÇA TON TRUC "TERRIBLE" ? OH LÀ LÀ ! TU M'AS FAIT PEUR ! J'AI CRU QUE QUELQU'UN ÉTAIT MORT !
TU SAIS BIEN QUE JE SUIS CARDIAQUE ! TOUTES CES LARMES POUR UN DIVORCE ?
ÉCOUTE-MOI BIEN ! MOI, JE L'AI FAIT, IL Y A 55 ANS ET JE PEUX TE DIRE QU'À L'ÉPOQUE, PERSONNE NE ROMPAIT SON MARIAGE. MAIS JE ME SUIS TOUJOURS DIT QUE JE VIVRAIS PLUS HEUREUSE SEULE QU'AVEC UN CHIEUR !!
OUI MAIS...
IL N'Y A PAS DE MAIS ! UN PREMIER MARIAGE EST UN BROUILLON POUR LE DEUXIÈME. TU SERAS PLUS COMBLÉE LA PROCHAINE FOIS. EN ATTENDANT, SI TU PLEURES AUTANT, C'EST PEUT-ÊTRE QUE TU L'AIMES ENCORE ! RIEN NE T'OBLIGE À TOUT LUI DIRE TOUT DE SUITE. PRENDS TON TEMPS, RÉFLÉCHIS ET LE JOUR OÙ TU N'EN AS PLUS L'ENVIE, TU LE QUITTES ! QUAND UNE DENT EST POURRIE, IL FAUT L'ARRACHER !!

JE SUIVIS LES CONSEILS DE MA GRAND-MÈRE. J'ATTENDIS. JE TROUVAI UN TRAVAIL EN TANT QU'ILLUSTRATRICE DANS UN MAGAZINE ÉCONOMIQUE.
JE M'ENNUYAIS CHEZ MOI, JE SUIS VENUE FAIRE DES DESSINS ICI. JE NE VOUS DÉRANGE PAS ?
PAS DU TOUT !
TU ES CHEZ TOI !
OB DYLAN
TOUT SE PASSAIT BIEN. LA COMPLICITÉ AVEC MES COLLÈGUES ME FAISAIT OUBLIER LE RESTE.
MAIS DEUX MOIS PLUS TARD, EN MARS 1994, UN DESSINATEUR FIT LE DESSIN SUIVANT POUR UN ARTICLE SUR LE FOOTBALL IRANIEN :
JALLAD*
* ASSASSIN
LE GOUVERNEMENT NE SUPPORTA EFFECTIVEMENT PAS QU'UN MOLLAH SOIT TRAITÉ D'ASSASSIN. ILS ARRÊTÈRENT DONC LE DESSINATEUR EN QUESTION.
PERSONNE NE SAVAIT CE QUI LUI ÉTAIT ARRIVÉ MAIS CHACUN AVAIT UNE THÉORIE.
ILS ONT DÛ LE PENDRE !
ILS LUI ONT COUPÉ LES MAINS POUR QU'IL NE DESSINE PLUS !
ILS L'ONT FUSILLÉ !
ILS L'ONT TORTURÉ !
IL EST VIVANT MAIS IL EST AVEUGLE !
QUOI QU'IL EN SOIT, À PARTIR DE CE MOMENT, TOUTE LA PRESSE FUT REGARDÉE À LA LOUPE.
QUELQUES JOURS PLUS TARD, EN ARRIVANT AU BUREAU
MARJANE ! ILS ONT ARRÊTÉ BEHZAD !
NOTRE BEHZAD ? BEHZAD RADI ?
OUI !
LE MAGAZINE EST SORTI HIER ET ILS SONT ALLÉS LE CHERCHER CHEZ LUI, À 5 HEURES DU MATIN, AUJOURD'HUI !
... TOUT ÇA À CAUSE DE ÇA !!! ...
SON DESSIN ILLUSTRAIT UN PAPIER À PROPOS DES SYSTÈMES D'ALARME POUR PROTÉGER LES VILLAS DU NORD DE TÉHÉRAN CONTRE LES CAMBRIOLAGES.
BEHZAD AVAIT EU LE TORT DE DESSINER UN BARBU.

MAIS QUELQUES POILS N'ÉTANT PAS UNE RAISON SUFFISANTE POUR LE CONDAMNER, IL FUT LIBÉRÉ AU BOUT DE DEUX SEMAINES. GILA, LA GRAPHISTE DU MAGAZINE, ET MOI ALLÂMES LUI RENDRE VISITE.
BONJOUR
BONJOUR, ENTREZ !
ALORS, QU'EST-CE QUI S'EST PASSÉ ? RACONTE !
BEN RIEN ! JE LEUR AI EXPLIQUÉ QUE MON DESSIN VENAIT D'UN CONTE DANS LEQUEL L'AMOUREUX D'UNE PRINCESSE MONTAIT CHEZ ELLE EN SE SERVANT DES CHEVEUX LONGS DE SA BIEN-AIMÉE ET NE POUVANT PAS DESSINER UNE FEMME NON VOILÉE, J'AVAIS DESSINÉ UN HOMME BARBU.
LÀ, ILS SE SONT MIS À HURLER EN DISANT QUE J'INSINUAIS QUE LES BARBUS ÉTAIENT DES GONZESSES. J'AI JURÉ QUE CE N'ÉTAIT EN AUCUN CAS MON INTENTION.
ET ILS M'ONT ROUÉ DE COUPS... J'AI DES BLEUS PARTOUT SUR LE CORPS. ENFIN, BREF... LA LIBERTÉ D'EXPRESSION SE PAIE CHER DE NOS JOURS.
DING ! DONG !
JE VAIS OUVRIR. ÇA DOIT ÊTRE MA FEMME. JE REVIENS DE SUITE.
BONJOUR, JE SUIS MANDANA.
MARJANE, RAVIE DE VOUS CONNAÎTRE.
ET LUI, C'EST NIMA.

MAIS ENFIN MANDANA, TU VOIS BIEN QUE NOUS AVONS DES INVITÉES. VA NOUS CHERCHER DU THÉ. D'AILLEURS, ELLES ONT APPORTÉ DES GÂTEAUX. RAMÈNE-LES AUSSI !
MERCI INFINIMENT.
JE VOUS EN PRIE.
LA PAUVRE MANDANA A BEAUCOUP SOUFFERT PENDANT MES DEUX SEMAINES D'INCARCÉRATION.
ALORS, VOUS FAITES QUOI VOUS, DANS LA VIE ?
EH BIEN, JE...
ELLE A FAIT DES ÉTUDES DE PHARMACIE, MAIS NOUS AVONS EU NIMA TRÈS VITE APRÈS LE MARIAGE. ALORS MAINTENANT ELLE EST FEMME AU FOYER.
ET IL A QUEL ÂGE NIMA ?
IL A...
HUIT ANS ET DEMI !
EN JUILLET, IL AURA NEUF ANS !!!
ET VOUS, VOUS AVEZ DES ENFANTS ?
EUH... NON !
NON !
MARJANE, ELLE N'A MÊME PAS 25 ANS, QUANT À GILA, ELLE N'A PAS ENCORE DE MARI !

EN RENTRANT
DIRE QU'IL FÛT MON HÉROS PENDANT VINGT JOURS !! TOUT SON BARATIN SUR LA LIBERTÉ D'EXPRESSION, ALORS QU'IL N'A MÊME PAS LAISSÉ SA FEMME PRONONCER UN SEUL MOT ! AH, LES HOMMES IRANIENS !
NE DIS PAS ÇA ! CE NE SONT PAS LES HOMMES IRANIENS MAIS LES HOMMES TOUT COURT. IL Y A DEUX ANS, JE SORTAIS AVEC UN DIPLOMATE ESPAGNOL. EN APPARENCE, IL SE COMPORTAIT MIEUX MAIS DANS LE FOND, C'ÉTAIT LA MÊME CHOSE.
SAUF QU'ICI, TOUTES LES LOIS SONT DE LEUR CÔTÉ !
SI UN MEC TUE DIX FEMMES EN PRÉSENCE DE QUINZE AUTRES, PERSONNE NE PEUT LE CONDAMNER CAR DANS UNE AFFAIRE DE MEURTRE, NOUS LES FEMMES, NOUS NE POUVONS MÊME PAS TÉMOIGNER ! C'EST AUSSI LUI QUI A LE DROIT DE DIVORCE ET S'IL TE L'ACCORDE, IL A TOUT DE MÊME LA GARDE DES ENFANTS ! J'AI ENTENDU UN RELIGIEUX JUSTIFIER CETTE LOI, EN DISANT QUE L'HOMME ÉTAIT LA GRAINE ET LA FEMME, LA TERRE DANS LAQUELLE POUSSAIT CETTE GRAINE, DONC, LE GAMIN APPARTIENT NATURELLEMENT À SON PÈRE ! TU TE RENDS COMPTE ??? JE N'EN PEUX PLUS ! JE VAIS PARTIR DE CE PAYS !

GILA ME DÉPOSA CHEZ MOI. MA BELLE-SOEUR ÉTAIT LÀ.
BONSOIR KATAYOUNE, COMMENT ÇA VA ?
COMME UNE FEMME ENCEINTE DE HUIT MOIS ! JE ME SENS LOURDE MAIS BON, JE N'EN AI PLUS QUE POUR QUELQUES SEMAINES.
EH BIEN, JE VAIS VOUS LAISSER. N'OUBLIEZ PAS QUE MON FILS A BESOIN D'UN COUSIN OU D'UNE COUSINE. QU'EST-CE QUE VOUS ATTENDEZ POUR EN FAIRE UN ?
IL FAUT QU'ON PARLE.
ÇA FAIT TROIS ANS QU'ON EST MARIÉ ET TROIS ANS QU'ON FAIT CHAMBRE À PART. NOUS NE SOMMES PAS UN VRAI COUPLE...
NOUS NE SOMMES PAS UN COUPLE DU TOUT.
NOUS RESTONS ENSEMBLE PAR AFFECTION CERTES, MAIS SURTOUT PAR HABITUDE. NOUS N'ARRIVONS PAS À ADMETTRE QUE NOUS NE SOMMES PAS FAITS L'UN POUR L'AUTRE CAR CELA VOUDRAIT DIRE QUE NOUS RECONNAISSONS NOTRE ÉCHEC.
OUI MAIS JE SUIS ENCORE AMOUREUX DE TOI.
QUAND J'ÉTAIS AMOUREUSE DE TOI, TU GARDAIS LA TÊTE FROIDE. MAINTENANT C'EST TROP TARD RÉZA. JE NE T'AIME PLUS.
PARTONS EN FRANCE TOUS LES DEUX. C'EST SÛREMENT LA PRESSION SOCIALE QUI NOUS AFFECTE.
C'EST POUR CETTE MÊME RAISON QU'ON S'EST MARIÉS, POUR CONTOURNER LA PRESSION SOCIALE. NOTRE AMOUR EST MORT DEPUIS LONGTEMPS ! ÇA NE SERT À RIEN DE RÉESSAYER. C'EST UNE PERTE DE TEMPS.
JE NE SAIS PAS COMMENT J'AI RÉUSSI À LUI DIRE TOUT ÇA AUSSI SOUDAINEMENT. MA MAMIE AVAIT RAISON : J'AVAIS PRIS MON TEMPS ET NE REGRETTAI JAMAIS CE QUE J'AVAIS DIT.

QUELQUES JOURS PLUS TARD, J'ALLAI CHEZ MES PARENTS
JE VEUX PARTIR EN FRANCE !
TRÈS BIEN. IL VOUS FAUT UN VISA, VOUS AVEZ PENSÉ À...
PAPA, CE N'EST PAS NOUS, C'EST MOI. RÉZA IRA S'IL LE VEUT, MAIS NOUS ALLONS DIVORCER !
JE L'AI TOUJOURS SU !
TU L'AS TOUJOURS SU ET TU M'AS TOUT DE MÊME PRIS LA TÊTE PENDANT UNE SEMAINE POUR QUE J'APPROUVE CE MARIAGE ?
OUI MAIS SI ELLE NE L'AVAIT PAS FAIT, ELLE N'AURAIT JAMAIS SU QUE ÇA NE MARCHERAIT PAS ENTRE EUX. CHACUN DOIT FAIRE SES PROPRES EXPÉRIENCES.
MANIPULATEUR !
QUELLE MANIPULATION ?
JE NE TE PARLE PLUS.
ENFIN, NOUS SOMMES TRÈS HEUREUX DE TA DÉCISION. TU N'ES PAS FAITE POUR VIVRE ICI. NOUS, LES IRANIENS, NOUS SOMMES NON SEULEMENT ÉCRASÉS PAR LE GOUVERNEMENT MAIS AUSSI PAR LE POIDS DE NOS TRADITIONS !
NOTRE RÉVOLUTION NOUS A FAIT RECULER DE CINQUANTE ANS. IL FAUDRA DES GÉNÉRATIONS AVANT QUE TOUT CECI ÉVOLUE. TU N'AS QU'UNE VIE. TU AS LE DEVOIR DE BIEN LA VIVRE. EN PLUS MAINTENANT TU AS 24 ANS. CE N'EST PAS COMME QUAND TU ES PARTIE EN AUTRICHE, TU N'AS PLUS BESOIN DE NOUS.
QU'EST-CE QUE JE TE DISAIS : "NE T'INQUIÈTE PAS POUR ELLE, NOTRE FILLE A TOUJOURS SU S'EN SORTIR".
C'EST VRAI.
TU TE FAISAIS DU MAUVAIS SANG POUR MOI ?
J'AVAIS PEUR QUE TU RUINES TA VIE.
MOI AUSSI.
... N'AYANT RIEN PU CONSTRUIRE DANS MON PROPRE PAYS, JE ME PRÉPARAI À LE QUITTER DE NOUVEAU. JE VINS UNE PREMIÈRE FOIS EN FRANCE EN JUIN 94 POUR PASSER LE CONCOURS D'ENTRÉE DES ARTS DÉCO DE STRASBOURG. JE FUS REÇUE. PUIS IL FALLUT RETOURNER EN IRAN POUR ÉCHANGER MON VISA DE TOURISME CONTRE UN VISA ÉTUDIANT.

ENTRE JUIN ET SEPTEMBRE 94, DATE DE MON DÉPART DÉFINITIF, JE FLÂNAI TOUS LES MATINS DANS LES MONTAGNES DE TÉHÉRAN OÙ JE MÉMORISAI CHAQUE RECOIN.
JE PARTIS EN VOYAGE AVEC MA MAMIE AU BORD DE LA MER CASPIENNE OÙ JE REMPLIS MES POUMONS DE CET AIR SI PARTICULIER. CET AIR QUI N'EXISTE NULLE PART AILLEURS.
J'ALLAI SUR LA TOMBE DE MON GRAND-PÈRE OÙ JE LUI PROMIS QU'IL SERAIT FIER DE MOI.
J'ALLAI AUSSI DERRIÈRE LA PRISON D'ÉVINE* OÙ REPOSAIT LE CORPS DE MON ONCLE ANOUCHE DANS UN ENDROIT INDÉFINI, À CÔTÉ DE MILLIERS D'AUTRES CADAVRES. JE LUI DONNAI MA PAROLE D'ESSAYER DE RESTER TOUJOURS AUSSI INTÈGRE QUE POSSIBLE.
* PRISON POLITIQUE DE TÉHÉRAN
JE PASSAI ÉGALEMENT DES MOMENTS FANTASTIQUES AVEC MES PARENTS...
... JUSQU'À CE 9 SEPTEMBRE 1994, OÙ AVEC MA MAMIE, ILS M'ACCOMPAGNÈRENT À L'AÉROPORT DE MEHRABAD.

J'AVAIS CHOISI CE DÉPART MAIS JE ME SENTAIS MALGRÉ TOUT TRÈS TRISTE,
MON PÈRE PLEURA COMME D'HABITUDE,
ET MA MÈRE GARDA LA FACE.
CETTE FOIS, TU PARS POUR TOUJOURS. TU ES UNE FEMME LIBRE. L'IRAN D'AUJOURD'HUI N'EST PAS POUR TOI. JE T'INTERDIS DE REVENIR !
OUI MAMAN
LES ADIEUX FURENT BEAUCOUP MOINS PÉNIBLES QUE DIX ANS AUPARAVANT QUAND J'EMBARQUAI POUR L'AUTRICHE : IL N'Y AVAIT PLUS LA GUERRE, JE N'ÉTAIS PLUS UNE ENFANT, MA MÈRE N'EUT PAS DE MALAISE ET MA MAMIE ÉTAIT LÀ HEUREUSEMENT...
... HEUREUSEMENT, CAR DEPUIS CE SOIR DU 9 SEPTEMBRE 1994, JE NE LA REVIS QU'UNE FOIS LORS DU NOUVEL AN IRANIEN EN MARS 1995. ELLE DÉCÉDA LE 4 JANVIER 1996... LA LIBERTÉ AVAIT UN PRIX...

Du même auteur à
L'Association

Persepolis
(4 volumes, Collection Ciboulette, 2000-2003)

Broderies
(Collection Côtelette, 2003)

Poulet aux prunes
(Collection Ciboulette, 2004)

Cinquante-Troisième Volume de la Collection Ciboulette,
PERSEPOLIS, de Marjane Satrapi,
a été achevé de réimprimer en octobre 2011
sur les presses de l'imprimerie Grafiche Milani, Italie.
Septième édition. Dépôt légal deuxième trimestre 2007.
ISBN 978-2-84414-240-5.